HENNING MANKELL
LOS PERROS DE RIGA

Traducción del sueco de Dea M. Mansten
y Amanda Monjonell

MAXI
TUSQUETS
EDITORES

Título original: *Hundarna i Riga*

1.ª edición en colección Andanzas: noviembre de 2002
4.ª edición en colección Andanzas: mayo de 2008
1.ª edición en colección Maxi: junio de 2008

© Henning Mankell, 2002. Publicado por acuerdo con Leopard Förlag AB, Estocolmo, y Leonhardt & Høier Literary Agency aps, Estocolmo

Ilustración de la cubierta: detalle de una obra de Antoon Van Dyck

© de la traducción: Dea M. Mansten y
Amanda Monjonell Mansten, 2002

Diseño de la colección: FERRATERCAMPINSMORALES

Reservados todos los derechos de esta edición para
Tusquets Editores, S.A. - Cesare Cantù, 8 - 08023 Barcelona
www.tusquetseditores.com
ISBN: 978-84-8383-521-0
Depósito legal: B. 15.390-2008
Impresión y encuadernación: Liberdúplex, S.L.
Impreso en España

Índice

Capítulo 1 7
Capítulo 2 13
Capítulo 3 29
Capítulo 4 47
Capítulo 5 67
Capítulo 6 85
Capítulo 7 105
Capítulo 8 123
Capítulo 9 141
Capítulo 10 157
Capítulo 11 175
Capítulo 12 193
Capítulo 13 207
Capítulo 14 229
Capítulo 15 247
Capítulo 16 267
Capítulo 17 285
Capítulo 18 305
Epílogo 325
Colofón 331

Por la mañana, poco después de las diez, llegó la nevada.

El timonel del barco de pesca masculló una maldición. Había oído por la radio que se preparaba una tormenta de nieve, pero albergaba la esperanza de llegar a la costa sueca antes de que aquélla comenzase. Si la noche anterior no le hubiesen hecho perder el tiempo en Hiddensee, ya habría divisado Ystad y habría podido virar el rumbo unos cuantos grados al este. Todavía le quedaban siete millas de navegación, y si la tormenta de nieve arreciaba tendría que detener la embarcación hasta que escampara.

Volvió a maldecir su suerte. «La avaricia rompe el saco», se dijo para sus adentros. «Debería haber hecho lo que pensé en otoño: comprar un nuevo radar. Ya no puedo fiarme de mi viejo Decca. Tenía que haber comprado uno de los modelos americanos. Esto me pasa por avaro.»

No había querido comprárselo a los alemanes del Este porque temía que le engañaran.

Todavía le costaba asimilar que Alemania del Este había dejado de existir como tal. Que toda una nación, la de los alemanes orientales, había desaparecido. En el curso de una noche, la historia barrió las viejas fronteras. Ahora sólo había una Alemania, y nadie sabía qué iba a deparar la vida diaria de las dos naciones juntas. Al principio, con la caída del muro, se sintió preocupado, porque no sabía si ese gran cambio afectaría a su trabajo. Sin embargo, un colega de operaciones en Alemania del Este le tranquilizó: nada iba a cambiar en un futuro inmediato; lo ocurrido incluso podía crear nuevas posibilidades de negocio.

La nevada era cada vez más intensa y el viento había virado a sur sudoeste. Encendió un cigarrillo y se sirvió café en un tazón que descansaba en un soporte especial al lado de la brújula. El calor que se respiraba en la cabina le hacía sudar, y el olor a gasóleo le picaba en la nariz. Echó una ojeada a la sala de máquinas, y vio que del estrecho camastro sobresalía el pie de Jakobson. Le salía el dedo gordo por un agujero del grueso calcetín. «Mejor que siga durmiendo», pensó. «Si hay que detenerse tendrá que relevarme para que yo pueda descansar unas horas.» Probó el café ya tibio y sus pensamientos volvieron a la noche anterior. Durante más de cinco horas se habían visto obligados a esperar en el pequeño y desmantelado puerto del lado oeste de Hiddensee, hasta que, entrada la noche, llegó un ruidoso camión para recoger la mercancía. Weber afirmó que el retraso se había debido a una avería del camión, y puede que fuera verdad. El viejo camión era un vehículo militar soviético mil veces reparado, y lo cierto es que a veces se asombraba de que todavía fuera manejable. Aun así, desconfiaba de Weber. Pese a que nunca le había engañado, estaba decidido de una vez por todas a ser más precavido con él. Sentía que era una precaución necesaria. A pesar de todo, en cada viaje que realizaba transportaba objetos de gran valor para los alemanes del Este: una treintena de ordenadores completos, cientos de teléfonos móviles y otros tantos equipos de música para coches. Cada viaje le hacía responsable de sumas millonarias. Si le cogían *in fraganti* le caería una buena condena, y no podría contar con la ayuda de Weber. En el mundo en el que vivía sólo se podía contar con uno mismo.

Controló el rumbo en la brújula y lo corrigió dos grados hacia el norte. La corredera indicaba que mantenía fijamente los ocho nudos. Todavía faltaban algo más de seis millas y media para divisar la costa sueca y virar hacia Brantevik. Aún podía ver las olas de color gris azulado ante él, pero la tormenta de nieve parecía ir en aumento.

«Cinco viajes más», pensó. «Y luego se acabó. Entonces tendré mi dinero y podré marcharme lejos de aquí.» Encendió otro cigarrillo y sonrió. Pronto alcanzaría su meta. Lo dejaría todo atrás y se embarcaría en un largo viaje a Porto Santos, donde abriría su propio bar. No tendría que seguir congelándose en esa cabina agrietada, traspasada por las corrientes de aire, mientras Jakobson roncaba en el camastro de abajo en la sala de máquinas. No sabía lo que le depararía la nueva vida que estaba tan cerca de emprender, y sin embargo, la anhelaba.

De pronto, la nevada terminó tan deprisa como había empezado. Al principio le costó creer en la suerte que había tenido, pero enseguida se dio cuenta de que los copos ya no relucían ante sus ojos. «Quizá pueda llegar a tiempo», pensó. «Quizá la tormenta se vaya hacia el sur, hacia Dinamarca.»

Se sirvió más café y empezó a silbar en su soledad. En una de las paredes de la cabina colgaba la bolsa con el dinero: treinta mil coronas, que le acercaban cada vez más a Porto Santos, la pequeña isla próxima a Madeira, el paraíso desconocido que estaba aguardándole...

Justo cuando iba a tomar un sorbo de café, descubrió el bote. Si la nevada no hubiese parado tan repentinamente, no lo habría visto. Pero ahí estaba, balanceándose sobre las olas a unos cincuenta metros a babor. Era un bote salvavidas de color rojo. Limpió el vaho del cristal con la manga de la chaqueta y entornó los ojos para fijar la vista en el bote. «Está vacío», pensó. «Se le habrá soltado a algún barco.» Giró el timón y redujo la velocidad. Jakobson se despertó sobresaltado por el cambio del sonido del motor. Asomó su cara barbuda desde la sala de máquinas.

–¿Ya hemos llegado? –preguntó.

–Hay un bote a babor –dijo Holmgren desde el timón–.

Podríamos subirlo a bordo. Valdrá unos cuantos billetes de mil. Mantén el rumbo, que yo cogeré el bichero.

Jakobson se puso al timón mientras Holmgren se calaba el gorro por encima de las orejas y dejaba la cabina de mando. El fuerte viento le cortaba la cara y, para contrarrestar el movimiento de las olas, se aguantaba en la barandilla. El bote se iba acercando poco a poco. Empezó a desatar el bichero, que estaba sujeto entre el techo de la cabina de mando y el cabrestante. Los dedos se le quedaron agarrotados mientras tiraba de los nudos helados. Por fin pudo soltar el bichero y miró hacia el bote.

Entonces tuvo un sobresalto. La pequeña embarcación, situada ya a pocos metros del casco del barco, no estaba vacía, sino que su interior albergaba dos cadáveres humanos. Jakobson le gritó algo ininteligible desde la cabina de mando: él también había visto el contenido del bote.

No era la primera vez que Holmgren veía un muerto. De joven, cuando cumplía el servicio militar, una pieza de artillería explotó en unas maniobras, y cuatro compañeros suyos murieron completamente despedazados. Y a lo largo de su carrera como pescador profesional, había visto muchos cadáveres arrastrados hasta las playas o flotando en el agua.

Lo primero que pensó Holmgren fue que la indumentaria de los cadáveres no era la de unos pescadores o marineros. Los dos vestían traje y corbata. Estaban como abrazados, como si hubiesen intentado protegerse mutuamente de lo inexorable. Intentó imaginarse lo que había pasado. ¿Quiénes podrían ser? Jakobson salió de la cabina y se puso a su lado.

–Oh, mierda, mierda. ¿Qué vamos a hacer ahora?

Holmgren pensó rápidamente.

–Nada –contestó–. Si los subimos a bordo tendremos que contestar a un sinfín de preguntas desagradables. Sencillamente, fingiremos que no los hemos visto. Está nevando, ¿no?

–¿Vamos a dejarles a la deriva? –preguntó Jakobson dubitativo.

–Sí –contestó Holmgren–. Están muertos. No podemos hacer nada por ellos. Y no quiero tener que explicar de dónde venimos con este barco. ¿Tú sí?

Jakobson, vacilante, negó con la cabeza. Contemplaron en silencio aquellos cuerpos sin vida. Holmgren, estremecido, se percató de que eran muy jóvenes, no debían de tener más de treinta años, y de que sus caras estaban pálidas y rígidas.

–Es raro que el bote no tenga ningún nombre –dijo Jakobson–. ¿De qué barco procederá?

Holmgren cogió el bichero y movió la embarcación para poder verla desde todos los ángulos. Jakobson tenía razón: no había ningún nombre escrito.

–¿Qué diablos habrá pasado? –murmuró–. ¿Quiénes serán? ¿Cuánto tiempo habrán ido a la deriva así, con traje y corbata?

–¿Cuánto falta hasta Ystad? –preguntó Jakobson.

–Unas seis millas.

–Podríamos acercarlos a la costa –dijo Jakobson–. Para que vayan a la deriva a tierra donde alguien pueda encontrarlos.

Holmgren reflexionó de nuevo. La sola idea de dejarlos ahí era repugnante, no podía negarlo, pero al mismo tiempo corrían el riesgo de que, al llevarlos al arrastre, cualquier transbordador o barco de carga los descubriera.

Estuvo sopesando las posibilidades.

Y rápidamente se decidió. Soltó la boza, se inclinó sobre la barandilla y la anudó al bote. Jakobson cambió de rumbo, hacia Ystad, mientras Holmgren fijaba la boza al bote cuando lo tuvo a unos diez metros detrás del barco y dejó de dar sacudidas por el oleaje de la hélice.

Al divisar la costa sueca, Holmgren cortó la boza. El bote con los dos cuerpos desapareció rápidamente detrás del barco. Jakobson cambió el rumbo hacia el este y unas horas más tarde entraron en el puerto de Brantevik. Jakobson recibió las cinco mil coronas convenidas, se sentó en el

Volvo y se dirigió a su casa de Svarte. Holmgren cerró la cabina de mando y echó por encima una lona a la trampa de carga. El puerto estaba desierto, por lo que pudo trabajar lenta y metódicamente controlando las amarras. Luego cogió la bolsa con el dinero y se acercó a su viejo Ford, que arrancó a regañadientes.

En circunstancias normales, estaría soñando con Porto Santos, pero el bote salvavidas rojo no cesaba de aparecérsele ante sus ojos. Intentaba imaginar dónde habría alcanzado tierra, ya que las corrientes eran caprichosas y cambiaban sin cesar, y el viento soplaba a rachas, hacia todos lados. Dedujo que el bote habría arribado a cualquier lugar de la costa, pero, aun así, sospechaba que tendría que ser muy cerca de Ystad, si antes no lo habían descubierto la tripulación o los pasajeros de alguno de los muchos transbordadores que iban a Polonia. No estaba seguro, sólo lo suponía.

Estaba oscureciendo cuando entró en Ystad. En la esquina del hotel Continental se paró ante un semáforo en rojo.

«¿Qué hacían en ese bote dos hombres vestidos con traje y corbata?», se preguntó. Había algo que no encajaba. Algo que se le había pasado por alto. Cuando el semáforo se puso en verde lo comprendió. Los dos hombres no habían llegado al bote salvavidas tras un naufragio, ya estaban muertos antes de encontrarse allí. No podía probarlo, apenas tenía argumentos. Aun así, lo sabía. Aquellos hombres ya estaban muertos cuando los metieron en el bote.

Movido por una repentina inspiración, torció a la derecha y paró ante las cabinas telefónicas situadas frente a la librería de la plaza. Pensó detenidamente lo que iba a decir, y luego marcó el número de emergencias y pidió que le pusieran en comunicación con la policía. Cuando le contestaron, vio a través de los cristales sucios de la cabina que volvía a nevar.

Era el 12 de febrero de 1991.

2

El comisario Kurt Wallander dio un bostezo en el despacho de la comisaría de Ystad, pero lo hizo con tanta fuerza que se produjo un tirón muscular en el mentón. El dolor fue terrible y para que se le soltase el músculo empezó a pegarse con los nudillos de la mano derecha contra la parte inferior de la barbilla. Martinson, uno de los policías más jóvenes del distrito, entró en ese momento en el despacho y se quedó atónito en la puerta ante aquel espectáculo: Kurt Wallander seguía dándole al músculo para que el dolor desapareciese. Martinson dio media vuelta para marcharse, pero Wallander le dijo:

–Entra. ¿Nunca te ha pasado algo así si bostezas muy fuerte?

–No, nunca –respondió Martinson–. Tengo que reconocer que no sabía qué estabas haciendo.

–Pues ahora ya lo sabes. ¿Qué querías?

Martinson se sentó en una silla e hizo una mueca. Llevaba un bloc de notas en la mano.

–Hemos recibido una llamada extraña hace unos minutos –empezó–. Quería consultarlo contigo.

–Recibimos llamadas extrañas todos los días, ¿no? –dijo sorprendido.

–Sí, pero en este caso no sé qué pensar –continuó Martinson–. Un hombre, desde una cabina telefónica, afirmaba que un bote con dos cadáveres estaba a punto de alcanzar nuestra costa. No dio ningún nombre ni dijo quiénes eran los dos muertos. Luego colgó.

Wallander le miró extrañado.

–¿Eso es todo? ¿Quién ha recibido la llamada?

–Yo. Ha dicho exactamente lo que acabas de oír. De alguna manera parecía convincente.

–¿Convincente?

–Ya sabes, con el tiempo adquieres cierta habilidad –contestó vacilante–. Enseguida sabes si va en serio o no. Pero el que llamó parecía muy seguro de lo que decía.

–¿Dos hombres muertos en un bote salvavidas? ¿A punto de alcanzar nuestra costa?

Martinson asintió.

Wallander ahogó otro bostezo y se recostó en la silla.

–¿Han dado parte de algún naufragio? –preguntó.

–No.

–Avisa a los otros distritos costeros y habla con los guardacostas –ordenó Wallander–. No podemos empezar una investigación por una llamada anónima; tendremos que esperar a ver lo que pasa.

Martinson asintió, y se levantó de la silla.

–Estoy de acuerdo –dijo–. De momento, vamos a esperar, y luego ya veremos.

–Esta noche puede ser terrible –continuó Wallander haciendo señas hacia la ventana– con toda esta nieve.

–Yo, de todos modos, me voy a casa ahora mismo –concluyó Martinson mirando el reloj–. Nieve o no nieve.

Martinson salió del despacho y Kurt Wallander se estiró en la silla. Notaba el cansancio. Había pasado dos noches seguidas en vela por dos casos que no podían esperar a la mañana siguiente. La primera noche dirigió la persecución de un presunto violador que se había apostado en una de las casas de verano en Sandskogen. Como el hombre estaba bajo los efectos de la droga y había indicios de que pudiese estar armado, tuvieron que esperar hasta las cinco de la mañana, cuando por fin se entregó voluntariamente. La noche siguiente despertaron a Wallander por un homicidio que había tenido lugar en el centro de la ciudad. Una fiesta de cumpleaños se salió de madre y acabó con la persona homenajeada, un hombre de unos cuarenta años, con una cichillada en la sien.

Se levantó de la silla y se puso la chaqueta de invierno. «Lo que necesito ahora es dormir», se dijo. «Que se encargue otro de la tormenta de nieve.» Al salir de la comisaría tuvo que encogerse para protegerse de las rachas de viento. En el interior de su Peugeot, con la nieve que había cuajado sobre los cristales, tuvo la agradable impresión de hallarse dentro de una habitación cálida y confortable. Puso el motor en marcha, encendió el radiocasete del vehículo y cerró los ojos.

No tardó en volver a pensar en Rydberg. Aún no había pasado un mes desde que su colega y fiel amigo falleciera a causa de un tumor de cuya existencia Wallander se había enterado un año antes, cuando luchaban mano a mano por resolver el brutal asesinato de los dos ancianos de Lenarp.* Durante sus últimos meses de vida, cuando todos, en especial Rydberg, sabían que el fin era inevitable, Kurt Wallander trataba de imaginarse cómo sería ir a la comisaría sabiendo que él ya no iba a estar allí. ¿Cómo podría arreglárselas sin los consejos y el sentido común del veterano Rydberg? Aún era demasiado pronto para contestar a esa pregunta, ya que no había tenido investigaciones complicadas desde que le dieran la baja definitiva a Rydberg y éste falleciera al poco tiempo, pero el dolor y la nostalgia perduraban.

Puso el limpiaparabrisas en marcha y se fue para su casa. La ciudad parecía abandonada, como si todos sus habitantes se hubiesen preparado para la invasión de la tormenta de nieve que se avecinaba. Se paró en una gasolinera de la vía de Österleden y compró el diario de la tarde. Aparcó luego el coche en la calle de Mariagatan, y subió a su apartamento. Lo primero que iba a hacer era darse un baño, y

* Véase *Asesinos sin rostro*, Andanzas 431. *(N. del E.)*

15

después preparar la cena. Antes de acostarse llamaría a su padre, que vivía en una casita a las afueras de Löderup; solía hacerlo a diario, desde que el año anterior, aquejado de un trastorno mental transitorio, su padre saliera de paseo a la calle en pijama. Wallander pensaba que llamaba tanto por él mismo como por su padre, porque tenía remordimientos de conciencia por no visitarle más a menudo. Pero tras lo sucedido el año pasado, su padre tenía una asistenta doméstica que le visitaba con regularidad, lo que había contribuido a mejorar su humor, en ocasiones insoportable. Aun así, le pesaba el poco tiempo que le dedicaba.

Kurt Wallander tomó un baño, preparó una tortilla, llamó a su padre y se acostó. Antes de bajar la persiana de su dormitorio, contempló la desierta calle: una farola solitaria se movía con las ráfagas de viento, y unos cuantos copos de nieve revoloteaban en el aire. En el termómetro vio que estaban a tres grados bajo cero. Quizá la ventisca había avanzado un poco más al sur. Bajó la persiana de golpe y se cubrió con el edredón. No tardó nada en dormirse.

Al día siguiente se sintió por fin descansado. A las siete y cuarto de la mañana ya estaba en el despacho de la comisaría. Aparte de unos cuantos accidentes de tráfico, la noche había resultado ser sorprendentemente tranquila, pues al final la tormenta no había alcanzado las proporciones temidas. Salió al comedor, saludó con la cabeza a unos policías de tráfico, que, con el cansancio en el rostro, se inclinaban sobre las tazas de café, y se sirvió uno en un vaso de plástico. Al despertarse, había decidido dedicar el día a acabar unos informes atrasados. Tenía el caso de un grave altercado en el que se hallaban involucrados unos polacos que, como de costumbre, se echaban la culpa unos a otros. Tampoco había testigos fiables que se hubiesen dado cuenta de lo ocurrido y que pudieran dar una información objetiva. Pero tenía que redactar el informe, aun sabiendo que nadie haría ninguna denuncia por que le hubieran roto la mandíbula en un arrebato.

A las diez y media apartó de la mesa el último informe y se levantó para ir a buscar otra taza de café. Al volver al despacho, Martinson le estaba llamando por teléfono.

—¿Te acuerdas del bote? —preguntó.

Wallander tuvo que pensar unos segundos antes de saber a qué se refería.

—El hombre que telefoneó sabía lo que decía —prosiguió—. La corriente ha arrastrado un bote con dos cadáveres a bordo hasta la playa de Mossby Strand. Los ha descubierto una mujer que paseaba por allí con su perro. Estaba histérica cuando nos ha llamado.

—¿A qué hora ha llamado?

—Ahora mismo —dijo Martinson—. Hace treinta segundos.

Dos minutos más tarde, Wallander conducía hacia el oeste por la carretera de la costa en dirección a la playa de Mossby Strand. Iba en su propio coche. Delante de él iban Peters y Norén en un coche patrulla con la sirena puesta. Bordearon toda la costa del mar, y Wallander se estremeció al contemplar las olas frías romper contra la playa. En el espejo retrovisor vio una ambulancia y más atrás otro coche de policía con Martinson al volante.

La playa de Mossby Strand estaba desierta: el quiosco aparecía cerrado a cal y canto, los columpios se balanceaban con el viento y sus cadenas chirriaban. Al salir del coche, el viento gélido le golpeó en la cara. En la cima de una duna cubierta por la hierba, donde empezaba el descenso hacia la orilla, alguien agitaba un brazo enérgicamente, y, a su lado, un perro nervioso tiraba de la correa. Wallander aceleró el paso. Como de costumbre, le preocupaba lo que iba a encontrarse. Siempre le afectaba la visión de un cadáver; nunca lograría acostumbrarse. Los muertos eran como los vivos: siempre distintos.

—Allí, allí —gritaba la mujer totalmente histérica.

Wallander siguió la dirección que indicó su mano. En la orilla, se balanceaba un bote salvavidas de color rojo. Había embarrancado entre algunas piedras junto al largo muelle para bañistas.

–Espere aquí –ordenó Wallander a la mujer.

Luego bajó tropezando por la pendiente y corrió por la playa. Salió al muelle y miró al interior de la embarcación. Allí yacían dos hombres muertos, abrazados, pálidos. Intentaba fijar lo que veía como en una fotografía. Durante sus muchos años de policía, había aprendido que la primera impresión era la importante, y que un cadáver casi siempre era el último eslabón de una larga y complicada cadena de acontecimientos. A veces se podía adivinar esa cadena ya desde el principio.

Martinson, que llevaba puestas unas botas de agua, se internó en el mar y arrastró el bote hasta la playa. Wallander se puso en cuclillas y contempló los cuerpos sin vida. Los conductores de la ambulancia esperaban con desasosiego a un lado con las camillas, y tiritaban de frío. Wallander alzó la cabeza y vio que Peters trataba de tranquilizar a la mujer histérica. Luego pensó que era una suerte que el bote no hubiese alcanzado la orilla durante el verano, con la playa atestada de niños jugando y bañándose. Lo que tenía ante sus ojos no era un espectáculo agradable de ver. Los muertos ya habían empezado a descomponerse, y se notaba el inconfundible olor pese al fuerte viento.

Sacó unos guantes de látex de la chaqueta y empezó a registrarles los bolsillos con cuidado, pero no encontró nada. Sin embargo, cuando apartó la chaqueta de uno de ellos, descubrió que la camisa blanca tenía una mancha de color marrón sobre el pecho. Miró a Martinson y le dijo:

–No se trata de ningún accidente, sino de un asesinato. A este hombre le han disparado directamente al corazón.

Se incorporó y se apartó unos metros para que Norén pudiese fotografiar el bote.

–¿Qué opinas? –preguntó a Martinson.

–No lo sé –contestó negando con la cabeza.

Wallander rodeó la chalupa lentamente mientras contemplaba los dos cadáveres. Eran rubios, de unos treinta y pocos años, y a juzgar por las manos y la ropa, no eran obreros. Pero ¿quiénes eran? ¿Por qué no había nada en sus bolsillos? Dio alguna vuelta más alrededor del bote. De vez en cuando intercambiaba unas palabras con Martinson. Al cabo de media hora consideró que no había más por descubrir. Por entonces el personal técnico ya había empezado su metódica investigación. Habían levantado una pequeña tienda de plástico por encima del bote. Peters había terminado ya con las fotografías. Todos tenían frío y querían marcharse de allí cuanto antes. Wallander pensaba en lo que habría dicho Rydberg, qué podría haber visto que a él se le estuviera escapando. Se sentó dentro del coche y puso el motor en marcha para calentarse. El mar estaba gris, y sentía una especie de vacío en la cabeza. ¿Quiénes eran en realidad esos hombres?

Mucho más tarde, tiritando de frío, Wallander pudo por fin indicar a los hombres de la ambulancia que se acercaran con las camillas. Tuvieron que tirar y forcejear para separar los dos cuerpos abrazados. Cuando apartaron los cadáveres, registró minuciosamente el bote, pero allí no había nada, ni un remo siquiera. Wallander miró al mar, como si la solución estuviese en el horizonte.

–Tendrás que hablar con la mujer que encontró el bote –ordenó a Martinson.

–Ya lo he hecho –respondió sorprendido.

–A fondo –siguió Wallander–. No se puede hablar a fondo con este viento. Llévala a la comisaría. Y dile a Norén que se ocupe de que este bote llegue en el mismo estado en que está ahora.

Luego volvió a su coche.

«Ahora necesitaría a Rydberg», pensó de nuevo. «¿Qué

es lo que habría visto él que yo soy incapaz de ver? ¿Qué pensaría del caso?»

De regreso en la comisaría de Ystad, se fue derecho al despacho de Björk, el jefe de policía. Le resumió lo que había visto en Mossby Strand. Björk escuchaba con semblante preocupado. A menudo, Wallander tenía la impresión de que Björk se sentía atacado personalmente cuando se perpetraba un crimen violento en su distrito. A la vez, sentía respeto por él, pues nunca se entrometía en los trabajos de investigación y animaba generosamente a los policías cuando un caso estaba a punto de estancarse. Wallander ya se había acostumbrado a los habituales arranques lunáticos de su jefe.

–Tú te encargarás de este caso –dijo Björk–. Martinson y Hanson te ayudarán. Creo que podremos dedicar unos cuantos hombres a esto.

–Hanson está trabajando en el caso del violador que detuvimos la otra noche –objetó Wallander–. ¿Quizá Svedberg?

Björk asintió. Se haría lo que Wallander quisiera, como solía ocurrir.

Al salir del despacho de Björk, notó que tenía hambre. Como engordaba con facilidad y luchaba contra un amenazante sobrepeso, solía saltarse la comida. Los dos cuerpos hallados en el bote le habían inquietado tanto que se acercó al centro, aparcó el coche como de costumbre en la calle de Stickgatan y caminó por las estrechas y sinuosas callejuelas hasta el café de Fridolf. Allí comió unos bocadillos y bebió un vaso de leche mientras pensaba en lo ocurrido. El día anterior, poco antes de las seis de la tarde, un hombre llama a la policía anónimamente para advertirles sobre algo que va a ocurrir, y ahora sabían que estaba en lo cierto. Un bote de color rojo había encallado en la playa con dos hombres muertos a bordo, a uno de los cuales le habían disparado una bala al corazón. En los bolsillos de su ropa no había nada que pudiese identificarlos.

Eso era todo.

Wallander sacó un bolígrafo de la chaqueta e hizo algunas anotaciones en una servilleta de papel. Tenía un montón de preguntas que buscaban su respuesta. Se pasó todo el rato manteniendo una conversación interior con Rydberg: «¿Estoy en lo cierto? ¿Olvido algo?». Intentaba imaginarse las respuestas y reacciones de Rydberg, y unas veces lo lograba, y otras sólo veía ante sí su cara demacrada en el lecho de muerte.

A las tres y media estaba de vuelta en la comisaría. Hizo venir a Martinson y a Svedberg a su despacho, cerró la puerta y pidió a la centralita que no le pasaran ninguna llamada hasta nuevo aviso.

–Este caso no será fácil –empezó–. Lo único que podemos esperar es que las autopsias y el registro del bote y de la ropa nos revelen algo. Pero, aun así, tengo un par de preguntas a las que me gustaría encontrar respuesta lo antes posible.

Svedberg se apoyaba en una pared con un bloc de notas en la mano. Era un hombre casi calvo de unos cuarenta años, nacido en Ystad, y las malas lenguas decían que sólo con abandonar su ciudad ya sufría de añoranza. Muchas veces podía parecer lento y apático, pero era muy minucioso, un rasgo que Wallander valoraba de forma positiva. Martinson era diametralmente opuesto a Svedberg. Apenas había cumplido los treinta, nacido en Trollhättan, y apostaba fuerte por hacer carrera dentro del cuerpo de policía. Además, estaba afiliado al Partido Liberal y, según tenía entendido Wallander, tenía muchas posibilidades de entrar en el ayuntamiento en las elecciones de otoño. Como policía, era impulsivo y un poco descuidado, pero muchas veces tenía buenas ideas y su ambición le llevaba a entregarse por entero si creía que había encontrado una pista para la solución del caso.

–Quiero saber de dónde proviene ese bote –empezó Wallander–. Cuando sepamos el tiempo que esos hombres llevan muertos, tendremos que averiguar la dirección y la distancia que ha recorrido el bote.

Svedberg le miró extrañado.

–¿Es factible esto? –preguntó.

Wallander asintió.

–Tendremos que llamar al Instituto Nacional de Meteorología –prosiguió–. Ellos saben todo acerca del tiempo y de los vientos, lo que nos ayudará a hacernos una idea aproximada del lugar de origen del bote. Después quiero toda la información acerca del bote: dónde ha sido fabricado, qué tipo de barcos usan estos botes, en fin, todo.

Giró la cabeza hacia Martinson.

–De eso te encargarás tú –le indicó.

–¿No deberíamos buscar primero en los ordenadores a ver si a esos hombres les buscaba la policía? –preguntó Martinson.

–Compruébalo tú –dijo Wallander–. Ponte en contacto con los guardacostas y avisa a todos los distritos de la costa sur. Y pregunta a Björk si debemos ponernos en contacto con la Interpol a partir de ahora. Está claro que al principio tendremos que indagar por todas partes si queremos descubrir su identidad.

Martinson asintió e hizo una anotación en una hoja de papel. Svedberg mordía pensativo su bolígrafo.

–Yo mismo registraré la ropa –continuó Wallander–. Tiene que haber alguna pista. Tiene que haber algo.

Llamaron a la puerta y entró Norén. En la mano llevaba una carta marina enrollada.

–Pensé que podría hacer falta –dijo.

Wallander asintió.

Desenrollaron la carta marina sobre el escritorio y se inclinaron sobre ella como si estuviesen planeando una batalla naval.

–¿Qué velocidad puede alcanzar un bote a la deriva en el mar? –preguntó Svedberg–. Las corrientes y los vientos pueden favorecer o actuar en contra.

Contemplaron la carta marina en silencio. Luego Wallander la enrolló y la colocó en el rincón de detrás de su silla. Nadie tenía nada que comentar.

–Bueno, en marcha –dijo–. Nos veremos aquí a las seis para informar sobre lo que tengamos.

Svedberg y Norén salieron del despacho y Wallander le pidió a Martinson que se quedara.

–¿Qué te dijo la señora? –preguntó.

Martinson se encogió de hombros.

–La señora Forsell –precisó–. La señora viuda de Forsell es profesora jubilada del instituto de Ängelholm. Reside en Mossby todo el año junto con *Tegnér,* su perro. Por cierto, un nombre curioso para un perro.* Todos los días dan un paseo por la playa. Ayer por la tarde, cuando paseaba por la cima de la duna, no vio ningún bote. Y hoy lo descubrió allí alrededor de las diez y cuarto de la mañana, cuando nos llamó.

–Las diez y cuarto –murmuró Wallander pensativo–. ¿No es un poco tarde para pasear a un perro?

Martinson asintió.

–Yo pensé lo mismo, pero el caso es que había seguido la playa hacia el otro lado cuando sacó al perro a las siete.

Wallander cambió de tema.

–La persona que llamó ayer, ¿qué impresión te dio?

–Ya te lo dije, convincente.

–¿Qué dialecto hablaba? ¿Qué edad te pareció que tenía?

–Hablaba escaniano, como Svedberg. Su voz era grave, como de fumador. Unos cuarenta o cincuenta años de edad. Se expresaba con sencillez y claridad. Podría ser cualquier cosa, desde funcionario a agricultor.

---

* Esais Tegnér (1782-1846). Poeta sueco, fue famoso por las odas y poemas de fuerte contenido nacionalista. *(N. de las T.)*

Wallander preguntó:

—¿Por qué razón llamaría?

—He estado pensando en ello —dijo Martinson—. Puede que supiera que el bote iría a la deriva hasta la playa porque él mismo estaba involucrado, o porque fuese el autor del disparo, o porque hubiese visto u oído algo. Existen varias posibilidades.

—¿Qué sería lo más lógico? —continuó Wallander.

—Lo último —respondió Martinson con rapidez—. Puede que viera u oyera algo. Éste no parece el tipo de asesinato cometido por un criminal que quiere atraerse a la policía voluntariamente.

Wallander estaba de acuerdo.

—Demos un paso más —prosiguió—. ¿Haber visto u oído algo? Si no está involucrado, no habrá podido ver el asesinato. O los asesinatos. O sea, que lo que habrá visto ha sido el bote.

—Un bote a la deriva —dijo Martinson— sólo puede verse si estás en el mar.

Wallander asintió.

—Eso es —afirmó—. Justo eso. Pero si él no es el autor, ¿por qué quiere mantenerse en el anonimato?

—Ya sabes, la gente prefiere no inmiscuirse en nada —manifestó Martinson.

—Quizá, pero puede que haya otra razón, como, por ejemplo, que no quiera tener que vérselas con la policía.

—¿No es un poco rebuscado? —preguntó Martinson indeciso.

—Sólo estoy pensando en voz alta —dijo Wallander—. Sea como fuere, tenemos que encontrar a ese hombre.

—¿Hacemos un comunicado pidiendo que vuelva a llamarnos?

—Sí —respondió Wallander—. Pero hoy no. Antes quiero conocer más detalles acerca de los muertos.

Wallander se dirigió al hospital. Pese a haber estado allí en varias ocasiones, le costaba encontrar el camino en el recién construido complejo. Se paró en la cafetería y compró un plátano. Luego fue a la unidad de patología. El médico forense, que se llamaba Mörth, aún no había empezado el minucioso reconocimiento corporal, pero, aun así, podía dar respuesta a la primera pregunta de Wallander.

–A los dos hombres les han disparado de cerca, directo al corazón –reveló–. Parece que ésa es la causa de la muerte.

–Quisiera tener el resultado de la autopsia lo antes posible –dijo Wallander–. ¿Puedes decirme cuánto tiempo llevan muertos?

–No –dijo sacudiendo la cabeza–. Y eso ya es significativo.

–¿Qué quieres decir?

–Es probable que lleven muertos bastante tiempo. De ser así, resulta más difícil establecer la hora exacta del fallecimiento.

–¿Dos días? ¿Tres? ¿Una semana?

–No puedo contestarte todavía –dijo Mörth–. Y no quiero hacer conjeturas.

Mörth desapareció hacia la sala de autopsias. Wallander se quitó la chaqueta, se puso unos guantes de látex y empezó a registrar la ropa de los dos cadáveres, colocada sobre algo parecido a un viejo fregadero.

Uno de los trajes estaba confeccionado en Inglaterra, y el otro en Bélgica. Los zapatos eran italianos, y a Wallander le pareció que debían de ser caros. Las camisas, las corbatas y la ropa interior, también de buena calidad y seguramente nada baratos. Cuando Wallander hubo examinado la ropa por segunda vez, comprendió que no encontraría pistas que le permitieran avanzar. Lo único que sabía era que los dos habían tenido dinero. Pero ¿dónde estaban las carteras? ¿Y las alianzas? ¿Y los relojes? Más confuso aún era que ninguno de los dos llevara la chaqueta puesta cuando les dispararon, ya que no había ningún agujero ni rastro de pólvora en ellas.

Wallander intentó visualizar la escena: alguien dispara a dos hombres directo al corazón. Cuando los hombres están muertos, el autor del crimen les coloca las chaquetas antes de echarlos al bote salvavidas. ¿Por qué razón?

Revisó la ropa una vez más. «Hay algo que no veo», pensó. «Rydberg, ¡ayúdame!»

Pero Rydberg estaba mudo. Wallander volvió a la comisaría. Sabía que los resultados de las autopsias tardarían muchas horas, y no tendría un informe preliminar hasta el día siguiente como muy pronto. En la mesa le aguardaba una nota de Björk, donde le sugería que esperara unos días antes de ponerse en contacto con la Interpol. Wallander notó que empezaba a irritarse. A menudo le costaba entender el criterio, prudente en exceso, de Björk.

La reunión convocada a las seis de la tarde fue breve. Martinson informó de que no se buscaba ni investigaba a nadie que pudiera tener relación con los dos cadáveres del bote. Svedberg, por su parte, había hablado largo y tendido con un miembro del Instituto Nacional de Meteorología de Norrköping, que prometió cooperar si la policía de Ystad le enviaba una petición formal.

Wallander relató que sus sospechas de que los dos hombres habían sido asesinados se habían confirmado. Pidió a Svedberg y a Martinson que pensaran en por qué les habían puesto las chaquetas a los dos cadáveres.

−Seguiremos un par de horas más −concluyó Wallander−. Si tenéis otros asuntos pendientes, los aparcáis o delegáis en otros. Este caso será difícil. A partir de mañana procuraré ampliar el equipo de investigación.

Al quedarse a solas en el despacho, Wallander desenrolló la carta marina sobre la mesa. Siguió con el dedo la línea de la costa hasta la playa de Mossby Strand. «El bote puede haber venido de lejos», pensó. «O de cerca. O que haya ido y venido. O ido de acá para allá.»

Sonó el teléfono, y por un momento dudó en contestar. Era tarde y tenía ganas de ir a casa para reflexionar con tranquilidad sobre lo ocurrido. Luego levantó el auricular.

Era Mörth.

–¿Ya has acabado? –preguntó Wallander asombrado.

–No –respondió Mörth–; pero hay algo que creo que es importante, algo que ya puedo decirte ahora.

Wallander contuvo la respiración.

–Esos dos hombres no eran suecos –aclaró Mörth–. Al menos no han nacido en Suecia.

–¿Cómo lo sabes?

–Les he revisado las bocas –continuó Mörth–. Sus empastes no están hechos por un dentista sueco; más bien, por uno ruso.

–¿Un ruso?

–Sí. Ruso. O un dentista de los Estados del Este. Ellos utilizan métodos muy distintos a los nuestros.

–¿Estás completamente seguro?

–No te habría llamado si no lo estuviese –contestó Mörth. Por su voz, Wallander notó que estaba irritado.

–Te creo –aseguró con rapidez.

–Hay algo más que quizá sea igual de importante –continuó Mörth–. Lo más probable es que ambos estuvieran deseando que por fin les pegaran un tiro, si me perdonas el cinismo. Antes de matarlos los habían torturado: los habían quemado, despellejado, y además tenían los dedos machacados... Toda la bestialidad que uno pueda imaginarse.

Wallander se quedó callado.

–¿Sigues ahí? –preguntó Mörth.

–Sí. Sigo aquí. Estaba pensando en lo que has dicho.

–Estoy completamente seguro de lo que afirmo.

–No lo dudo, pero esto no ocurre todos los días.

–Es por lo que he creído importante llamarte enseguida.

–Has hecho bien –dijo Wallander.

–Tendrás el informe completo de la autopsia mañana –afirmó Mörth–. Salvo algunos resultados del laboratorio, que tardarán un poco.

Acabaron la conversación. Wallander salió al comedor y

se sirvió las últimas gotas de café que quedaban en la cafetera. La sala estaba vacía, y se sentó a una mesa.

¿Rusos? ¿Alguien de los Estados del Este torturado?

Pensó que hasta Rydberg habría opinado que la investigación pintaba difícil y que sería larga.

A las siete y media dejó el tazón vacío en el fregadero.

Luego se sentó al volante y se fue a su casa. El viento había amainado y hacía más frío.

3

Poco después de las dos de la madrugada, Kurt Wallander se despertó con un dolor en el tórax tan terrible que, sumido en la oscuridad, pensó que se moría. El constante y arduo trabajo de policía le exigía ahora su tributo: había que pagar el precio. Sentía desesperación y vergüenza por que todo acabase, por que todo en la vida acabase. Se quedó inmóvil mientras crecían la angustia y el dolor. Más tarde, no podría explicar cuánto tiempo estuvo así, incapaz de dominar el miedo que le invadía, pero poco a poco se obligó a reconquistar el control sobre sí mismo.

Se levantó de la cama con cuidado, se vistió y bajó hasta el coche. El dolor ya no era tan intenso, iba y venía en pulsaciones como una corriente, y se ramificaba por los brazos, por lo que parecía perder algo de su primera y violenta intensidad. Se sentó en el coche, se conminó a respirar pausadamente y luego condujo por las calles desiertas hasta la entrada de urgencias del hospital. Una enfermera de mirada amable le recibió, escuchó todo lo que tenía que explicarle y no le despachó como si se tratara de una persona histérica con sobrepeso, ni consideró su angustia fruto de la imaginación. Desde una sala de reconocimiento oyó un grito, como el rugido de un borracho. Tumbado en la camilla, a Wallander le pareció que el dolor iba y venía. De pronto un joven médico se plantó ante él, y volvió a explicar que tenía dolores en el pecho. Llevaron la camilla a una sala de tratamiento y le hicieron un electrocardiograma. Le tomaron la presión arterial y el pulso; a la pregunta de si fumaba, movió la cabeza negativamente. Hasta ahora nunca había tenido dolores repentinos en el pecho, y por lo que él sabía no había casos de enfermedades coronarias en su familia. El médico contemplaba el diagrama del electro.

—No es nada importante —dijo—. Todo parece normal. ¿Qué crees* que puede haberte provocado la angustia?

—No lo sé.

El médico siguió estudiando su historial.

—Supongo que, como policía, a menudo debes de pasar momentos de mucha tensión.

—Casi siempre.

—¿Bebes alcohol?

—Me imagino que lo normal.

El médico se sentó en el borde de una mesa, y dejó el historial a un lado. Kurt Wallander vio que estaba muy cansado.

—No creo que haya sido un infarto —dijo—, sino un aviso del cuerpo de que no todo va bien. Sólo tú puedes decirlo.

—Supongo que sí. A diario me pregunto qué estoy haciendo con mi vida. Además, no tengo a nadie con quien hablar.

—Pues deberías tener a alguien —continuó el médico—, todo el mundo lo necesita.

Se levantó de la mesa cuando el busca de su bata empezó a piar como un pajarillo.

—Será mejor que pases la noche aquí —concluyó—. Intenta descansar.

Wallander se quedó quieto, atento al susurro de una entrada de aire acondicionado que no veía. Desde el pasillo le llegaba el murmullo de voces.

«Todo dolor tiene una causa», pensó. «Si no ha sido el

---

* El tuteo inmediato entre desconocidos es habitual en Suecia. Mantenemos esta característica aunque pueda resultar llamativa para el lector de lengua española. *(N. de las T.)*

corazón, entonces, ¿qué? ¿Acaso el eterno remordimiento de conciencia por dedicar tan poco tiempo y esfuerzos a mi padre? ¿O que la carta de mi hija desde la escuela de Estocolmo no diga la verdad? Que no esté a gusto como ella dice; que eso de que trabaja y que se siente realizada con algo que había buscado durante tanto tiempo no sea cierto. Tal vez yo, sin ser consciente, tema que intente suicidarse de nuevo, como hizo a los quince años. ¿O acaso el dolor se debe a los celos que todavía siento por Mona, a pesar de que haya pasado más de un año desde que me abandonara?»

La luz de la habitación era muy intensa. Pensó que toda su vida estaba marcada por una especie de soledad que no podía romper. Pero el dolor que acababa de sentir, ¿se debía a la soledad? No encontró ninguna respuesta en su interior que no le provocase recelos.

–No puedo seguir así –se dijo a sí mismo en voz alta–. Tengo que hacer algo con mi vida ya.

A las seis se despertó sobresaltado. El médico le estaba mirando.

–¿Ningún dolor? –preguntó.

–Me siento bien –contestó Kurt Wallander–. ¿Qué puede haber sido?

–Tensiones. Estrés. Tú lo sabrás mejor que yo.

–Sí. Supongo que sí.

–Creo que deberías hacerte un chequeo completo –continuó el médico– para confirmar que no sufres ninguna enfermedad. Luego será más fácil mirar dentro de tu alma para ver qué se esconde en las sombras.

Se fue a casa, se duchó y tomó un café. El termómetro señalaba tres grados bajo cero. El cielo estaba totalmente despejado y no soplaba viento. Se quedó sentado largo rato, inmerso en lo que le había sucedido la noche pasada: el agudo dolor, la visita al hospital, todo tenía cierto aire de irrealidad. Comprendió que no podía olvidar lo que le había ocurrido: él era el único responsable de su vida.

Hasta las ocho y cuarto no volvió a ejercer de policía.

En cuanto llegó a la comisaría se enzarzó en una fuerte discusión con Björk, que era de la opinión de que deberían haber recurrido de inmediato al departamento técnico de Estocolmo para una investigación minuciosa del lugar del crimen.

–Pero si no hay ningún lugar del crimen –contestó Wallander–. Si algo sabemos, es que los dos hombres no fueron asesinados en el bote salvavidas.

–Ahora que no tenemos a Rydberg tendremos que pedir ayuda de fuera –argumentó Björk–. No tenemos la competencia necesaria. ¿Cómo es posible que ni siquiera acordonarais la parte de la playa donde se encontró el bote?

–Porque no es el lugar del crimen. El bote estaba flotando en el agua. ¿Qué querías, precintar las olas?

Kurt Wallander notó que se estaba enojando. Estaba claro que ni él ni los otros policías de homicidios de Ystad tenían la misma experiencia que Rydberg, pero eso no significaba que él no fuera capaz de decidir cuándo hacían falta unos especialistas del departamento técnico de Estocolmo.

–O me dejas hacer a mí las evaluaciones –dijo–, o te encargas tú de la investigación.

–No es eso –contestó Björk–. Pero sigo creyendo que ha sido una equivocación no dar parte a Estocolmo.

–No opino lo mismo –replicó Wallander.

De ahí no salían.

–Volveré a pasar dentro de un rato –dijo Wallander–. Tengo material que quiero que veas.

Björk puso cara de sorprendido.

–¿Tenemos algo? –preguntó–. Creía que no teníamos nada.

–Sí, tenemos algo. Vendré dentro de diez minutos.

Entró en su despacho, llamó al hospital y, ante su sorpresa, pudo hablar con Mörth enseguida.

–¿Algo nuevo? –preguntó.

–Estoy con el informe –contestó Mörth–. Necesito un par de horas más.

–Tengo que informar a Björk enseguida. ¿Puedes decirme al menos cuánto tiempo llevan muertos?

–No. Hay que esperar los análisis del laboratorio: estudiar el contenido de los estómagos y cuánto ha avanzado la descomposición celular. Por ahora, sólo puedo hacer una conjetura.

–Hazla.

–No me gusta adivinar, ya lo sabes.

–Tienes experiencia, y conoces bien tu trabajo. Estoy seguro de que los resultados no harán otra cosa que confirmar tus sospechas. Venga, susúrramelo al oído, que no lo divulgaré.

Mörth se lo pensó.

–Una semana –afirmó–. Por lo menos una semana. Pero no se lo digas a nadie.

–Ya lo he olvidado. Y sigues pensando que son extranjeros, rusos o europeos del Este.

–Sí.

–¿Has descubierto algo que te haya sorprendido?

–No sé nada sobre municiones, pero nunca había visto este tipo de balas antes.

–¿Algo más?

–Sí. Uno de los hombres llevaba un tatuaje en la parte superior del brazo. Es la imagen de una especie de cimitarra, un sable turco, o como se llame.

–¿Un qué?

–Un tipo de espada. No puedes pedir que un médico forense sea experto en armas antiguas.

–¿Hay algo escrito?

–¿Qué quieres decir?

–Los tatuajes suelen llevar una leyenda: un nombre de mujer o un lugar.

–No pone nada.

–¿Alguna cosa más?

–Por ahora no.

–Pues entonces, gracias.

–No hay de qué.

Wallander colgó, fue a buscar café y entró en el despacho de Björk. Las puertas de los despachos de Martinson y Svedberg estaban abiertas, pero ellos no estaban dentro. Se sentó a tomar el café mientras Björk acababa una conversación telefónica. Distraídamente oyó que Björk se exaltaba cada vez más, y cuando colgó el auricular con todas sus fuerzas, Wallander se sobresaltó.

–¡Qué cabrones! –exclamó Björk–. ¿Qué sentido tiene nuestro trabajo?

–Buena pregunta –dijo Wallander–, pero no sé a qué te refieres.

Björk estaba tan furioso que temblaba. Wallander no recordaba haberlo visto nunca tan enfadado.

–¿Qué pasa? –preguntó.

Björk le miró.

–No sé si debería comentártelo –dijo–, pero si no lo hago, reviento. Uno de los asesinos de Lenarp, aquel al que llamamos Lucía, obtuvo un permiso penitenciario el otro día, y naturalmente no ha vuelto a aparecer. Habrá salido del país. A ése ya no lo encontraremos nunca.

Wallander no podía creer lo que estaba oyendo.

–¿Un permiso? ¡Pero si no llevaba ni un año en la cárcel! ¡Por uno de los crímenes más atroces que hemos tenido en este país! ¿Cómo coño le han dado un permiso?

–Con motivo del entierro de su madre.

Wallander se quedó atónito.

–¡Pero si su madre murió hace diez años! Todavía lo recuerdo del informe que nos envió la policía checa.

–Una mujer que dijo ser su hermana fue a la cárcel de Hallfängelset y suplicó que le dejasen asistir al entierro de su madre. Parece ser que nadie controló nada. Trajo una esquela en la que se anunciaba que el entierro se celebraría en una iglesia de Ängelholm. La esquela era falsa, por supuesto, pero aún hay personas que creen que no se pueden falsificar las esquelas mortuorias. Anteayer le dieron un permiso de salida vigilada, pero no había ni entierro, ni madre muerta, ni hermana. Redujeron al guardia, lo ataron y lo dejaron tirado en un bosque a las afueras de Jönköping. E incluso tuvieron la desfachatez de ir hasta el aeropuerto de Kastrup vía Limham en el coche del departamento de prisiones. El coche lo dejaron allí, pero ellos, naturalmente, desaparecieron.

–No es posible –repitió Wallander–. ¿Quién diablos ha podido dar un permiso a semejante criminal?

–Suecia es un país fantástico –dijo Björk–. Es para ponerse enfermo.

–Pero ¿quién es el responsable? Quienquiera que sea que le haya concedido el permiso debería estar en la cárcel. ¿Cómo es posible que ocurran estas cosas?

–Descuida, lo investigaré minuciosamente –dijo Björk–. Así están las cosas: el tipo ese ha desaparecido.

Wallander aún se acordaba del cruel asesinato del matrimonio de ancianos de Lenarp. Luego miró acongojado a Björk.

–¿Qué sentido tiene perseguir a los criminales si el departamento de prisiones los suelta? –preguntó.

Björk no contestó. Wallander se levantó y se acercó a la ventana.

–¿Hasta cuándo podremos seguir? –preguntó.

–Tendremos que hacerlo –contestó Björk–. Y ahora explícame lo que sabes sobre los dos hombres del bote.

Wallander le informó de viva voz. Se sentía pesado, cansado y desilusionado. Björk hizo algunas anotaciones mientras hablaba.

–Rusos –dijo cuando Wallander acabó.

–O europeos del Este. Mörth parecía estar seguro.

–Entonces tendré que recurrir al Ministerio de Asuntos Exteriores –afirmó Björk–. Será de su competencia ponerse en contacto con la policía rusa, o polaca, o de los Estados del Este.

–Puede que fueran rusos que estuvieran viviendo en Suecia –dijo Wallander–. O en Alemania. ¿O por qué no en Dinamarca?

–La mayoría de los rusos siguen todavía en la Unión Soviética –afirmó Björk–. Hablaré inmediatamente con el Ministerio de Asuntos Exteriores. Ellos saben cómo ocuparse de una situación como ésta.

–También podríamos meter los cadáveres en el bote y pedir a los guardacostas que lo dejen en aguas internacionales –sugirió Wallander–. Así nos quitaríamos los problemas de encima.

Björk parecía no oírle.

–Necesitamos ayuda para identificarlos –continuó–. Fotografías, huellas dactilares, indumentaria.

–Y un tatuaje. Una cimitarra.

–¿Una cimitarra?

–Sí, una cimitarra.

Björk sacudió la cabeza y estiró el brazo para alcanzar el teléfono.

–Espera un poco –dijo Wallander.

Björk dejó caer la mano.

–Estaba pensando en ese hombre que llamó –prosiguió Wallander–. Según Martinson era una persona que hablaba con dialecto de Escania. Deberíamos intentar encontrarlo.

–¿Tenemos alguna pista?

–Ninguna. Precisamente por eso sugiero que hagamos un llamamiento general. Pediremos a la gente que haya visto un bote de color rojo a la deriva que se ponga en contacto con nosotros.

36

Björk asintió.

–De todos modos, tendré que hablar con la prensa. Los periodistas ya llevan rato llamando. No entiendo cómo pueden enterarse tan deprisa de lo que ocurre en una playa desierta. Ayer tardaron sólo media hora.

–Ya sabes que hay soplones –dijo Wallander, y se acordó otra vez del doble asesinato de Lenarp.

–¿Dónde?

–Entre la misma policía del distrito de Ystad.

–¿Quién es el soplón?

–¿Cómo voy a saberlo? Es responsabilidad tuya recordar al personal el deber de la discreción y el silencio.

Björk golpeó con la palma de la mano el escritorio, como si hubiera dado una bofetada simbólica, pero no hizo ningún comentario respecto a lo que Wallander había dicho.

–Haremos un llamamiento a las doce, antes de las noticias. Quiero que estés en la conferencia de prensa. Ahora tengo que llamar a Estocolmo para pedir instrucciones.

Wallander se levantó.

–Estaría bien no tener que hacerlo –sugirió.

–¿No tener que hacer qué?

–Buscar a los hombres que han matado a los del bote.

–Voy a ver qué dice Estocolmo –concluyó Björk sacudiendo la cabeza.

Wallander salió del despacho. Las puertas de los despachos de Martinson y de Svedberg seguían abiertas. Miró la hora: eran casi las nueve y media. Bajó al sótano de la comisaría. El bote de color rojo estaba sobre unos caballetes de madera. Con una buena linterna lo examinó de arriba abajo sin encontrar ni rastro del nombre de empresa o país de fabricación, lo que no dejó de sorprenderle. No podía encontrar una explicación razonable a ese hecho. Dio un par de vueltas más alrededor del bote, y de pronto un trozo de cuerda le llamó la atención. Era diferente a las otras cuerdas que sujetaban el sollado en su sitio. La examinó, parecía estar cortada con un cuchillo, para lo que tampoco tenía ninguna explicación. Intentó imaginar las conclusiones que Rydberg habría sacado de aquello, pero tenía la mente en blanco.

A las diez de la mañana estaba de vuelta en su despacho. Ni Martinson ni Svedberg contestaron cuando los llamó. Cogió un bloc de notas y empezó a hacer una relación de lo poco que sabía sobre los dos cadáveres: dos hombres de los países del Este asesinados, tras ser cruelmente torturados, por sendos disparos al corazón, enfundados luego con sus chaquetas y arrojados a un bote salvavidas cuya procedencia hasta ahora no habían podido averiguar. Apartó el bloc y pensó: «A las personas torturadas y asesinadas, se acostumbra a esconderlas; o cavas una tumba o las dejas hundirse en el fondo del mar con unos pesos atados en las piernas. Pero arrojándolas a un bote corres el peligro de que las encuentren».

¿Y si era ésa la intención, que encontrasen a los dos hombres? Que apareciesen en un bote salvavidas, ¿no inducía a suponer que los asesinatos se habían cometido a bordo de un barco?

Arrugó la hoja y la tiró a la papelera. «Todavía no sé lo suficiente», pensó. «Estoy seguro de que Rydberg me habría dicho que no fuese tan impaciente.»

Sonó el teléfono. Eran las once menos cuarto. Al reconocer la voz de su padre se dio cuenta de que se había olvidado de la cita que tenían para ese día. A las diez tendría que haber estado en Löderup para recogerlo en coche e ir juntos a una tienda de Malmö donde vendían lienzos y pinturas.

–¿Por qué no has venido? –preguntó su padre enojado.

Kurt Wallander decidió decir la verdad.

–Lo siento –contestó–, pero me he olvidado por completo de que habíamos quedado hoy.

Hubo un largo silencio al otro lado de la línea antes de que el padre contestara:

–Por lo menos es una respuesta honrada.

–Mañana sí podré –dijo Wallander.

–Entonces iremos mañana –dijo su padre, y colgó.

Wallander lo apuntó en una nota y la pegó en el teléfono. Mañana no podía olvidarse.

Llamó a Svedberg, pero éste seguía sin contestar. En cambio, sí encontró a Martinson, que acababa de entrar en el despacho. Wallander salió al pasillo a su encuentro.

–¿A que no sabes lo que he aprendido hoy? –dijo Martinson–. Pues que resulta prácticamente imposible describir un bote salvavidas. Todas las fabricaciones y modelos parecen iguales. Sólo un experto puede distinguirlos. Así que he ido hasta Malmö y he visitado a unos cuantos importadores.

Entraron en el comedor para buscar un café. Martinson se hizo con unas galletas, y siguieron hasta el despacho de Wallander.

–De modo que ahora lo sabes todo acerca de los botes salvavidas –dijo Wallander.

–No, sólo un poco. Lo que no sé es de dónde proviene ése en particular.

–Resulta extraño que no haya ninguna descripción de la marca o del país de fabricación –comentó Wallander–. Los equipos de salvamento suelen estar llenos de instrucciones.

–Estoy de acuerdo contigo. Los importadores de Malmö también estaban extrañados. La solución al problema nos la dará un tal capitán Österdahl.

–¿Quién es?

–Un comandante retirado que ha dedicado toda su vida a los barcos de vigilancia de la aduana. Estuvo quince años en Arkösund, diez en el archipiélago de Gryt, y luego en Simrishamn, donde se retiró. A lo largo de todos esos años fue elaborando un registro propio sobre todo tipo de embarcaciones, inclusive los botes de goma y los botes salvavidas.

–¿Quién te lo ha contado?

–Tuve suerte. Cuando llamé a los guardacostas, el que se puso al teléfono había trabajado a bordo en uno de los barcos aduaneros, a las órdenes del capitán Österdahl.

–Bien –dijo Wallander–. Tal vez pueda ayudarnos.

–Si él no puede, no podrá nadie –contestó filosóficamente–. Vive a las afueras, en Sandhammaren. He pensado ir a recogerlo para que examine el bote. ¿Ha pasado algo más mientras estaba fuera?

Wallander le contó las conclusiones a las que Mörth había llegado. Martinson escuchó con atención.

–Lo que significa que probablemente tengamos que colaborar con la policía rusa –dijo cuando Wallander hubo acabado–. ¿Sabes ruso?

–Ni una palabra. También puede significar que no tengamos que encargarnos del caso.

–La esperanza es lo último que se pierde.

Martinson se quedó de pronto pensativo.

–Tienes razón –admitió al cabo de un rato–. A veces preferiría no tener nada que ver con ciertas investigaciones criminales, por lo espantosas, sangrientas e irreales que son. En la academia de policía nunca nos enseñaron la actitud que teníamos que adoptar ante un caso como éste. Es como si los crímenes se me hubieran adelantado, y sólo tengo treinta años.

Últimamente, Kurt Wallander pensaba lo mismo que Martinson: cada vez era más complicado ser policía. Los tiempos que corrían mostraban un tipo de criminalidad del que hasta ahora no había constancia. Era un tópico afirmar que muchos policías dejaban su profesión por razones económicas, para hacerse guardias de seguridad o trabajar en empresas privadas. En realidad, los abandonos se debían a la inseguridad.

–Quizá tengamos que pedirle a Björk que nos impartan un cursillo sobre cómo tratar a las personas torturadas –dijo Martinson.

Wallander sabía que en las palabras de Martinson no había un trasfondo cínico, sino la misma inseguridad que él sentía a menudo.

–Todas las generaciones de policías suelen decir lo mismo –comentó–. Al parecer, no somos la excepción.

–No recuerdo que Rydberg se quejase nunca.

–Rydberg sí era la excepción. Pero antes de que te vayas, quiero preguntarte algo: el hombre aquel que llamó, ¿no había nada en él que denotara que era extranjero?

Martinson estaba seguro.

–Nada. Era escaniano.

–¿Has averiguado algo más sobre la conversación telefónica?

–No.

Martinson se levantó.

–Ahora salgo para Sandhammaren en busca del capitán Österdahl –dijo.

–El bote está en el sótano –le informó Wallander–. Suerte. A propósito, ¿sabes dónde se ha metido Svedberg?

–Ni idea. No sé nada de lo que está haciendo. Quizás esté en el Instituto Nacional de Meteorología.

Kurt Wallander se dirigió en coche al centro de la ciudad para comer. La noche anterior volvió a su memoria y se contentó con una ensalada.

Poco antes del comienzo de la conferencia de prensa estaba de vuelta en la comisaría. Había estado tomando apuntes, y fue a ver a Björk.

–Odio tanto las conferencias de prensa que jamás seré director general de la policía, aunque la verdad es que no lo he deseado nunca –dijo Björk.

En la sala les aguardaban los periodistas. Wallander recordó la muchedumbre que se congregó cuando trabajaban en el doble asesinato de Lenarp el año anterior. Ahora solamente había tres periodistas, de los cuales reconoció a dos de ellos: una señora del periódico *Ystads Allehanda,* que casi siempre escribía reseñas claras y concisas, y un hombre de la redacción local del periódico *Arbetet,* con el que había coincidido un par de veces. El tercero de la sala llevaba gafas y el pelo cortado a cepillo; Wallander nunca lo había visto antes.

–¿Dónde está el del periódico *Sydsvenskan?* –le susurró Björk al oído–. ¿Y *El Diario de Escania?* ¿Y la radio local?

–Qué sé yo –contestó Wallander–. Va, empieza.

Björk subió a la pequeña tarima situada en un rincón de la sala y leyó los apuntes sin mucho interés. Wallander deseó en su fuero interno que no hablara más de lo imprescindible.

Luego le tocó el turno a él.

–Han aparecido dos cadáveres en la playa de Mossby Strand en un bote salvavidas –explicó–. Todavía no hemos podido identificar a los muertos. Por lo que sabemos no ha ocurrido ningún accidente marítimo que pueda relacionarse con el bote, ni tampoco nos han llegado denuncias de personas desaparecidas en el mar. Necesitamos la colaboración de todo el mundo, y por supuesto también la vuestra.

No dijo nada acerca del hombre que había llamado anónimamente, sino que fue directo al llamamiento:

–Rogamos a todo aquel que haya visto algo que se ponga en contacto con la policía: un bote salvavidas a la deriva cerca de la costa, o cualquier cosa que pueda ser de interés. Eso es todo, señores.

Björk volvió a la tarima.

–Si tienen alguna pregunta, adelante –dijo.

La amable señora del *Ystads Allehanda* preguntó si no empezaba a haber demasiados crímenes en la hasta ahora pacífica Escania.

Kurt Wallander suspiró ante esa pregunta. «Esta zona nunca ha sido especialmente pacífica», se dijo para sus adentros.

Björk negó que hubiese aumentado el número de crímenes, y la señora del *Ystads Allehanda* se contentó con la respuesta. El corresponsal local del *Arbetet* no tenía preguntas. Björk iba a concluir la conferencia de prensa, cuando el joven de las gafas alzó la mano.

–Yo tengo una pregunta –dijo–. ¿Por qué no decís que los hombres del bote han sido asesinados?

Wallander echó una ojeada rápida a Björk.

–De momento no sabemos las causas de la muerte de los dos hombres –respondió Björk.

–No es cierto; todo el mundo sabe que han muerto de un disparo al corazón.

–Siguiente pregunta –continuó Björk. Wallander vio que estaba empezando a sudar.

–¿Siguiente pregunta? –replicó irritado el periodista–: ¿por qué voy a hacer otra pregunta si no me respondéis a la primera?

–Es la única respuesta que te puedo dar por el momento –dijo Björk.

–¡Qué absurdo! –siguió el periodista–. Aun así, formularé otra pregunta: ¿por qué no decís que sospecháis que los dos asesinados son ciudadanos rusos? ¿Por qué organizáis una conferencia de prensa si no tenéis la intención de responder a las preguntas ni decir la verdad?

«Un soplón. ¿De dónde coño habrá sacado toda esa información?», pensó Wallander al tiempo que no entendía por qué Björk no decía la verdad. El periodista estaba en lo cierto: ¿qué razones había para no contar unos hechos objetivos?

–Tal y como el inspector Wallander acaba de decir, aún no hemos podido identificar a los dos hombres –continuó Björk–. Y por esa razón solicitamos la colaboración de la ciudadanía y la de la prensa, para que divulgue la noticia.

El joven periodista guardó, desafiante, el bloc en el bolsillo de la chaqueta.

–Gracias a todos por haber venido –concluyó Björk.

A la salida Kurt Wallander paró a la señora del *Ystads Allehanda*.

–¿Quién era ese periodista? –preguntó.

–No lo sé. Nunca lo había visto. ¿Es cierto todo lo que ha dicho?

Wallander no contestó. Y la señora del *Ystads Allehanda* tuvo la gentileza de no preguntar nada más.

–¿Por qué no les has dicho la verdad? –preguntó Wallander cuando alcanzó a Björk en el pasillo.

–Estos cabrones de periodistas... –murmuró Björk–. ¿Cómo se habrá enterado? ¿Quién es el soplón?

–Puede ser cualquiera –dijo Wallander–, incluso yo mismo.

Björk se detuvo en seco y le miró, pero no hizo ningún comentario sobre lo que Wallander acababa de decir. Sin embargo, tenía noticias.

–Desde el Ministerio de Asuntos Exteriores nos han pedido discreción –informó.

–¿Por qué? –preguntó Wallander.

–Tendrás que preguntárselo a ellos –dijo Björk–. Espero disponer de más información esta tarde.

Wallander volvió al despacho. Se sintió repentinamente harto de todo aquel asunto. Se sentó en la silla y abrió con llave el cajón del escritorio. Sacó de allí una fotocopia de un anuncio de trabajo: la fábrica de caucho de Trelleborg buscaba un nuevo jefe de seguridad; Wallander había escrito la solicitud unas semanas atrás y en ese instante se planteaba seriamente la posibilidad de enviarla. No quería participar en aquel juego de informaciones ocultadas o desveladas sin justificación en el que parecía convertirse el trabajo policial. Wallander se tomaba muy en serio su trabajo. El hallazgo de dos cadáveres en un bote salvavidas exigía su plena dedicación. Le parecía inconcebible que el trabajo policial no se rigiese siempre según unos principios racionales y morales incuestionables.

Le sacó de sus pensamientos Svedberg, que abrió la puerta con el pie y entró.

–¿Dónde coño has estado? –preguntó Wallander.

Svedberg le miró sorprendido.

–¿No has visto la nota que dejé en tu mesa? –preguntó.

La nota se había caído al suelo. Wallander la recogió y leyó que Svedberg estaría localizable en el centro de meteorología del aeropuerto de Sturup.

–He preferido tomar un atajo –dijo Svedberg–. Conozco a un meteorólogo del aeropuerto, con el que suelo contemplar aves en el istmo de Falsterbonäset. Me ha ayudado a calcular de dónde pudo provenir el bote.

–¿No iba a calcularlo el Instituto Nacional de Meteorología?

–Pensé que esta opción sería más rápida.

Sacó unos papeles enrollados del bolsillo y los desplegó sobre la mesa. Wallander vio unos cuantos diagramas y muchas columnas de números.

–Hemos hecho un cálculo suponiendo que el bote hubiese ido a la deriva durante cinco días y cinco noches –explicó Svedberg–. Puesto que la dirección del viento ha sido constante estas últimas semanas, hemos llegado a una conclusión cuyo resultado no creo que arroje mucha luz.

–¿Lo que significa...?

–Que probablemente el bote haya venido de muy lejos.

–¿Lo que significa...?

–Que pudo haber venido de lugares tan distintos como Estonia o Dinamarca.

Wallander miró incrédulo a Svedberg.

–¿Cabe esa posibilidad?

–Sí. Puedes preguntárselo a Janne tú mismo.

–Está bien –dijo Wallander–. Ve a contárselo a Björk. Así él podrá comunicárselo al Ministerio de Asuntos Exteriores. Y tal vez luego nos libren del caso.

–¿Nos libren?

Wallander contó lo que había ocurrido durante el día. Advirtió la decepción en el rostro de Svedberg.

–No me gusta dejar lo que he empezado –dijo éste.

–No hay nada seguro. Sólo digo lo que se cuece.

Svedberg se fue hacia el despacho de Björk, y Wallander continuó contemplando la solicitud de la fábrica de caucho de Trelleborg. El bote con los dos hombres asesinados seguía balanceándose en su conciencia.

A las cuatro le entregaron en mano el informe de la autopsia de Mörth. Antes de analizar las pruebas de laboratorio, Mörth sólo podía emitir suposiciones. Los dos hombres llevaban muertos aproximadamente una semana, y con toda probabilidad llevaban el mismo tiempo expuestos al agua del mar. Uno de ellos tendría unos veintiocho años, y el otro sería un poco mayor. Ambos parecían haber gozado de buena salud. Los habían torturado brutalmente y los empastes de sus muelas estaban hechos por dentistas de Europa del Este.

Wallander apartó el informe y miró por la ventana. Había oscurecido, y se sentía hambriento. Por el teléfono interno Björk le informó de que el Ministerio de Asuntos Exteriores les daría más instrucciones durante las primeras horas de la mañana.

–Entonces me voy a casa –contestó Wallander.

–Hazlo –dijo Björk–. Todavía me pregunto quién sería ese periodista.

Al día siguiente lo supieron. En los titulares del periódico *Expressen* se relataba el terrible hallazgo de dos cadáveres en la costa de Escania. En primera plana, además, informaban de que los dos hombres asesinados probablemente eran ciudadanos soviéticos, de que el Ministerio de Asuntos Exteriores ya estaba sobre aviso y de que la policía de Ystad había recibido órdenes de silenciar todo el asunto. El periódico exigía saber por qué.

Wallander no tuvo tiempo de ver los titulares hasta las tres de la tarde.

Para entonces, habían acontecido muchas cosas.

4

Cuando Kurt Wallander llegó a la comisaría al día siguiente, poco después de las ocho, ocurrió todo al mismo tiempo. La temperatura sobrepasaba los cero grados y una fina lluvia caía sobre la ciudad. Había dormido bien y las molestias de la noche anterior no se habían reproducido. Se sentía descansado. Lo único que le preocupaba era de qué humor estaría su padre cuando más tarde fueran a Malmö.

Martinson fue a su encuentro en el pasillo. Kurt Wallander enseguida se dio cuenta de que tenía algo importante que contarle. Cuando Martinson estaba demasiado nervioso como para quedarse en su despacho, todo el mundo sabía que algo había ocurrido.

—¡El capitán Österdahl ha resuelto la cuestión del bote salvavidas! —gritó—. ¿Tienes un momento?

—Yo siempre tengo un momento, ¿no? —contestó Wallander—. Vamos a mi despacho. Ve a ver si ha llegado Svedberg.

Al cabo de unos minutos estaban los tres reunidos.

—La verdad es que deberíamos confeccionar una lista con personas como el capitán Österdahl —empezó Martinson—. La policía tendría que crear un departamento nacional para cooperar con personas que poseen conocimientos peculiares.

Wallander asintió. Él también había pensado lo mismo muchas veces. Por todo el país había personas que tenían unos conocimientos impresionantes sobre los temas más extravagantes. Aún recordaba a un viejo leñador de la provincia de Härjedalen, que años atrás había podido identificar la chapa de una botella de cerveza asiática que ni la policía ni los expertos de la Central de Vinos y Licores supieron determinar. La aportación del leñador ayudó a condenar al asesino, que de otro modo probablemente se hubiese librado de la pena.

–Prefiero gente como el capitán Österdahl a todos los consultores que corren por ahí pronunciando obviedades por honorarios desorbitados –continuó Martinson–. El capitán Österdahl se ha mostrado encantado de ayudarnos.

–¿Y ha sido de ayuda?

Martinson sacó el bloc de notas del bolsillo y lo tiró encima de la mesa, igual que si hubiese sacado de una chistera un conejo invisible. Wallander notó que se irritaba, ya que a menudo los gestos dramáticos de Martinson le impacientaban. «Quizá sea ésta la forma de actuar de un futuro político del Partido Liberal», pensó.

–Somos todo oídos –dijo Wallander tras un momento de silencio.

–Anoche, después de que os fueseis, el capitán Österdahl y yo pasamos varias horas revisando el bote salvavidas aquí en el sótano –explicó–. No pudo ser antes puesto que juega al bridge todas las tardes y se negó categóricamente a alterar esa costumbre. El capitán Österdahl es un hombre mayor muy decidido. Me gustaría ser como él cuando llegue a esa edad.

–Continúa –le exhortó Wallander, que tenía sobrados conocimientos sobre personas mayores decididas. Siempre tenía presente a su padre.

–Husmeó el bote como un perro –continuó Martinson–. Incluso lo olisqueó. Aseguró que tenía como mínimo veinte años y que estaba fabricado en Yugoslavia.

–¿Cómo podía saberlo?

–Por la fabricación y los materiales empleados. Una vez

que se hubo decidido, no dudó en absoluto. Todos sus razonamientos están aquí anotados en este bloc. Me encantan las personas que saben de lo que hablan.

–¿Y por qué razón no hay ninguna marca en el barco que determine que es de Yugoslavia?

–Barco no –dijo Martinson–. Lo primero que me enseñó el capitán Österdahl es que se dice bote, nada más. Y hay una explicación excelente para que no lleve ninguna marca de fabricación. Los yugoslavos a menudo envían sus botes a Grecia y a Italia, donde hay empresas que se dedican a ponerles nombres de fabricantes falsos. No es más insólito que el hecho de que gran cantidad de relojes que se fabrican en Asia lleven nombres de marcas europeas.

–¿Y qué más dijo?

–Muchísimas cosas. Creo que me sé la historia de los botes salvavidas de cabo a rabo. Resulta que ya en la prehistoria existían diferentes tipos. Los primeros modelos parece ser que estaban hechos de caña. El bote de nuestra investigación es el más común en pequeñas embarcaciones de carga rusas o de Europa oriental. No los hay, en cambio, en los barcos escandinavos, porque no los aprueba la Inspección Naval.

–¿Por qué no?

Martinson se encogió de hombros.

–Son de mala calidad y pueden romperse. La mezcla de caucho a menudo es deficiente.

Wallander reflexionó.

–Si el análisis del capitán Österdahl es correcto, el bote salvavidas viene directamente de Yugoslavia, sin haber recibido su nombre de marca, pasando antes por Italia. En otras palabras, ¿se trata de un barco yugoslavo?

–No necesariamente –repuso Martinson–. Cierto número de botes van directos de Yugoslavia a Rusia. Es como un eslabón en el intercambio comercial de trueques involuntario que existe entre Moscú y los estados subordinados. Además, dijo haber visto una vez un bote idéntico en un pesquero ruso que fue apresado cerca del escollo de Häradskär.

–Pero ¿podemos asegurar que es un barco de Europa oriental?

–Eso es lo que opina el capitán Österdahl.

–Bien –dijo Wallander–. Al menos sabemos algo.

–Pero no mucho más –comentó Svedberg.

–Hasta que la persona que nos llamó no dé otra vez señales de vida, sabremos bien poco –siguió Wallander–. Aun así, la balanza se inclina a que el bote llegó arrastrado por la corriente desde el otro lado del mar Báltico, y que los hombres no eran suecos.

Fue interrumpido por alguien que llamaba a la puerta. Un oficinista le entregó un sobre que contenía los resultados complementarios de las autopsias. Wallander le pidió a Svedberg y a Martinson que se quedaran mientras ojeaba los papeles. Se sobresaltó casi en el acto.

–Aquí hay algo –dijo él–. Mörth ha encontrado algo en la sangre.

–¿Sida? –preguntó Svedberg.

–No, pero sí narcóticos: dosis claramente detectables de anfetaminas.

–Drogadictos rusos –dijo Martinson–. Drogadictos torturados y asesinados. Vestidos con traje y corbata y a la deriva en un bote salvavidas de fabricación yugoslava. Un caso interesante. Mejor que delincuentes que destilan alcohol ilegalmente en sus casas o que atacan a personas en lugares públicos.

–No sabemos si son rusos –objetó Wallander–. En realidad no sabemos nada de nada.

Marcó el número de Björk en el teléfono interno.

–Aquí Björk.

–Soy Wallander. Estoy con Svedberg y Martinson. Quisiéramos saber si el Ministerio de Asuntos Exteriores te ha dado alguna instrucción.

–Todavía no, pero llamarán pronto.

–Me voy para Malmö unas horas.

–Ve. Ya te avisaré cuando hayan llamado. A propósito, ¿te ha molestado algún periodista?

–No, ¿por qué?

–El *Expressen* me despertó a las cinco de la mañana, y desde entonces no han parado de llamar. Tengo que admitir que estoy un poco preocupado.

–Tú ahora no te obsesiones con ellos. De todos modos, escribirán lo que quieran.

–Precisamente eso es lo que me inquieta. La investigación se resentirá si empiezan a salir especulaciones en los periódicos.

–Quizá sirva para que alguien que sepa o que haya visto algo nos llame.

–Lo dudo. Y no me gusta que me despierten a las cinco de la mañana. Nadie sabe bien lo que dice cuando acaban de despertarle.

Wallander colgó.

–Habrá que esperar –anunció–. Tendréis que poner vuestras cabezas a trabajar. Tengo un viejo asunto que arreglar en Malmö. Quedamos aquí en mi despacho después de comer.

Svedberg y Martinson se marcharon. Wallander sintió un ligero malestar por fingir que iba a Malmö por razones profesionales. Sabía que todo policía, al igual que todo el que tenía la posibilidad, empleaba parte de su horario laboral para arreglar asuntos privados. Sin embargo le molestaba.

«Me estoy volviendo un carca», pensó. «Y eso que sólo tengo cuarenta y pocos años.»

Avisó en recepción de que estaría localizable después de comer. Luego se dirigió hacia la autovía de Österleden, por Sandskogen y torció hacia Kåseberga. La fina lluvia había cesado, pero se había levantado el viento.

Entró en Kåseberga y llenó el depósito de gasolina. Como le sobraba tiempo siguió hasta el puerto, donde aparcó y salió para notar el viento. No se veía ni un alma. El quiosco y los tenderetes de pescado ahumado estaban cerrados a cal y canto.

«Vivimos tiempos extraños», pensó. «Hay zonas de este país que sólo abren los meses de verano. En municipios enteros cuelgan por doquier letreros de cerrado.»

Salió al espigón de piedra a pesar del frío. El mar estaba vacío, por ningún sitio se divisaba barco alguno. Pensó en los dos cadáveres del bote salvavidas de color rojo. ¿Quiénes serían? ¿Qué podía haber sucedido? ¿Por qué los torturaron y asesinaron? ¿Quién les puso las chaquetas?

Miró el reloj de pulsera, volvió al coche y se fue derecho a casa de su padre, que estaba en mitad de una llanura, al sur de Löderup.

Como de costumbre, estaba pintando en el viejo establo. Kurt Wallander entró y notó el fuerte olor a disolventes y pinturas. Era como regresar a su niñez. El olor que siempre envolvía a su padre ante el caballete era uno de sus recuerdos más tempranos. El motivo del lienzo tampoco había variado con los años. El padre siempre pintaba el mismo cuadro, un paisaje a la puesta del sol. De cuando en cuando, a petición del cliente, añadía un urogallo en la parte anterior izquierda.

El padre de Kurt Wallander repetía siempre el mismo paisaje. Lo había perfeccionado tanto que ni siquiera cambiaba de motivo. Hasta que no se hizo adulto, Wallander no entendió que no se trataba de pereza o falta de habilidad. Más bien, aquella insistencia le daba al padre la seguridad que al parecer necesitaba para manejar su vida.

El padre, vestido con un mono y botas de agua recortadas, dejó el pincel y se limpió las manos en un trapo sucio.

–Ya estoy listo para irnos –dijo.

–¿No vas a cambiarte? –propuso Wallander.

El padre le miró sin comprender.

–¿Para qué voy a cambiarme? ¿Acaso hay que llevar traje para ir a las droguerías hoy día?

Wallander comprendió lo infructuoso de argumentar contra sus deseos. Su padre poseía una tozudez sin límite. Por otra parte, corría el riesgo de que se enfadara, y entonces el viaje a Malmö resultaría insoportable.

–Haz lo que quieras.

–Sí. Haré lo que quiera.

Se dirigieron a Malmö. Su padre contemplaba el paisaje.

–Es fea –comentó de repente.

–¿Qué quieres decir?

–Quiero decir que Escania es fea en invierno. Lodo gris, árboles grises, cielo gris. Y lo más gris de todo son las personas.

–Tal vez tengas razón.

–Claro que la tengo. No hay nada que discutir. Escania es fea en invierno.

La droguería estaba en el centro de Malmö. Kurt Wallander tuvo la suerte de encontrar un aparcamiento justo delante de la tienda. El padre sabía exactamente lo que quería: lienzos, pinturas, pinceles y algunos raspadores. En el momento de pagar sacó un fajo de billetes arrugados de uno de los bolsillos. Kurt Wallander se mantuvo todo el rato apartado. Su padre ni siquiera le dejó ayudarle a llevar las cosas al coche.

–Yo ya estoy –dijo su padre–. Ya podemos ir a casa.

A Kurt Wallander se le ocurrió que podrían parar en algún sitio a comer, y para su sorpresa, su padre encontró que era buena idea. Se detuvieron en el motel de Svedala y entraron en el restaurante.

–Dile al *maître* que queremos una buena mesa –dijo su padre.

–Esto es un *self-service* –contestó Kurt Wallander–. No creo que haya aquí ningún *maître*.

–Entonces iremos a otro sitio –replicó escuetamente–. Si vamos a comer fuera, quiero que me sirvan la comida.

Kurt Wallander contempló apesadumbrado el mono sucio de su padre. Luego recordó que había una pizzería sencilla en Skurup, donde nadie se preocuparía de la ropa que llevaba. Así que fueron a Skurup y aparcaron delante de la pizzería. Los dos eligieron el plato del día, bacalao fresco. Mientras comían, Kurt Wallander contempló a su padre y pensó que nunca llegaría a conocerle hasta que fuese demasiado tarde. Antes pensaba que no se le parecía en nada, pero últimamente tenía cada vez más dudas. Su mujer, Mona, que le había abandonado el año anterior, muchas veces le había reprochado la misma tozudez exigente y el mismo egocentrismo pedante. «Tal vez no quiera ver los parecidos», pensó. «Tal vez tema ser como él. Un testarudo que sólo ve lo que quiere ver.»

También pensó que ser tozudo era una ventaja para su trabajo. Sin esa terquedad, que para un extraño podría parecer anormal, muchas de las investigaciones criminales de las que él era responsable fracasarían. Esa cualidad no era resultado de su profesión, sino un rasgo de su carácter.

–¿Por qué no dices nada? –preguntó malhumorado el padre interrumpiendo sus pensamientos.

–Perdón. Estaba pensando.

–No quiero salir a comer contigo si no me cuentas nada.

–¿Qué quieres que te diga?

–Podrías decirme cómo te encuentras. Cómo se encuentra tu hija. Podrías contarme si has encontrado a otra mujer.

–¿Otra mujer?

–¿Todavía lloras por Mona?

–No lloro. Pero eso no quiere decir que haya encontrado a nadie.

–¿Por qué no?

–No es tan fácil encontrar una mujer.

–Pues, ¿qué haces?

54

–¿Qué quieres decir?

–¿Es tan difícil de comprender? ¡Sólo pregunto qué haces para encontrar una mujer!

–No salgo a bailar, si te refieres a eso.

–Yo sólo pregunto. Cada año que pasa estás más raro.

Kurt Wallander dejó el tenedor.

–¿Más raro?

–Tendrías que haber seguido mi consejo. Nunca debiste hacerte policía.

«Otra vez en el mismo punto donde empezamos. Nada ha cambiado...», pensó Kurt Wallander.

El olor a aguarrás. Un gélido día de primavera de 1967. Todavía viven en la vieja herrería reformada a las afueras de Limhamn, pero pronto se marchará de allí. Como lleva tiempo esperando la carta, se va corriendo al buzón cuando ve al cartero. La abre de un tirón y lee lo que esperaba: le han aceptado en la Academia de Policía; empezará en otoño. Vuelve corriendo, abre de un empujón la puerta que da a la estrecha habitación donde su padre está pintando un paisaje. ¡Me han aceptado en la Academia de Policía!, exclama, pero el padre no le felicita, ni siquiera deja el pincel, continúa pintando. Aún recuerda que el padre estaba pintando las nubes teñidas de rojo por el sol poniente, y comprendió que para su padre era un fracasado, él, que iba a ser policía.

El camarero se llevó los platos, y enseguida apareció con dos tazas de café.

–Hay algo que nunca he comprendido –dijo Kurt Wallander–. ¿Por qué no querías que fuese policía?

–Hiciste lo que querías.

–No has contestado a mi pregunta.

–No tenía planeado que mi hijo viniera a sentarse a comer con gusanos de cadáveres saliéndole de las mangas de la camisa.

Kurt Wallander se estremeció con la respuesta. ¿Gusanos de cadáveres saliendo de las mangas de la camisa?

–¿Qué quieres decir? –preguntó.

Pero el padre no respondió. Se acabó el café tibio.

–Ya estoy –concluyó–. Ya podemos irnos.

Kurt Wallander pidió la cuenta y pagó.

«Nunca obtendré la respuesta», pensó. «Nunca sabré por qué le desagrada tanto que sea policía.»

Volvieron a Löderup. El viento había arreciado. El padre llevó los lienzos y las pinturas a su estudio.

–¿Jugaremos a las cartas algún día? –preguntó.

–Vendré dentro de unos días –contestó Wallander.

Luego regresó a Ystad. No sabía si estaba enfadado o indignado: ¿gusanos de cadáveres que salían de las mangas de la camisa? ¿Qué habría querido decir con eso su padre?

Era la una menos cuarto cuando aparcó el coche y regresó al despacho. Para entonces había decidido exigirle una respuesta clara a su padre la próxima vez que se encontraran.

Apartó esos pensamientos y se obligó a ser policía otra vez. Lo primero que tenía que hacer era ponerse en contacto con Björk. Antes de tener tiempo siquiera para marcar el botón del teléfono interno, éste sonó, y levantó el auricular.

–Wallander.

Se oía un crujido al otro lado de la línea. Repitió su nombre.

–¿Es usted quien se ocupa del bote salvavidas?

Wallander no reconocía la voz. Era la de un hombre que hablaba rápido y forzado.

–¿Con quién hablo?

–No importa. Es sobre el bote salvavidas.

Wallander se enderezó en la silla y se acercó un papel y un bolígrafo.

–¿Fue usted quien llamó el otro día?

–¿El que llamó?

El hombre parecía asombrado de verdad.

–¡Yo no he llamado!

–¿Así que no fue usted quien llamó para decir que un

bote salvavidas flotaba a la deriva en dirección a la costa de Ystad?

Hubo un largo silencio al otro lado de la línea. Wallander esperó.

–Entonces nada –zanjó el hombre.

La conversación se cortó.

Wallander se apresuró a tomar nota. Enseguida se dio cuenta de que había cometido una equivocación. El hombre había llamado para hablar sobre los dos muertos del bote salvavidas, y al oír que ya había habido otra llamada se sorprendió, o se asustó, y decidió cortar la conversación cuanto antes.

Para Wallander la conclusión era sencilla.

Quien acababa de llamar no era el mismo hombre con quien Martinson había hablado.

En otras palabras, había más de una persona que podría darles información, para lo que Wallander también tenía una explicación. La conversación con Martinson le había dado la respuesta: los que habían visto algo debían de estar en un barco y serían de la tripulación, ya que nadie saldría solo en un barco durante el invierno. Pero ¿qué barco? Podría ser un transbordador o un pesquero; un carguero o uno de los petroleros que continuamente cruzan el mar Báltico.

Martinson entreabrió la puerta.

–¿Ya es hora? –preguntó.

Wallander decidió no comentar nada sobre la llamada que acababa de recibir. Sentía la necesidad de presentar a sus colaboradores un meditado resumen.

–Todavía no he podido hablar con Björk –dijo–. Nos veremos dentro de media hora, ¿de acuerdo?

Martinson desapareció y Wallander marcó el número interno de Björk.

–Aquí Björk.

–Wallander al habla. ¿Cómo ha ido?

–Ven a mi despacho para que te lo explique.

Lo que Björk tenía que contarle sorprendió a Wallander.

–Vamos a tener una visita –empezó Björk–. El Ministerio de Asuntos Exteriores nos enviará un funcionario para ayudarnos en la investigación.

–¿Un funcionario del Ministerio de Asuntos Exteriores? ¿Qué saben ellos sobre investigaciones criminales?

–No tengo ni idea, pero viene esta misma tarde. He pensado que sería mejor que fueras tú a buscarle. Llega a Sturup en el vuelo de las cinco y veinte.

–La hostia. ¿Viene a ayudar o a vigilar lo que hacemos?

–No lo sé –contestó Björk–. Además, esto es sólo el principio. ¿No adivinas quién más ha llamado?

–¿El director general de la policía?

Björk se sobresaltó.

–¿Cómo lo has sabido?

–Bueno, alguna cosa tenía que adivinar. ¿Qué quería?

–Pidió información continuada del caso. Además, quiere enviarnos a un par de hombres. Uno del grupo de homicidios y otro de narcóticos.

–¿También iremos a buscarlos al aeropuerto?

–No, ya se apañarán solos.

Wallander reflexionó un instante.

–Todo esto me parece muy extraño –dijo al fin–. Y sobre todo ese funcionario del ministerio. ¿Por qué viene? ¿Es que se han puesto en contacto con la policía de la Unión Soviética? ¿Y con la de los Estados bálticos?

–Todo sigue su cauce. Esto es lo que me han dicho desde el ministerio, pero no sé lo que significa en realidad.

–¿Cómo es posible que no te informen con exactitud?

Björk levantó las manos.

–He sido jefe de policía el tiempo suficiente como para saber lo que pasa en este país. A veces me dejan de lado a mí, otras es al ministro de Justicia a quien engañan, pero la mayoría de las veces a quien no le dicen más que una ínfima parte de lo que realmente está sucediendo es al pueblo sueco.

Wallander sabía muy bien a qué se refería Björk. Los numerosos escándalos judiciales de los últimos años habían destapado el invisible sistema de túneles construidos en los sótanos de la organización estatal, túneles que unían diferentes departamentos e instituciones. Lo que antes habían sido sospechas, o imaginaciones sectarias, finalmente se había puesto al descubierto. El poder real se ejercía en gran parte desde unos pasillos secretos, poco iluminados, lejos del control que se suponía que era la característica básica de un Estado de derecho.

Llamaron a la puerta, y Björk gritó que adelante. Era Svedberg, con el periódico de la tarde en la mano.

–He pensado que os interesaría ver esto.

Wallander se sobresaltó al ver la portada del periódico. En grandes titulares se hablaba del sensacional hallazgo de dos cadáveres en la costa de Escania. Björk saltó de su silla y agarró a su vez el periódico, y lo leyeron los dos por encima de sus hombros. Para su espanto, Wallander vio su propia cara en una fotografía borrosa. Pensó que debieron de tomarla durante la investigación de los asesinatos de Lenarp: «El inspector de policía Knut Wallman está al frente de las investigaciones».

En el texto del pie de foto le habían cambiado el nombre. Björk tiró el periódico, y en la frente se le veía la mancha rojiza que presagiaba un ataque de ira. Svedberg se alejó discretamente hacia la puerta.

–Aquí está todo –anunció Björk–. Igual que si lo hubieses escrito tú, Wallander; o tú, Svedberg. El periódico sabe que estamos en contacto con el Ministerio de Asuntos Exteriores, que el director general de la policía sigue el desarrollo del caso; incluso saben que el bote es yugoslavo, que es más de lo que sé yo. ¿Es cierto eso?

–Sí –contestó Wallander–. Martinson nos lo ha explicado esta mañana.

–¡Esta mañana! ¡Dios mío! ¿Se puede saber cuándo imprimen este diario de mierda?

Björk iba y venía por el despacho. Wallander y Svedberg

se miraron. Cuando Björk perdía los estribos podía emprender retahílas interminables.

Björk asió el periódico de nuevo y leyó en voz alta:

—«Patrullas asesinas soviéticas. La nueva Europa ha abierto las puertas de Suecia a una criminalidad con perspectivas políticas». ¿Qué quieren decir? ¿Alguno de vosotros puede explicármelo? ¿Wallander?

—No tengo ni idea. Creo que lo mejor será no prestar atención a lo que dicen los periódicos.

—¿Cómo vamos a hacerlo? Los medios de comunicación nos sitiarán después de esto.

Como si de una profecía se tratase, el teléfono empezó a sonar en ese mismo instante. Era un periodista del diario *Dagens Nyheter* que quería una declaración. Björk tapó el auricular con la mano y dijo:

—Tendremos que convocar otra conferencia de prensa. O enviar un comunicado. ¿Qué opináis que es mejor?

—Las dos cosas —propuso Wallander—. Pero espera a mañana para la conferencia de prensa. Ese hombre del ministerio tal vez quiera dar su opinión.

Björk informó al periodista y dio por terminada la conversación sin contestar a ninguna pregunta. Svedberg abandonó el despacho. Björk y Wallander se pusieron de acuerdo sobre un breve comunicado de prensa. Cuando Wallander se levantó para irse, Björk le pidió que se quedara.

—Tendremos que hacer algo en lo concerniente a los chivatazos —dijo Björk—. Es evidente que he sido demasiado ingenuo. Recuerdo que te quejaste el año pasado cuando trabajabas en el doble asesinato de Lenarp, y me temo que yo lo despaché como exageraciones tuyas. La cuestión es: ¿qué debo hacer?

—Me pregunto si realmente se puede hacer algo —objetó Wallander—. Creo que el año pasado entendí que tenemos que aprender a convivir con ello.

—Me encantará retirarme —suspiró Björk tras un momento de reflexión–. A veces me siento como si el tiempo se me estuviera escapando.

–Nos pasa a todos –contestó Wallander–. Me voy a Sturup a buscar a ese funcionario. ¿Cómo se llama?

–Törn.

–¿Nombre de pila?

–No me lo han dado.

Wallander volvió a su despacho, donde ya le aguardaban Martinson y Svedberg. Este último estaba explicando lo que acababa de presenciar en el despacho de Björk.

Wallander decidió celebrar una reunión breve. Contó lo de la llamada y su conclusión de que había otra persona que quería hablar acerca del bote salvavidas.

–¿Era escaniano? –preguntó Martinson.

Wallander asintió con la cabeza.

–Entonces es posible encontrarlos –continuó Martinson–. Podemos excluir a los petroleros y los cargueros. ¿Qué nos queda, pues?

–Nos quedan los pesqueros –contestó Wallander–. ¿Cuántos habrá a lo largo de la costa sur de Escania?

–Muchos –señaló Martinson–. Pero ahora, en el mes de febrero, están todos amarrados. Aunque sea un trabajo arduo, creo que podremos encontrarlos.

–Mañana lo decidiremos –siguió Wallander–. Para entonces todo puede haber cambiado.

Les contó lo que Björk le había comentado. Martinson reaccionó más o menos como él, con asombro e irritación, mientras que Svedberg se limitó a encogerse de hombros.

–Por hoy ya basta –concluyó Wallander–. Tengo que redactar un informe sobre lo que sabemos hasta ahora, y vosotros también. Mañana haremos una puesta en común con los que vienen del grupo de homicidios y de narcóticos, y con Törn, el del ministerio.

Wallander llegó al aeropuerto con tiempo de sobra. Tomó una taza de café con los policías de aduanas y escuchó sus habituales quejas sobre horarios y sueldos. A las cinco y cuarto se sentó en un sofá delante de la entrada de pasajeros mirando distraídamente los anuncios en una televisión que colgaba del techo. Anunciaron la llegada, y Wallander se preguntó si el hombre del ministerio imaginaría encontrarse a un policía uniformado. «Si me coloco con los brazos en la espalda y me balanceo encima de los pies a lo mejor ve que soy policía», pensó con ironía.

Contempló a todos los pasajeros que pasaron ante él, pero no vio a nadie que pareciese estar buscando a alguien. Cuando la corriente de viajeros terminó por extinguirse, se dio cuenta de que no le había visto. «¿Qué aspecto tendrá un funcionario del Ministerio de Asuntos Exteriores?», pensó. «¿Son como la gente normal o como los diplomáticos? ¿Y qué pinta tiene un diplomático?»

–¿Kurt Wallander? –oyó que le decían por detrás de él.

Al girarse vio ante sí a una mujer de unos treinta años.

–Sí –respondió–. Yo mismo.

La mujer se quitó un guante y le estrechó la mano.

–Birgitta Törn –se presentó–. Vengo del Ministerio de Asuntos Exteriores. ¿Tal vez te esperabas un hombre?

–La verdad es que sí –contestó.

–Aún no hay muchas mujeres diplomáticas –explicó Birgitta Törn–, pero eso no significa que gran parte de la administración estatal de extranjería no esté en manos de mujeres.

–Bien –empezó Wallander–, bienvenida a Escania.

En la cinta de recogida de equipajes la miró de reojo. Tenía un aspecto indefinible. Sobre todo había algo en sus ojos que le picaba la curiosidad. Al coger la maleta y encontrarse con su mirada comprendió de qué se trataba: llevaba lentes de contacto. Las reconocía fácilmente, pues Mona las había llevado durante los últimos años de su matrimonio.

Se dirigieron luego al coche. Kurt Wallander le preguntó por el tiempo que hacía en Estocolmo y si el viaje había sido agradable; enseguida se dio cuenta de que mantenía ciertas distancias con él.

–Me han hecho una reserva en un hotel que se llama Sekelgården –dijo cuando iban hacia Ystad–. Me gustaría repasar los informes que tenéis sobre la situación de la investigación. Supongo que te han informado de que hay que facilitarme todo el material.

–No –contestó Wallander–. Nadie me ha dicho nada de eso, pero como no hay secretos lo tendrás de todas formas. Está en la carpeta del asiento trasero.

–Has sido muy previsor –dijo.

–En realidad sólo tengo una pregunta –empezó Wallander–: ¿por qué estás aquí?

–La inestable situación del Este hace que el Ministerio de Asuntos Exteriores vigile todos los acontecimientos anormales. Además, podremos prestar ayuda en las demandas formales que eventualmente se tengan que hacer a otros países que no sean miembros de la Interpol.

«Habla como un político; en sus palabras no cabe la inseguridad», pensó Wallander.

–Un acontecimiento anormal –dijo–. Tal vez se pueda llamar así. Si quieres te enseño el bote salvavidas en la comisaría.

–No, gracias –contestó Birgitta Törn–, no deseo entrometerme en el trabajo policial, pero sí quiero celebrar mañana por la mañana una reunión, quiero una exposición de los hechos.

–A las ocho va bien –propuso Wallander–. Quizá no sepas que la dirección general nos ha enviado un par de inspectores más, que supongo llegarán mañana.

–Ya me han informado de ello –replicó Birgitta Törn.

El hotel Sekelgården estaba situado en una calle de detrás de una plaza. Wallander detuvo el coche y se estiró para recoger la carpeta del informe, y sacó luego la maleta de ella.

–¿Habías estado en Ystad alguna vez?

–Creo que no.

–Entonces puedo sugerir que la policía de Ystad te invite a cenar.

Una leve sonrisa se reflejó en su rostro antes de contestar.

–Eres muy amable, pero tengo mucho trabajo.

Kurt Wallander notó que se irritaba. ¿Es que un policía de una ciudad pequeña no era buena compañía para ella?

–Creo que donde mejor se come es en el hotel Continental –le explicó–. Bajando a la derecha desde la plaza. ¿Quieres que pase a recogerte mañana por la mañana?

–Ya sabré encontrarla sola. De todos modos, te lo agradezco, y muchas gracias por venir a buscarme al aeropuerto.

Eran las seis y media de la tarde cuando Wallander se fue a su casa. De pronto se sintió harto de la vida que llevaba, no sólo por el vacío que notaba al llegar a su solitario piso donde nadie le esperaba, sino también por la sensación que tenía de que cada vez le costaba más orientarse en su vida. Incluso su propio cuerpo había empezado a forcejear. Hasta hacía poco, se había sentido seguro en su trabajo de inspector de policía, pero ahora ya no. La inseguridad le invadió el año pasado cuando intentaba resolver el brutal doble asesinato de Lenarp. A menudo comentaba con Rydberg que un país como Suecia, que se había convertido en algo desconocido e indefinido, necesitaba otro tipo de policías. Cada día que pasaba se sentía menos útil. Y esta inseguridad no la remediaría ninguno de los cursos que la Dirección General de Policía impartía con regularidad.

Sacó una cerveza de la nevera, encendió el televisor y se dejó caer en el sofá. En la pantalla centelleaba uno de esos eternos programas de debate que emitían todos los días.

De nuevo pensó en solicitar el puesto de trabajo en la fábrica de caucho de Trelleborg. ¿Acaso era un cambio lo que necesitaba? Quizás el trabajo de policía sólo podía ejercerse unos cuantos años, y luego había que dedicarse a otra cosa.

Se quedó sentado en el sofá hasta muy tarde, y hasta poco antes de medianoche, no se metió en la cama.

Acababa de apagar la luz cuando sonó el teléfono. «Oh, no, otra noche no», pensó. «Otra muerte por malos tratos, no.» Se incorporó en la cama y levantó el auricular. Enseguida reconoció al hombre que le había llamado por la tarde.

–Quizá sepa algo del bote salvavidas que pueda interesaros –dijo el hombre.

–Nos interesa toda la información que puedas facilitarnos.

–Sólo contaré lo que sé si la policía me garantiza que no revelará mi identidad.

–Puedes permanecer en el anonimato si quieres.

–No es suficiente. La policía tiene que garantizarme que no revelarán que ha llamado alguien.

Wallander reflexionó con rapidez y se lo prometió. El hombre parecía dudar.

«Tiene miedo», pensó Wallander.

–Te doy mi palabra de policía –insistió.

–No doy mucho por ello –contestó el hombre.

–Pues deberías –dijo Wallander–. No hay ninguna institución bancaria que pueda dar información negativa sobre mí.

Hubo un largo silencio al otro lado de la línea telefónica. Wallander oyó respirar al hombre.

–¿Sabes dónde está la calle de Industrigatan? –preguntó de repente.

Wallander lo sabía. Estaba en un polígono industrial al este, en las afueras de la ciudad.

–Ve allí –le ordenó el hombre–. Entra con el coche. Es dirección única, pero no importa; no hay tráfico por la noche. Apaga el motor y las luces.

–¿Ahora? –preguntó Wallander.

–Ahora.

–¿Dónde debo detenerme? La calle es larga.

–Ve allí, que yo ya te encontraré. Y ven solo. Si no, nada.

La comunicación se cortó.

Wallander sintió que le atenazaba la desazón. Rápidamente pensó en llamar a Martinson o a Svedberg para pedirles ayuda. Y luego se obligó a pensar sin tener presente el creciente malestar. ¿Qué podía ocurrir?

Apartó el edredón a un lado y se levantó. Minutos más tarde, abrió la puerta del coche en la desierta calle. La temperatura volvía a estar por debajo de los cero grados y cuando se sentó al volante se estremeció de frío.

A los cinco minutos, torcía por la calle Industrigatan, flanqueada por concesionarios de automóviles y diferentes empresas pequeñas.

No vio luz por ninguna parte. Condujo hasta la mitad de la calle, luego se detuvo, apagó el motor y las luces, y esperó en la oscuridad. El reloj del vehículo señalaba que pasaban siete minutos de la medianoche.

A las doce y media todavía no había pasado nada. Decidió esperar como mucho hasta la una. Si a esa hora no aparecía nadie, se iría a casa.

No lo vio hasta que estuvo al lado del coche. Bajó el cristal de la ventanilla. La cara del hombre estaba en la sombra. No pudo distinguir sus rasgos, pero sí reconoció la voz.

–Sígueme con el coche –ordenó.

Luego desapareció.

Al cabo de unos minutos un coche llegó en dirección opuesta, y le hizo señales con los faros.

Kurt Wallander puso el motor en marcha y le siguió.

Salieron de la ciudad, hacia el este.

De pronto Wallander se dio cuenta de que tenía miedo.

5

El puerto de Brantevik estaba abandonado.

La mayoría de las farolas del lugar estaban apagadas. Sólo algunos puntos solitarios de luz caían sobre el agua oscura y encalmada. Kurt Wallander se preguntó si era porque habían roto las bombillas o si era parte de la campaña de ahorro municipal general el no reponer las bombillas rotas. «Nuestra sociedad se está apagando», pensó. «Ésta es una metáfora que se está haciendo realidad.»

Las luces de freno del coche de delante se apagaron, y luego los faros. Wallander apagó también las suyas y se quedó sentado en la oscuridad. El reloj del cuadro de mandos señalaba el paso del tiempo con sus espasmos electrónicos. La una y veinticinco. De repente se abrió en la oscuridad el haz de luz de una linterna. Wallander abrió la puerta del coche y salió al exterior. Se estremeció de frío en mitad de la noche. El hombre que sostenía la linterna se detuvo a pocos metros de él. Wallander todavía no podía distinguir su cara.

–Vamos a salir al muelle –dijo el desconocido.

Su escaniano vibraba en las erres. Wallander pensó que nada podía sonar realmente amenazador si se decía en escaniano. No conocía ningún otro dialecto que fuese tan considerado.

Pero aun así dudó.

–¿Por qué? –preguntó–. ¿Por qué tenemos que salir al muelle?

–¿Tienes miedo? –replicó el hombre–. Vamos al muelle porque allí hay un barco.

Se volvió y echó a andar. Wallander le siguió. Una ráfaga de viento le arañó la cara. Se detuvieron ante la silueta oscura de un pesquero. El olor a mar y a petróleo era muy intenso. El hombre le dio la linterna a Wallander.

–Enfoca los amarres –le ordenó.

Fue entonces cuando Wallander vio su cara por primera vez. Tenía unos cuarenta años o tal vez era algo mayor, la cara curtida por los vientos, la tez dura de la persona acostumbrada al aire libre. Iba vestido con un mono azul oscuro y una chaqueta gris, y con una gorra negra hasta la frente.

El hombre se agarró a los cabos gruesos de los amarres y subió a bordo. Desapareció en la oscuridad hacia la cabina de mandos y Wallander esperó. Al rato se encendió un farol de gas. El hombre volvió a proa por la crujiente borda.

–Sube a bordo –le indicó.

Wallander se agarró torpemente a la fría barandilla y le obedeció. Ya en el barco, siguió al desconocido por la inclinada borda y tropezó con el cabo de una cuerda.

–No vayas a caerte al agua, que está muy fría.

Wallander le siguió hasta la estrecha cabina de mandos y luego hasta la sala de máquinas, que olía a gasoil y a lubricantes. El hombre colgó el farol en un gancho del techo y redujo la intensidad de la luz con el tornillo.

Wallander se dio cuenta de que aquella persona estaba asustada, ya que los movimientos de sus dedos eran torpes y rápidos. Se sentó en el incómodo camastro, cubierto por una manta sucia.

–¿Cumplirás tu palabra? –exigió de nuevo.

–Siempre cumplo mi palabra –contestó Wallander.

–Nadie lo hace. Yo sólo pienso en mí.

–¿Cómo te llamas?

–No importa mi nombre.

–Pero a lo mejor has visto un bote salvavidas con dos cadáveres.

–A lo mejor.

–Si no, no me habrías llamado.

El hombre cogió una carta marina sucia que estaba a su lado.

–Aquí –señaló–. Aquí lo vi. Eran las dos menos nueve minutos de la tarde cuando lo descubrí. El día doce, o sea, el martes pasado, y hasta hoy he estado pensando sobre cuál pudo ser su punto de partida.

Wallander buscó en los bolsillos un bolígrafo y un trozo de papel cualquiera donde tomar notas, pero como siempre, no llevaba nada.

–Despacio –dijo–. Cuéntamelo todo desde el principio. ¿Dónde descubriste el bote?

–Lo tengo apuntado. A seis millas de Ystad, en dirección sur. El bote iba a la deriva en dirección nordeste. Tengo anotada la posición exacta.

Estiró la mano y le entregó una nota arrugada a Wallander, que tuvo la impresión de que la posición era la exacta, si bien los números no le decían nada.

–El bote iba a la deriva –prosiguió–. Si no hubiese dejado de nevar no lo habría visto nunca.

«No lo *habríamos* visto nunca», pensó Wallander con rapidez. «Cada vez que habla en primera persona se detiene casi imperceptiblemente como si se obligase a decir sólo la verdad a medias.»

–Iba a la deriva a babor –continuó el hombre–. Lo remolqué hacia la costa sueca, y cuando vi tierra lo solté.

«Eso explica lo del cabo cortado», pensó Wallander. «Tendrían prisa y estarían nerviosos, por lo que no dudaron en sacrificar un trozo de la cuerda.»

–¿Eres pescador? –preguntó a continuación.

–Sí.

«No», pensó Wallander. «Mientes de nuevo, y mal. Me pregunto a qué le tienes miedo.»

–Regresaba a casa –contestó el hombre.

–Supongo que tendrás una radio en el barco –dijo Wallander–. ¿Por qué no avisaste a los guardacostas?

–Tengo mis razones.

Wallander comprendió que debería hacer un gran esfuerzo para vencer el miedo de aquel hombre y obtener algún resultado. «Tengo que lograr que confíe en mí.»

–Necesito más información –insistió Wallander–. Lo que digamos aquí tengo que usarlo en la investigación; tranquilo, que nadie sabrá quién me lo ha dicho.

–Nadie ha dicho nada y nadie ha llamado.

De pronto Wallander lo vio todo con claridad. Había una explicación sencilla y lógica a la tozudez de aquel hombre en permanecer en el anonimato. Tuvo también un vislumbre del porqué de su evidente miedo. El hombre que estaba sentado enfrente no iba solo a bordo del barco cuando divisaron el bote salvavidas, lo que Wallander ya había supuesto durante la conversación con Martinson, pero ahora sabía el número exacto de la tripulación: eran dos, no tres, sino dos. Y precisamente a ese segundo hombre era al que temía.

–Está bien, nadie ha llamado –dijo Wallander–. ¿El barco es tuyo?

–¿Qué importa eso?

Wallander empezó de nuevo. Estaba seguro de que lo único que tenía que ver aquella persona con los dos cadáveres era haberse hallado en el barco que los descubrió y que los remolcó a tierra; lo que simplificaba la situación, si bien no entendía por qué el testigo estaba tan asustado. *¿Quién sería ese otro hombre?*

«Contrabandistas», se le ocurrió de pronto. «Contrabandistas de refugiados o de alcohol. Este barco se usa para el contrabando. Por eso no huelo por ninguna parte a pescado.»

–¿Viste algún barco cerca de donde descubriste el bote?

–No.

–¿Estás seguro?

–Sólo digo lo que sé.

–Pero acabas de decirme que estuviste pensando acerca del bote.

La respuesta fue muy tajante.

–El bote llevaba tiempo en el agua. No podían haberlo echado al mar recientemente.

–¿Cómo lo sabes?

–Porque empezaba a tener incrustaciones de algas.

Wallander no recordaba este dato de cuando inspeccionó el bote.

–Nosotros no vimos ni rastro de algas al encontrar el bote.

El hombre reflexionó.

–Es posible que se las llevara el agua al remolcarlo a tierra. El bote estuvo expuesto al oleaje.

–¿Cuánto tiempo crees que llevaba en el agua?

–Quizás una semana. Es difícil decirlo.

Wallander observó a aquel hombre de ojos inquietos. Tenía la impresión de que estaba alerta, como a la escucha.

–¿Tienes algo más que contarme? Cualquier detalle puede ser de sumo interés.

–Creo que el bote provenía de alguno de los Estados bálticos.

–¿Por qué de ahí y no de Alemania?

–Conozco estas aguas. Creo que el bote provenía de donde te digo.

Wallander intentó representarse el mapa en su cabeza.

–Eso está muy lejos –objetó–. Cruzar toda la costa polaca por aguas alemanas... Me cuesta creerlo.

–Durante la segunda guerra mundial las minas recorrían largas distancias a la deriva en muy poco tiempo. Además, el viento de los últimos días puede haber facilitado la travesía.

La luz del farol se debilitó de repente.

–No tengo nada más que añadir –concluyó, y dobló la sucia carta marina–. Ya sabes lo que has prometido, ¿eh?

–Lo sé, pero tengo una pregunta más: ¿por qué tienes tanto miedo a hablar conmigo? ¿Por qué en mitad de la noche?

–No tengo miedo. Y si lo tuviese, no sería de tu incumbencia. Tengo mis razones para actuar de este modo.

A continuación metió la carta marina en una casilla debajo del soporte del timón. Wallander se esforzó por recordar alguna otra pregunta antes de que fuese demasiado tarde.

Ninguno de los dos notó el suave movimiento del cascarón del barco. Fue un balanceo tan ligero que pasó imperceptible como una marejada que se demorase en llegar a tierra.

Wallander subió de la sala de máquinas. Rápidamente dejó que la linterna recorriese las paredes de la cabina de mandos. Por ningún sitio vio nada que le ayudara a identificar el pesquero en una ocasión venidera.

–Si te necesitara, ¿dónde podría localizarte? –le preguntó cuando estaban de regreso en el muelle.

–No podrás. Pero tampoco vas a necesitarlo. No tengo nada más que decir.

Wallander contó los pasos al cruzar el muelle. Al dar el paso número setenta y tres sintió la grava del puerto bajo sus pies. Las sombras engulleron al hombre, que se apoderó de la linterna y desapareció sin mediar palabra. Wallander se sentó en el coche sin poner el motor en marcha, y esperó unos minutos. Por un instante le pareció divisar una sombra que se movía en la oscuridad, pero debían de ser imaginaciones suyas. Más tarde comprendió que tenía que ser él quien se marchara primero. Al llegar a la carretera principal, aminoró la velocidad, pero no asomó ninguna luz detrás de él.

A las tres menos cuarto volvía a abrir la puerta de su apartamento. Se sentó a la mesa de la cocina y tomó nota de la conversación que había mantenido en la sala de máquinas del pesquero.

«Los Estados bálticos», pensó. «¿Realmente puede llegar un bote a la deriva desde tan lejos?» Se levantó y se dirigió a la sala de estar. En un armario, entre pilas y pilas de revistas viejas y programas de ópera, encontró su viejo atlas del colegio. Abrió el mapa que cubría el sur de Suecia y el mar Báltico. Aquellos tres Estados parecían estar muy lejos y muy cerca al mismo tiempo.

«No sé nada sobre el mar, absolutamente nada sobre corrientes, derivas y vientos. Quizá tenga razón. ¿Y por qué, si no, iba a afirmar algo que no es verdad?»

Volvió a pensar en lo asustado que estaba el hombre, en el segundo hombre de a bordo, el desconocido, que tanto le asustaba.

A las cuatro se metió en la cama. Estuvo despierto un buen rato antes de conciliar el sueño.

Se despertó sobresaltado y enseguida supo que se le habían pegado las sábanas.

El despertador de la mesilla de noche señalaba las siete y cuarenta y seis de la mañana. Masculló una maldición, salió de un salto de la cama y empezó a vestirse. Puso el cepillo de dientes y el dentífrico en el bolsillo de la chaqueta. A las ocho menos tres minutos aparcó el coche delante de la comisaría. Ebba le hizo señas desde la recepción.

–Björk te está esperando –informó–. ¡Vaya pinta tienes! ¿Te has dormido?

–Claro –contestó Wallander, y entró corriendo en el lavabo para cepillarse los dientes, al tiempo que intentaba poner en orden sus pensamientos antes de la reunión. ¿Cómo iba a exponer la visita nocturna a un pesquero del puerto de Brantevik?

El despacho de Björk estaba vacío. Se dirigió hacia una de las salas de reuniones más grandes de la comisaría y llamó a la puerta, sintiéndose como un colegial que llega tarde. Cuando entró, las seis personas sentadas alrededor de una mesa ovalada alzaron sus ojos hacia él.

–Llego un poco tarde –dijo, y se sentó en la primera silla libre que vio.

Björk le miró con expresión severa, mientras que Martinson y Svedberg le sonreían con curiosidad. En el rostro de Svedberg encontró, además, una sombra de mofa. A la izquierda de Björk estaba sentada Birgitta Törn, con su semblante indefinido.

En la sala había dos personas más a las que nunca había visto. Se levantó de la silla y dio la vuelta a la mesa para saludarlos. Eran dos hombres de unos cincuenta años, curiosamente parecidos, de complexión fuerte y rostros amables. Uno se presentó como Sture Rönnlund, el otro se llamaba Bertil Lovén.

–Pertenezco al grupo de homicidios –dijo Lovén–. Y Sture es de narcóticos.

–Kurt es nuestro mejor inspector –empezó Björk–. Por favor, servíos café.

Cuando todos los vasos de plástico estuvieron llenos, Björk dio por comenzada la reunión.

–En primer lugar estamos muy agradecidos por toda la ayuda que podamos recibir. Ninguno de los presentes habrá dejado de observar el revuelo que el hallazgo de los dos cadáveres ha suscitado en los medios de comunicación. Por eso es muy importante llevar la investigación con rigor e intensidad. Birgitta Törn ha venido en principio en calidad de observadora, y para ayudarnos con los contactos con los países en los que la Interpol no tiene competencia, lo que no quita que no podamos escuchar sus puntos de vista respecto al trabajo de investigación en concreto.

Luego le tocó el turno a Kurt Wallander. Puesto que todos en la sala habían recibido copias de los informes existentes, no se molestó en repasar la situación al detalle, sino que se limitó a hacer un breve resumen. Se entretuvo, en cambio, en el examen patológico y en su resultado. Cuando terminó, Lovén quiso que le aclarasen ciertos detalles. Björk miró a su alrededor.

–Bien –dijo–. ¿Cómo procederemos a continuación?

A Kurt Wallander le irritaba la actitud sumisa de Björk ante la mujer del Ministerio de Asuntos Exteriores, y ante los dos inspectores de los departamentos de Estocolmo. Tuvo la necesidad de atacar, e hizo señas a Björk para que le cediera la palabra.

–Hay muchos puntos oscuros –empezó–, y no me refiero sólo a la investigación. No entiendo por qué el Ministerio de Asuntos Exteriores considera necesario enviar a Birgitta Törn a Ystad, y realmente me cuesta creer que sea para que nos ayude a ponernos en contacto con la policía rusa, por ejemplo, en caso de necesidad. Eso puede hacerse desde Estocolmo por medio de un télex. Me inclino más bien a pensar que están supervisando nuestro trabajo de investigación, y si es así considero que tengo derecho a saber qué es lo que van a supervisar, y sobre todo las razones de que el ministerio proceda de este modo. No puedo negar que me asalta la sospecha de que saben algo que nosotros ignoramos, pero quizá no sea obra del ministerio, sino de otros.

Tras estas palabras, se produjo un silencio glacial. Björk le miró con espanto.

Fue Birgitta Törn quien rompió el hielo.

–No hay razón para dudar de los motivos que me han traído a Ystad –arguyó–. La inestable situación del Este exige que sigamos el desarrollo de este caso con toda minuciosidad.

–Pero si ni siquiera sabemos si los muertos eran del Este –objetó Wallander–. ¿O acaso sabéis algo que nosotros ignoramos? Si es así, quiero saber de qué se trata.

–Será mejor que nos tranquilicemos un poco –interrumpió Björk.

–Quiero una respuesta concreta a mis preguntas –protestó Wallander–. No me satisfacen los comentarios gratuitos sobre la inestable situación política.

El rostro de Birgitta Törn perdió de repente su expresión indefinida. Le clavó una mirada que daba claras muestras del creciente desprecio y distanciamiento que sentía por él. «Soy molesto», pensó Wallander. «Pertenezco a esa gente molesta de a pie.»

–Acabo de responderte –replicó Birgitta Törn–. Si fueses más sensato, te darías cuenta de que no hay ninguna razón para montar este numerito.

Wallander sacudió la cabeza. Luego se volvió hacia Lovén y Rönnlund.

–Y a vosotros, ¿qué instrucciones os han dado? Estocolmo raras veces envía a alguien sin haber solicitado una petición formal de ayuda, y por lo que tengo entendido nosotros no lo hemos hecho. ¿O me equivoco?

Björk negó con la cabeza cuando Wallander se volvió para consultarle.

–Así que se trata de una decisión de Estocolmo –continuó–. Me gustaría saber por qué, si es que vamos a cooperar. No creo que la capacidad de nuestro distrito policial para cumplir con su trabajo haya sido desechada antes de empezar siquiera.

Lovén se movía avergonzado. Contestó Rönnlund, y Kurt Wallander pudo apreciar cierta simpatía en su voz.

–El director general de la policía pensó que podríais necesitar ayuda –explicó–. Nuestras órdenes son estar a vuestra entera disposición, nada más; vosotros sois los que lleváis el trabajo de investigación. Ahora bien, si podemos ayudaros en algo, estaremos encantados de hacerlo. Ni Bertil ni yo dudamos de vuestra capacidad de manejar este caso solos. Personalmente considero que habéis trabajado rápido y con firmeza estos días.

Wallander agradeció el reconocimiento. Martinson sonreía, mientras que Svedberg se hurgaba los dientes con una astilla de la mesa de reuniones.

–Entonces quizá podamos empezar a analizar cómo proseguir –dijo Björk.

–Estupendo –dijo Wallander–. Tengo algunas teorías sobre las que me gustaría saber vuestra opinión, pero antes voy a contaros una pequeña aventura nocturna.

La ira había desaparecido, y volvía a sentirse tranquilo. Había probado sus fuerzas contra Birgitta Törn y no había sido vencido. Con el tiempo ya averiguaría la verdadera razón de su llegada. La simpatía de Rönnlund reforzó su autoestima. Pasó a contar a los presentes la llamada anónima y la visita al pesquero de Brantevik, e hizo especial hincapié en la expresa convicción del hombre de que el bote provenía de algún Estado báltico. En un arrebato, Björk llamó a la recepción y pidió que les proporcionasen inmediatamente unos mapas detallados y panorámicos del territorio en cuestión. En su interior Wallander vio cómo Ebba agarraba al primer policía que pasaba por la recepción y le daba órdenes de sacar esos mapas sin demora. Se sirvió más café y pasó a informar sobre sus teorías.

–Todo indica que los hombres han sido asesinados a bordo de un barco –continuó–. A la pregunta de por qué no han hundido los cuerpos en el fondo del mar tengo una posible explicación: el asesino o los asesinos querían que los cuerpos fuesen encontrados, pero eso resulta poco factible dada la dificultad de adivinar cuándo y dónde podría llegar el bote a tierra firme. Después de torturarlos, les dispararon desde muy cerca. Generalmente, cuando se tortura a alguien es por venganza o para obtener información. El otro hecho objetivo que debemos recordar es que los dos hombres estaban bajo los efectos de narcóticos, anfetaminas para ser exactos. De algún modo las drogas están mezcladas en este asunto. Además, tengo la impresión de que los muertos estaban bien situados socialmente a juzgar por sus ropas. Según los parámetros de la Europa oriental, debía tratarse de individuos acaudalados para poder costearse esa indumentaria y ese calzado que yo no puedo permitirme.

Lovén soltó una carcajada ante ese último comentario,

mientras que Birgitta Törn continuó mirando a la mesa fijamente con semblante agrio.

—Es decir, que sabemos bastante —continuó Wallander—, aunque no lo suficiente como para juntar las piezas del rompecabezas y explicar la sucesión de los hechos y razones por las que mataron a esos hombres. Lo que en realidad necesitamos descubrir ahora es una sola cosa: quiénes eran. Tenemos que centrarnos en eso, y en obtener una rápida información balística de la munición usada. Quiero un informe detallado de las personas desaparecidas y buscadas en Suecia y Dinamarca. Las huellas dactilares, las fotografías y las descripciones se enviarán de inmediato a la Interpol. Tal vez encontremos algo en nuestros propios archivos. Además, hay que ponerse en contacto cuanto antes con la policía báltica y soviética, si no se ha hecho ya. Quizá Birgitta Törn nos pueda contestar a esto.

—Se hará hoy —aseguró ella—. Vamos a ponernos en contacto con la unidad internacional de la policía de Moscú.

—Y también con las policías de Estonia, Letonia y Lituania.

—Eso se hace vía Moscú.

Wallander la miró sorprendido. Luego se volvió hacia Björk.

—¿No tuvimos una visita de la policía lituana el otoño pasado?

—Se hará lo que dice Birgitta Törn —contestó Björk—. Los países bálticos tienen policías nacionales, pero todavía es la Unión Soviética la que decide formalmente.

—No lo sabía —comentó Wallander—, pero supongo que el Ministerio de Asuntos Exteriores estará mejor informado que yo.

—Sí —respondió Birgitta Törn—. Me temo que sí.

Björk dio por concluida la reunión, tras lo cual desapareció con Birgitta Törn. Habían anunciado una conferencia de prensa para las dos de la tarde.

Wallander se quedó en la sala de conferencias y con los

demás repasaron las diferentes tareas que les esperaban. Svedberg fue a buscar la bolsa de plástico con las dos balas y Lovén prometió encargarse y acelerar la investigación balística. El resto se repartió el largo trabajo de examinar minuciosamente los archivos de personas desaparecidas o buscadas. Martinson, que tenía ciertos contactos personales con la policía de Copenhague, se encargó de ponerse en contacto con colegas del otro lado del estrecho.

–No tenéis que preocuparos por la conferencia de prensa –informó Wallander para finalizar–. Será problema de Björk y mío.

–¿Son tan desagradables como en Estocolmo? –preguntó Rönnlund.

–No sé cómo son en Estocolmo –contestó Wallander–, pero aquí no son nada divertidas, no.

El resto del día se ocupó en distribuir descripciones a todos los distritos de policía del país y a los demás países nórdicos. Los policías, además, tenían que repasar cierta cantidad de registros. No tardaron mucho en averiguar que las huellas dactilares de los muertos no estaban registradas ni en la policía sueca ni en la danesa. La Interpol necesitaría un poco más de tiempo para contestar. Wallander y Lovén tuvieron una larga conversación sobre si la antigua Alemania del Este era ya un miembro de derecho de la Interpol o no. ¿Habrían traspasado su archivo policial a un sistema central informatizado para toda Alemania? De hecho, ¿había existido un archivo normal de criminales en Alemania del Este? ¿Existía alguna línea de demarcación entre el archivo de la policía secreta y el archivo de delincuencia común?

Lovén prometió averiguar algo más sobre esta cuestión mientras Wallander preparaba la conferencia de prensa.

Antes de que empezara, se encontró con Björk, que se mostró distante. «¿Por qué no dice nada? Quizá piensa que he sido grosero con la elegante señora del ministerio.»

En la sala donde iban a celebrar la conferencia de prensa se habían reunido muchos periodistas y representantes de los medios de comunicación. Wallander buscó con la mirada al joven periodista del *Expressen*, pero no lo encontró. Björk hizo las presentaciones como de costumbre, y con inesperada rabia atacó a lo que llamó las «incomprensibles noticias infundadas» que la prensa había divulgado. Wallander, mientras, evocó el encuentro nocturno con el desconocido en Brantevik. Cuando le tocó su turno, empezó con el llamamiento a la población de ponerse en contacto con la policía en caso de haber visto algo. Cuando uno de los periodistas le preguntó si aún no tenían ninguna pista, contestó que hasta ahora sólo había silencio. La conferencia de prensa fue insípida, y Björk se alegró de abandonar la sala.

—¿Qué hace la dama del ministerio? —preguntó Wallander en el pasillo.

—Se pasa la mayor parte del tiempo hablando por teléfono —contestó Björk—. Apuesto lo que sea a que piensas que deberíamos escuchar sus conferencias.

—No sería mala idea —murmuró Wallander.

El día transcurrió sin que pasara nada destacable. Había que tener paciencia y atar los cabos sueltos.

Poco antes de las seis, Martinson se asomó al despacho de Wallander para preguntarle si le apetecía ir a su casa por la noche a cenar. También invitó a Lovén y a Rönnlund, que parecían sentir añoranza.

—Svedberg ya tenía planes —le comunicó— y Birgitta Törn ha dicho que iría a Malmö esta noche. ¿Te apuntas?

—No tengo tiempo. Lo siento, pero estoy ocupado esta noche.

Sólo era verdad en parte. Aún no había decidido si iría a Brantevik de noche para observar de cerca el pesquero.

A las seis y media llamó como de costumbre a su padre, que le pidió que comprara un nuevo juego de cartas para la próxima visita. En cuanto acabó de hablar con él, abandonó la comisaría. El viento había amainado y el cielo era límpido. De camino a casa, se detuvo en una tienda a comprar algo de comer. A las ocho, cuando ya había cenado y esperaba que se hiciera el café, seguía sin decidir si debía ir o no a Brantevik, pero luego pensó que lo dejaría para el día siguiente, ya que se sentía cansado por la excursión de la noche anterior.

Estuvo un buen rato sentado a la mesa de la cocina ante su taza de café. Intentó imaginarse que Rydberg estaba sentado enfrente de él, y paso a paso revisó la investigación junto con su visitante invisible. Ya habían pasado tres días desde que el bote alcanzara la playa de Mossby Strand. No podrían avanzar si no determinaban la identidad de los dos cadáveres, con lo que el enigma seguía siendo un enigma.

Puso la taza en el fregadero. Una planta casi marchita le llamó la atención. La regó con un vaso de agua, entró luego en la sala de estar y puso un disco de Maria Callas. Al son de las notas de *La Traviata* decidió dejar para el día siguiente el asunto del pesquero.

Al cabo de un rato intentó llamar a su hija a la escuela de las afueras de Estocolmo, pero el teléfono sonó y sonó sin que nadie contestara. A las diez y media se fue a la cama y se durmió casi en el acto.

Al día siguiente, el cuarto desde el comienzo de las investigaciones, poco antes de las dos de la tarde, ocurrió lo que todo el mundo estaba esperando que ocurriese: Birgitta Törn entró en el despacho de Wallander y le entregó un télex. Por mediación de sus colegas superiores en Moscú, la policía de Riga, en Letonia, había informado al Ministerio de Asuntos Exteriores sueco que los dos cadáveres del bote salvavidas probablemente correspondían a dos ciudadanos letones. Para facilitar aún más la investigación, el mayor Litvinov, de la policía de Moscú, proponía que los colegas suecos se pusieran directamente en contacto con el grupo de homicidios de Riga.

–Así que existe una policía letona –dijo Wallander.

–¿Quién ha dicho lo contrario? –preguntó Birgitta Törn–. Pero si te hubieses dirigido directamente a Riga, podrían haber surgido complicaciones diplomáticas. Tal vez no se hubiesen dignado contestarnos. Me imagino que no se te ha pasado por alto que la situación actual en Letonia es muy tensa.

Wallander sabía de sobra a qué se refería: no había pasado ni un mes desde que las fuerzas de elite soviéticas, llamadas boinas negras, dispararan contra el edificio del Ministerio del Interior en el centro de Riga. Habían muerto varios ciudadanos inocentes. Wallander recordaba haber visto en las fotografías de los periódicos barricadas de bloques de piedra y tubos de hierro fundido. Sin embargo, no sabía exactamente lo que estaba ocurriendo, nunca sabía a ciencia cierta lo que sucedía a su alrededor.

–¿Qué hacemos ahora, pues? –preguntó inseguro.

–Ponernos en contacto con la policía de Riga. Ante todo se trata de que nos confirmen que los dos muertos son los del télex.

Wallander volvió a leer el mensaje.

El hombre del barco tenía razón: el bote había venido a la deriva desde algún Estado báltico.

–Todavía no sabemos quiénes eran esos dos hombres –dijo.

Tres horas más tarde, Wallander ya lo sabía. El equipo de investigación estaba reunido en la sala de conferencias después de que les avisaran de que esperaban una llamada telefónica de Riga. Björk estaba tan nervioso que se le derramó el café por encima.

–¿Hay alguien de aquí que hable letón? –preguntó Wallander.

–Hemos solicitado que la conversación se haga en inglés –informó Birgitta Törn.

–Tú hablas inglés –le dijo Björk a Wallander.

–Pero mi inglés no es muy bueno.

–Seguro que tampoco lo es el suyo –replicó Rönnlund–. ¿Cuál es su nombre? ¿Mayor Litvinov? No te preocupes.

–El mayor Litvinov trabaja en Moscú –indicó Birgitta Törn–. Ahora vamos a hablar con la policía de Riga, en Letonia.

A las cinco y diecinueve minutos se produjo la conferencia. La comunicación era asombrosamente nítida y Wallander oyó una voz que se presentó como el mayor Liepa, del grupo de homicidios de Riga. Wallander tomaba nota mientras escuchaba, y de vez en cuando contestaba a alguna pregunta. El inglés del mayor Liepa era muy malo, por lo que Wallander receló de su propia capacidad de entender todo lo que le decía. Cuando acabó la conferencia, había logrado apuntar lo más importante en su bloc de notas.

Dos nombres. Dos identidades.

Janis Leja y Juris Kalns.

–Riga tiene sus huellas dactilares –dijo Wallander–. Según el mayor Liepa, no cabe duda de que nuestros cadáveres son ellos.

–Estupendo –exclamó Björk–. ¿De qué clase de personas se trataba?

Wallander leyó lo que había anotado en su bloc de notas:

–*Notorious criminals*, que podría traducirse por delincuentes conocidos, ¿verdad?

–¿Alguna sospecha de por qué fueron asesinados? –preguntó Björk.

–No, pero tampoco parecía demasiado sorprendido. Si no le entendí mal, nos enviará material. Preguntó también si estábamos interesados en que enviara algunos policías letones para ayudarnos en la investigación.

–Sería estupendo, ¿no? –dijo Björk–. Cuanto antes acabemos con esta historia, mejor.

–El Ministerio de Asuntos Exteriores lo apoyará –afirmó Birgitta Törn.

Estaba decidido. Al día siguiente, el quinto de la investigación, el mayor Liepa envió un télex donde informaba que se personaría en el aeropuerto de Arlanda la tarde siguiente, y que desde ahí cogería un avión a Sturup.

–Un mayor –dijo Wallander–. ¿Qué significa eso?

–Ni idea –contestó Martinson–. Yo me siento casi siempre como un cabo en esta profesión.

Birgitta Törn regresó a Estocolmo y Wallander pensó que nunca más volvería a verla. Ahora que ya no estaba, le costaba recordar su aspecto o su voz.

«No la veré nunca más. Y dudo que llegue a saber por qué razón vino en realidad.»

Björk se encargó personalmente de ir a buscar al mayor letón al aeropuerto, lo que significó que Kurt Wallander pudo dedicar la noche a jugar a la canasta con su padre. En el coche, de camino a Löderup, pensó que el caso de los dos hombres que habían llegado a la deriva hasta la playa de Mossby Strand pronto estaría aclarado, ya que el policía letón les daría una explicación plausible. En adelante la investigación se llevaría desde Riga, donde con toda seguridad se encontraba el autor de los crímenes. Aunque el bote salvavidas había ido a la deriva hasta la costa sueca, el punto de partida, los asesinatos, tenían su origen al otro lado del mar. Los restos mortales serían devueltos a Letonia, donde debía de hallarse la solución.

Era un juicio gravemente erróneo.

En realidad nada había empezado aún.

Aquella noche, el invierno llegó a Escania con toda su fuerza.

6

Kurt Wallander imaginaba que el mayor Karlis Liepa llegaría a la comisaría de Ystad vestido de uniforme, pero el hombre que Björk le presentó por la mañana del sexto día de la investigación vestía un traje gris holgado y una corbata mal anudada. Era un hombre bajito y mostraba unos hombros enjutos, como si no tuviese cuello. Wallander no observó en él ningún rasgo militar. Pero el oficial letón fumaba un cigarrillo tras otro, por lo que sus dedos estaban manchados de nicotina y pronto causó problemas en la comisaría: los no fumadores se dirigieron a Björk para quejarse de que el mayor fumaba en todas partes, incluso en las zonas en que estaba terminantemente prohibido. Björk les aconsejó que tuviesen cierta comprensión para con el huésped, y le pidió a Wallander que comunicara al mayor que tenía que respetar las zonas donde no se podía fumar. Cuando Wallander le explicó, en su vacilante inglés, las medidas suecas contra el tabaco, el mayor Liepa se encogió de hombros y apagó el cigarrillo. Después de que se lo advirtieran, se limitó a fumar en el despacho de Wallander y en la sala de conferencias, pero la cada vez más intensa densidad del humo amenazaba con ser insoportable incluso para Wallander, por lo que se dirigió a Björk y pidió que el mayor Liepa tuviese su propio despacho. El asunto se arregló con el traslado temporal de Svedberg al despacho de Martinson.

El mayor Liepa también era muy miope. Las gafas sin montura que llevaba parecían no tener las suficientes dioptrías, porque cuando leía levantaba el papel hasta muy pocos centímetros de los ojos. Tanto es así, que se podía llegar a pensar que, en lugar de leer el texto, lo olía. A los que le veían por primera vez, les costaba mucho guardar las formas y no burlarse de él, hasta el punto de que Wallander en más de una ocasión oyó comentarios irrespetuosos sobre el pequeño y enjuto mayor, por lo que se apresuró a sofocarlos, ya que enseguida descubrió que el mayor Liepa era un policía extremadamente hábil y sagaz. Se parecía en cierto modo a Rydberg, no sólo por ser una persona apasionada, sino también porque, a pesar de que las investigaciones policiales casi siempre seguían sus rutinas habituales, él nunca pensaba de forma rutinaria. Era un policía entusiasta, y tras su aspecto aparentemente gris se escondía una brillante y aguda inteligencia.

La mañana del sexto día de la investigación policial fue gris y ventosa. Todo hacía prever que un temporal de nieve sacudiría Escania aquella misma noche. El virus de la gripe estaba causando estragos entre los policías, los crímenes sin resolver comenzaban a acumularse y exigían una rápida actuación. Björk se vio en la necesidad de liberar a Svedberg del caso. Lovén y Rönnlund ya habían regresado a Estocolmo; Björk, que también se encontraba decaído, dejó en manos de Martinson y Wallander al mayor Liepa, una vez terminadas las presentaciones, en la sala de conferencias, donde el mayor fumó un cigarrillo tras otro.

Wallander, que había pasado la noche anterior jugando a la canasta con su padre, puso el despertador a las cinco para tener tiempo de leer el folleto sobre Letonia que un librero le había entregado el día anterior. Era de la opinión de que antes de meterse de lleno en la investigación sería conveniente que se informasen mutuamente de cómo estaba organizada la policía en sus respectivos países. El hecho de que la policía letona usara rangos militares auguraba grandes diferencias entre los dos cuerpos. Cuando Wallander se puso a exponer en inglés, a grandes rasgos, cómo era la policía sueca, de repente se sintió inseguro, ya que ni él mismo sabía cómo funcionaba la policía de su propio país. Los avisos tan anunciados por el director general de la policía sobre considerables reformas dentro de la actual organización no lo hacían más fácil: hasta ahora Wallander había leído numerosísimos y siempre mal redactados informes sobre los inminentes cambios dentro del cuerpo. Cuando en más de una ocasión había querido comentar con Björk lo que supondría en realidad la reforma, sólo había obtenido por respuesta comentarios difusos. Ahora, sentado frente a su colega de Riga, pensaba que podría omitir esa información. Si surgían errores organizativos podrían arreglarlos sobre la marcha.

Cuando Björk abandonó la sala tosiendo, Wallander creyó oportuno empezar con unas frases de cortesía, y le preguntó dónde se hospedaba durante su estancia en Ystad.

–En un hotel –contestó el mayor Liepa–, pero ahora mismo no recuerdo su nombre.

Wallander perdió el hilo de la conversación. El mayor Liepa parecía impasible ante todo lo que no tuviese relación con la investigación.

«La cortesía tendrá que esperar», pensó. «Lo único que tenemos en común es la investigación del doble asesinato.»

El mayor Liepa hizo un largo y extenso resumen de los pasos que había dado la policía letona para confirmar la identidad de los dos cadáveres. Su inglés era malo, y eso le irritaba. En una pausa, Wallander llamó a su amigo el librero para preguntarle si tenía algún diccionario inglés-letón, pero no era así. Estaban condenados a un arduo trabajo en común sin poder entenderse con el idioma.

Después de pasarse nueve intensas horas leyendo informes –Martinson y Wallander estuvieron horas y horas con sendas copias en ciclostil del informe letón, al tiempo que el mayor Liepa traducía, buscaba palabras y seguía con otro expediente–, Wallander empezaba a vislumbrar algo de luz en aquel caso. Janis Leja y Juris Kalns, a pesar de su relativa juventud, eran unos delincuentes sanguinarios e impredecibles. Wallander advirtió el desprecio con que el mayor Liepa constataba que pertenecían a la minoría rusa del país. También sabía que las grandes etnias rusas que se encontraban en el país desde la anexión soviética tras la segunda guerra mundial se oponían al presente proceso de liberación política, pero hasta ahora no se había formado una opinión de la magnitud del problema; sus conocimientos políticos eran demasiado pobres para eso. El desprecio del mayor Liepa era manifiesto y daba muestras de ello repetidamente.

–Delincuentes rusos –decía–. Delincuentes rusos, miembros de nuestras mafias del Este.

Pese a su juventud, pues Leja tenía veintiocho años y Kalns había cumplido los treinta y uno, sus historiales criminales eran extensos: atracos, asaltos, contrabando y transacciones monetarias ilegales. La policía de Riga les atribuyó la autoría de tres asesinatos, pero no pudieron demostrarla.

Cuando el mayor Liepa acabó de repasar todos los informes y los extractos de los expedientes que poseían de criminales letones, Wallander formuló una pregunta clave:

–Estos hombres han cometido graves delitos –dijo. (La palabra grave le causó dificultades hasta que Martinson le propuso la palabra inglesa *serious*)–. Lo más sorprendente de todo es que a pesar de ser culpables y condenados, sólo han pasado en la cárcel periodos de tiempo muy breves.

El mayor Liepa sonrió. Su pálido rostro se relajó en una sonrisa amplia y llena de interés. Wallander se dio cuenta de que su colega estaba esperando esa pregunta desde hacía tiempo. «Esta pregunta es más importante que todas las frases de cortesía», pensó.

–Para dar una respuesta, tengo que empezar por explicar

cómo funciona mi país –anunció antes de encender otro cigarrillo–. A pesar de que sólo un quince por ciento de la población es rusa, desde la segunda guerra mundial los rusos han dominado nuestra sociedad en todos los aspectos. El comunismo de Moscú se sirve de la inmigración rusa para oprimir a nuestro país. Entiendo que se pregunte cómo es posible que Leja y Kalns hayan pasado tan poco tiempo en la cárcel cuando deberían estar cumpliendo una cadena perpetua, o incluso haber sido ejecutados. Con esto no quiero decir que todos los fiscales y jueces sean corruptos, porque sería simplificar la verdad. Sin embargo, estoy convencido de que Leja y Kalns tenían detrás protectores muy poderosos.

–La mafia –propuso Wallander.

–Sí y no. La mafia de nuestros países también precisa de una protección invisible. Estoy convencido de que Leja y Kalns habían hecho muchos favores a la KGB, y a la policía secreta nunca le ha gustado ver a su gente en la cárcel, a no ser que fuesen traidores o desertores. La sombra de Stalin se cierne siempre sobre las cabezas de esa gente.

«Lo mismo pasa en Suecia, aunque no podamos vanagloriarnos de que haya un fantasma detrás. Una intrincada red de relaciones y dependencias no es algo exclusivo de un sistema totalitario», se dijo para sus adentros Wallander.

–La KGB y la mafia están íntimamente relacionadas –aseguró el mayor Liepa–. Todo es un entramado que sólo resulta visible para el iniciado.

–La mafia –intervino Martinson, que hasta entonces había permanecido callado salvo para ayudar a Wallander con las palabras o aclaraciones en inglés–. Para nosotros los suecos, es algo nuevo que haya sindicatos del crimen bien organizados, ya sean rusos o de la Europa del Este. Desde hace unos años, la policía sueca tiene conocimiento de que han empezado a aparecer bandas de origen soviético, sobre todo en Estocolmo, pero sabemos muy poco sobre este asunto. Las principales evidencias de que algo está ocurriendo son los brutales ajustes de cuentas que vemos de vez en cuando; es un primer aviso de lo que podemos esperarnos los próximos años. Esta gente intentará abrirse paso en los bajos fondos de nuestra sociedad para apoderarse del mando desde distintas posiciones.

Wallander escuchó con cierta envidia las explicaciones en inglés de Martinson: la pronunciación era espantosa, pero el vocabulario resultaba bastante más rico que el suyo. «En lugar de los malditos cursos de mando de personal y democracia interna, la jefatura debería organizarnos cursos de inglés», pensó irritado.

–Creo que así es –comentó el mayor Liepa–. Cuando los Estados comunistas se ven abocados a su disolución, funcionan como barcos averiados. Y los delincuentes son como las ratas, los primeros que huyen. Tienen contactos y dinero, por lo que pueden costeárselo. La mayoría de las personas del Este que solicitan asilo a Occidente no son más que delincuentes, que no huyen de la opresión sino que buscan nuevos campos de acción; falsificar la identidad e historial de una persona resulta fácil.

–Mayor Liepa –le interrumpió Wallander–. Usted dice que cree que es así. ¿Lo cree, pero no lo sabe con certeza?

–Estoy seguro, pero todavía no puedo probarlo.

Wallander comprendió que tras las palabras del mayor Liepa se escondían más significados de los que él era capaz de abarcar o entender. En su país la delincuencia estaba estrechamente ligada a una elite política que ostentaba el poder y la autoridad de velar e influir en las distintas sentencias. Los dos cadáveres que habían arribado a la costa sueca traían consigo el inconfundible sello de un intrincado trasfondo político. ¿Qué manos habían sostenido las armas que apuntaron directamente a sus corazones?

Wallander vio claramente que para el mayor Liepa cada investigación policial significaba involucrarse en una oscura intriga política. «Aquí en Suecia deberíamos trabajar igual», pensó. «Tendríamos que asumir que no ahondamos lo suficiente en la delincuencia que hay a nuestro alrededor.»

–Los dos hombres, ¿quién los mató? –dijo Martinson–. ¿Y por qué?

–No lo sé –contestó el mayor–. De lo que no cabe duda es de que han sido ejecutados. Pero ¿por qué los torturaron? ¿Quién lo hizo? ¿Qué querían saber antes de acallarlos definitivamente? ¿Obtuvieron lo que buscaban? Tengo las mismas dudas al respecto.

–La solución creo que difícilmente se encuentre en Suecia –comentó Wallander.

–Lo sé; la solución quizá deba buscarse en Letonia –respondió el mayor.

Wallander se sobresaltó. ¿Por qué había dicho «quizá»?

–Si la solución no está en Letonia, ¿dónde está? –preguntó.

–Más lejos –contestó.

–¿Más al este? –sugirió Martinson.

–O más al sur –dijo el mayor Liepa vacilante. Tanto Martinson como Wallander notaron que no quería revelar nada de momento.

Interrumpieron la reunión. Wallander sentía las molestias de un viejo lumbago por haber permanecido sentado tanto rato con los informes. Martinson se ofreció a ayudar al mayor Liepa a cambiar dinero letón en un banco. Wallander le pidió también que se pusiera en contacto con Lovén en Estocolmo para saber cómo iba la investigación balística, mientras él se ponía a redactar un informe sobre lo que habían sacado en claro de la reunión, ya que la fiscal Anette Brolin había notificado que quería un informe cuanto antes.

«Brolin», pensó Wallander en el pasillo tras abandonar la sala de reuniones repleta de humo. «No tendrás que llevar este caso ante el tribunal. Lo enviaremos a Riga cuanto antes, junto con los dos cadáveres y el bote salvavidas de color rojo. Cerraremos la investigación preliminar con la certeza de que hemos hecho todo lo que estaba en nuestras manos y con una nota que indique que nada induce a tomar medidas adicionales.»

Después de comer Wallander se puso a redactar el informe aprovechando que Martinson acompañaba al mayor Liepa a comprar ropa para su esposa. Acababa de llamar a la fiscalía, donde le comunicaron que Anette Brolin podía recibirle, cuando Martinson entró por la puerta.

–¿Dónde está el mayor? –preguntó Wallander.

–Está en su despacho fumando como un carretero –contestó–. Tiene la alfombra de Svedberg perdida de ceniza, con lo bonita que es.

–¿Ha comido?

–Sí; le he invitado al plato del día en el restaurante Lurblåsaren. Estofado, pero me parece que no ha sido de su agrado, porque sólo ha fumado y tomado café.

–¿Has hablado con Lovén?

–Está con gripe.

–¿Y con alguien más?

–Imposible. No hay nadie. Están todos ilocalizables y no saben cuándo volverán, y aunque prometen llamar, luego no lo hacen.

–Quizá Rönnlund pueda ayudarte.

–He intentado ponerme en contacto con él; había salido a hacer una gestión, pero no han sabido decirme cuál, ni dónde estaba ni cuándo iba a volver.

–Tendrás que intentarlo de nuevo. Ahora voy a ver a la fiscal con este informe. Supongo que pronto podremos dejar el asunto en manos del mayor Liepa: los dos cadáveres, el bote salvavidas y el material de la investigación, se lo puede llevar todo a Riga.

–Precisamente de eso quería hablarte.

–¿De qué?

–Del bote salvavidas.

–¿Qué le pasa?

–El mayor Liepa quiere examinarlo.

–Pues bajad al sótano, ¿no?

–No es tan sencillo.

Wallander notó que empezaba a irritarse; a Martinson le costaba a menudo decir lo que realmente quería.

–¿Qué problema hay en bajar las escaleras hasta el sótano?

–Que el bote no está.

Wallander miró incrédulo a Martinson.

–¿Cómo que no está?

–Eso, que no está.

–¿Qué quieres decir? El bote está abajo, montado sobre dos caballetes, en el mismo lugar donde tú y el capitán Österdahl lo examinasteis. Por cierto, hay que escribirle dándole las gracias por su ayuda. Te agradezco que me lo hayas recordado.

–Los caballetes siguen ahí abajo, pero el bote ha desaparecido –dijo Martinson.

Wallander comprendió que hablaba en serio, y dejó los papeles sobre la mesa. Echó a correr hacia el sótano junto con Martinson. Éste tenía razón: el bote había desaparecido y los dos caballetes aparecían tirados en el suelo.

–¿Qué coño ha pasado? –preguntó Wallander.

La respuesta de Martinson fue titubeante, como si dudara de sus propias palabras:

–Un robo –explicó–. Anoche, cuando Hanson bajó al sótano por no sé qué asunto, vio el bote, pero esta mañana un policía de tráfico descubrió que habían forzado una de las puertas, es decir, que han robado el bote esta misma noche.

–¿Cómo es posible? –gritó Wallander–. Es increíble que hayan robado en la comisaría; si está llena de gente a todas horas. ¿Falta algo más? ¿Por qué nadie me ha dicho nada?

–El policía de tráfico se lo dijo a Hanson, que se olvidó de informarte. Sólo faltaba el bote; las puertas restantes estaban cerradas a cal y canto, sin que hubiera ninguna señal de que las hubieran forzado. Los que lo han hecho han ido por el bote, nada más.

Wallander clavó la mirada en los caballetes. Sintió que le embargaba un creciente malestar.

–Martinson –continuó diciendo muy despacio–, ¿te acuerdas de si en algún periódico se ha mencionado que el bote estuviera guardado en el sótano de la comisaría?

–Sí –respondió después de pensarlo un poco–. Recuerdo haber leído algo al respecto. Creo que, además, bajó un fotógrafo aquí. Pero ¿quién se arriesga a cometer un robo en la misma comisaría por un bote?

–Precisamente se trata de eso –dijo Wallander–. ¿Quién puede estar dispuesto a correr ese riesgo?

–No entiendo nada –comentó Martinson.

–Tal vez el mayor Liepa lo entienda –replicó Wallander–. Ve a buscarlo. Hay que registrar exhaustivamente el sótano. Cuando vayas a buscar al mayor, manda llamar al policía de tráfico. ¿Quién era?

–Creo que Peters. Ahora debe de estar durmiendo en su casa. Si esta noche hay tormenta de nieve, va a tener muchísimo trabajo.

–Pues que lo despierten –insistió Wallander–. No hay otro remedio.

Martinson se fue y Wallander se quedó solo en el sótano. Se acercó para observar la puerta: a pesar de ser de acero y con doble cerradura, los ladrones la habían abierto sin causarle desperfectos; la habían forzado con una ganzúa.

«Gente que sabe lo que quiere, que sabe cómo abrir una cerradura.»

Contempló de nuevo los caballetes de madera volcados en el suelo. Él mismo había examinado el bote salvavidas, y no lo dejó hasta estar seguro de que no había nada.

También lo habían examinado Martinson y Österdahl, Rönnlund y Lovén.

«¿Qué será lo que no hemos visto? Tiene que haber algo que se nos escapa.»

Martinson volvió al sótano acompañado del mayor Liepa, que, como de costumbre, estaba fumando. Wallander encendió todos los fluorescentes del sótano y Martinson le explicó al mayor lo sucedido. Wallander le observó. Tal como esperaba, el mayor no parecía demasiado sorprendido, asentía sólo con la cabeza en señal de estar comprendiendo, y luego se dirigió a Wallander:

–Habían examinado el bote, ¿no? –preguntó–. Un viejo capitán lo había identificado como fabricado en Yugoslavia, ¿verdad? Seguramente es cierto. Hay muchos botes salvavidas yugoslavos a bordo de los barcos letones, incluso en los de la misma policía. Dicen que habían examinado el bote, ¿no?

–Sí –contestó Wallander.

Y en el acto se dio cuenta de su grave error, pues nadie había desinflado el bote salvavidas, ni mirado en el interior. Ni siquiera a él se le había ocurrido esa posibilidad.

Wallander se sentía avergonzado, y el mayor Liepa parecía adivinar sus pensamientos. ¿Cómo no se le ocurrió examinar el interior del bote? Tarde o temprano lo habría hecho, aunque sabía que no tenía justificación.

Se dio cuenta de lo infructífero que era aclarar lo que el mayor Liepa ya se había figurado.

–¿Qué debía de haber ahí dentro? –preguntó.

El mayor Liepa se encogió de hombros.

–Probablemente droga –respondió.

Wallander pensó por un instante.

–Pero carece de sentido tirar dos cadáveres en un bote cargado de droga para luego dejarlo a la deriva.

–Así es –replicó el mayor Liepa–. Puede que cometieran un error, y que los que vinieron a robar quisieran enmendarlo.

Durante la hora siguiente repasaron minuciosamente el sótano. Wallander corrió a la recepción para pedirle a Ebba que se inventara cualquier excusa para Anette Brolin, que un imprevisto urgente le impedía asistir a la cita. El rumor del atraco en la comisaría se propagó, y Björk vino lanzado por las escaleras.

–Si esto sale a la luz, seremos el hazmerreír de todo el país.

–No saldrá de aquí –replicó Wallander–. Es demasiado bochornoso.

Le explicó a Björk la situación, al tiempo que se daba cuenta de que éste albergaría serias dudas sobre su capacidad de llevar a cabo investigaciones complicadas, puesto que el error era imperdonable.

Se preguntó si se estaba volviendo un vago. Tal vez no servía siquiera ni para desempeñar un trabajo de agente de seguridad en la fábrica de Trelleborg; tal vez debía regresar a sus tiempos de Malmö y volver a patrullar a pie.

No había pistas por ningún sitio, ni huellas dactilares, ni pisadas en el suelo polvoriento. El patio de grava que daba justo delante de la puerta forzada estaba lleno de roderas de coches de policía, pero no encontraron otras.

Cuando comprendieron que no se podía hacer nada más, volvieron a la sala de conferencias. Peters estaba alteradísimo porque le habían despertado, y de lo único que pudo informar fue de la hora aproximada en que se percató del robo. Wallander, a su vez, había preguntado al personal del turno de noche si habían visto u oído algo, pero sólo obtuvo respuestas negativas. Nadie había visto ni oído nada. Nada de nada.

Wallander se sintió repentinamente cansado, y le dolía la cabeza del humo que se veía forzado a respirar continuamente.

«¿Qué hago ahora?», pensó. «¿Qué habría hecho Rydberg?»

Dos días después, la desaparición del bote salvavidas seguía siendo un misterio.

El mayor Liepa aseguraba que intentar encontrarlo era inútil, y Kurt Wallander, reacio al principio, no pudo menos de admitir que tenía razón. Sin embargo, la sensación de haber cometido un error imperdonable no le dejaba tranquilo. Se sentía desalentado y todas las mañanas, al despertarse, le dolía la cabeza.

Una fuerte tormenta de nieve sacudió Escania. La policía advirtió por radio de que era preferible quedarse en casa y no salir a las carreteras si no era absolutamente imprescindible. El padre de Wallander se quedó aislado en su casa de las afueras de Löderup, pero cuando le llamó para saber si tenía todo lo que necesitaba, le contestó que ni siquiera había notado que su carretera estuviese bloqueada por la nieve. El caos generalizado dejó a un lado la investigación. El mayor Liepa se encerró en el despacho de Svedberg para estudiar el informe de balística que Lovén les había enviado. La reunión que mantuvo Wallander con Anette Brolin fue larga, y en ella le informó sobre la marcha del caso. Cuando se encontraba con Anette, se acordaba del año anterior, pues había estado perdidamente enamorado de aquella mujer. Ahora toda esa historia le parecía increíble, fruto de su imaginación. Anette Brolin se puso en contacto con el fiscal general del Estado y el departamento judicial del Ministerio de Asuntos Exteriores para sobreseer la causa en Suecia y transferirla a la policía de Riga. El mayor Liepa, a su vez, se había encargado de que la policía letona presentase una solicitud formal al Ministerio de Asuntos Exteriores.

Una noche, cuando la tormenta rugía con especial virulencia, Wallander invitó al mayor a su casa. Había comprado para la ocasión una botella de whisky, que acabaron en el transcurso de la velada. Wallander notó que estaba achispado tras unas copas, mientras que el mayor Liepa parecía totalmente impasible. Había empezado a tomarse la confianza de llamarle «mayor», a secas, cosa que pareció no molestarle. No era fácil mantener una conversación con el policía letón, pero Wallander no pudo precisar si se debía a la timidez, o a que le avergonzaban las dificultades con la lengua inglesa, o tal vez porque sufría una especie de soberbia comedida. Wallander le habló de su familia, de Linda, su hija, que estudiaba en Estocolmo; y el mayor le explicó en pocas palabras que estaba casado con una mujer llamada Baiba, y que no tenían hijos. La noche transcurrió lenta, y durante largos intervalos de tiempo permanecieron callados con las copas en la mano.

–Entre Suecia y Letonia –empezó Wallander–, ¿hay similitudes o sólo diferencias? Intento imaginarme Letonia, pero no veo nada, a pesar de que somos vecinos.

En el preciso instante en que acababa de formular la pregunta, Wallander comprendió que carecía de sentido. Suecia no era un país colonizado por una potencia extranjera, ni en las calles suecas se levantaban barricadas, ni mataban a personas inocentes, ni los carros blindados las atropellaban. ¿Había algo más que no fuesen diferencias?

Aun así, la respuesta del mayor fue sorprendente.

–Soy creyente, a pesar de que no creo en ningún Dios –respondió–. Pero se puede tener fe en algo que es ajeno al limitado campo de la inteligencia. Incluso el marxismo incorpora partes de fe, a pesar de querer hacerse pasar por ser una ciencia racional y no una ideología. Ésta es mi primera visita al mundo occidental: hasta ahora sólo había viajado a la Unión Soviética, a Polonia y a los demás Estados bálticos. En Suecia veo una abundancia material ilimitada. La diferencia que hay entre nuestros dos países al mismo tiempo es su similitud: los dos son pobres, si bien la pobreza tiene distintas caras. A nosotros nos falta su abundancia y su libertad de elección, mientras que aquí, me parece intuir, son pobres en el sentido de que no tienen que luchar por la supervivencia, lucha que, para mí, tiene una dimensión religiosa. No me gustaría tener que cambiarme con usted.

Wallander comprendió que el mayor se había preparado la respuesta con detenimiento, ya que no le hizo falta buscar las palabras exactas.

Pero ¿qué había querido decir en realidad con lo de la pobreza sueca?

Wallander sintió la necesidad de protestar.

—Se equivoca, mayor —objetó—. También en este país se está librando una batalla. Hay muchas personas al margen —¿realmente se decía *closed from?*— de la abundancia de la que usted habla. Claro que no hay nadie que se muera de hambre, pero no crea que nosotros no tenemos que luchar.

—Sólo se puede luchar por sobrevivir —siguió el mayor—. Y en ello incluyo la lucha por la libertad y la independencia. Además, creo que es algo voluntario, no obligatorio.

La conversación se estancó. Wallander tenía más preguntas que hacerle, sobre todo acerca de lo que había sucedido el mes anterior en Riga, pero no tuvo el valor suficiente. No quería que el mayor viera lo ignorante que era, y en lugar de preguntar, se levantó a poner un disco de Maria Callas.

—Ah... *Turandot*... —dijo el mayor—. Qué hermoso...

La nieve caía con fuerza y el viento silbaban en el exterior. Wallander se quedó observando por la ventana al mayor cuando éste se marchó poco después de la medianoche: iba encogido por el frío en su desproporcionado abrigo.

Al día siguiente amainó la tormenta, y se reanudaron los trabajos para quitar la nieve de los caminos bloqueados. Al despertar, Wallander notó que tenía resaca. Durante el sueño había tomado una determinación: mientras estuvieran esperando la decisión del fiscal general, se llevaría al mayor a Brantevik a ver el pesquero que había visitado la semana anterior.

Poco después de las nueve, estaban los dos sentados en el coche en dirección al este. El paisaje aparecía cubierto de nieve, brillante a la luz del resplandeciente sol. Estaban a tres grados bajo cero, y no soplaba viento.

El puerto estaba desierto; en el muelle exterior había varios pesqueros amarrados. Al principio, Wallander no podía decir en cuál de ellos había subido. Salieron al comienzo del muelle, y Wallander contó setenta y tres pasos.

El barco se llamaba *Byron*, era de madera, estaba pintado de blanco y tenía unos doce metros de eslora. Wallander apoyó una mano en el grueso cabo de amarre y entornó los ojos. ¿Acaso lo reconocía? No estaba seguro. Subieron a bordo. Una lona de color rojo oscuro estaba atada a la escotilla. Cuando se dirigieron a la cabina de mandos, Wallander tropezó con un cabo enrollado, y fue entonces cuando supo que estaba en el barco correcto. La cabina de mandos estaba cerrada con un gran candado. El mayor soltó una punta de la lona y alumbró la bodega con una linterna: estaba vacía.

–No huele a pescado –comentó Wallander–, y por ninguna parte se ven ni escamas ni redes. Éste es un barco de contrabando, pero ¿de qué?, ¿y adónde va?

–De cualquier cosa –dijo el mayor–. Como hasta ahora ha habido gran escasez en nuestros países, puede hacerse contrabando con todo.

–Averiguaré quién es el dueño de este barco –dijo Wallander–. Aunque lo haya prometido, puedo investigar el registro de la propiedad. Usted, mayor, ¿lo habría prometido tal y como hice yo?

–No, no lo habría hecho nunca.

No había nada más que ver en el barco. Ya de regreso en Ystad, Wallander dedicó toda la tarde a averiguar quién era el propietario del pesquero *Byron*, lo que no fue fácil: el barco había cambiado de dueño muchísimas veces durante los últimos años; entre otros, había pertenecido a una empresa comercial de Simrishamn que tenía el imaginativo nombre de Pescadería Señal de Ramojo. Posteriormente lo vendieron a un pescador llamado Öhrström, que a su vez lo vendió al cabo de pocos meses. Al final, Wallander descubrió que el actual propietario del barco era un tal Sten Holmgren, con residencia en Ystad, y, para su sorpresa, descubrió que vivía en su misma calle, la de Mariagatan. Buscó a Sten Holmgren en el listín telefónico, pero no lo encontró. En el gobierno provincial de Malmö no había datos sobre ninguna empresa registrada a nombre de Sten Holmgren. Para estar más seguro, Wallander se informó también en los gobiernos provinciales de Kristianstadt y de Karlskrona, pero tampoco allí había ningún Sten Holmgren registrado.

Arrojó el bolígrafo sobre la mesa y salió en busca de una taza de café. Cuando volvió al despacho el teléfono estaba sonando: Anette Brolin quería hablar con él.

–Adivina lo que tengo que decirte –dijo.

–Que estás descontenta con algunas de las investigaciones que hemos llevado a cabo.

–Sí, lo estoy, pero no es de eso de lo que quería hablarte.

–Entonces, no lo sé.

–Se suspende la investigación: el caso se transfiere a Riga.

–¿Estás segura?

–El fiscal general del Estado y el Ministerio de Asuntos Exteriores están de acuerdo, y nos han avisado de que se suspende la investigación. Acaban de informarme de ello. Todas las formalidades se han resuelto en un tiempo récord. Ahora tu mayor podrá irse para casa con los dos cadáveres.

–Se alegrará –respondió Wallander–. Quiero decir de poder ir a casa.

–¿Lo lamentas?

–En absoluto.

–Dile que venga a verme. Ya he informado a Björk. ¿Tienes a Liepa por ahí?

–Está fumando en el despacho de Svedberg. Nunca he visto a nadie que fume tanto como él.

Al día siguiente, el mayor Liepa se marchó a Estocolmo con el primer avión, para luego continuar hasta Riga. Trasladaron los dos ataúdes de zinc en coche hasta Estocolmo para después cargarlos en el avión.

Wallander y el mayor Liepa se despidieron en el aeropuerto de Sturup. Wallander le había comprado una obra ilustrada sobre Escania como regalo de despedida a falta de una ocurrencia mejor.

–Me gustaría saber cómo continúa el caso –dijo.

–Le tendré informado –contestó el mayor.

Se dieron la mano, y el mayor se fue.

«Un hombre curioso», pensó Wallander al dejar el aeropuerto. «Me gustaría saber lo que pensaba de mí en el fondo.»

El día siguiente era sábado. Wallander durmió hasta tarde y luego fue a ver a su padre. Por la noche cenó en una pizzería y bebió vino. Sólo podía centrar su pensamiento en si debía o no solicitar el puesto de trabajo en la fábrica de caucho de Trelleborg. El plazo de solicitud se acababa unos días más tarde. La mañana del domingo la ocupó en hacer la colada y en la aburrida limpieza del apartamento. Por la noche fue al único cine que había en Ystad, donde vio una película policiaca norteamericana, que, a pesar de todas las exageraciones, encontró emocionante.

La mañana del lunes entró en el despacho poco después

de las ocho. Acababa apenas de quitarse la chaqueta, cuando Björk entró por la puerta.

–Ha llegado un télex de la policía de Riga –empezó.

–¿Del mayor Liepa? ¿Qué dice?

Björk ponía cara de confundido.

–Me parece que el mayor Liepa ya no dirá nada más –continuó Björk titubeante.

Wallander le miró inquisitivo.

–¿Qué quieres decir?

–Le han asesinado –dijo Björk–. El mismo día que regresó a Riga. Este télex está firmado por un coronel de la policía llamado Putnis. Solicitan nuestra ayuda, lo que significa que tendrás que ir allí.

Wallander se sentó para leer el télex.

¿El mayor muerto? ¿Asesinado?

–Lo siento mucho –dijo Björk–. ¡Qué horror! Llamaré al director general de la policía para que nos asesore con la solicitud.

Wallander permanecía petrificado en su silla.

¿El mayor Liepa asesinado?

Se le hizo un nudo en la garganta. ¿Quién había asesinado al pequeño hombre miope, fumador contumaz? ¿Y por qué?

Pensó en Rydberg, que también estaba muerto, y de repente se sintió desamparado en el mundo.

Tres días después viajó a Letonia. Alrededor de las dos de la tarde del 28 de febrero, el avión de la compañía Aeroflot giró a la izquierda sobre el golfo de Riga.

Wallander contempló la bahía que le quedaba justo debajo y no pudo menos de preguntarse lo que le esperaría en aquella ciudad.

7

Lo primero que llamó su atención fue el frío.

No notó ninguna diferencia de temperatura entre el exterior y el interior cuando se puso en la cola del control de pasaportes. En aquel país parecía hacer el mismo frío dentro que fuera de los edificios, y se arrepintió de no haberse llevado un par de calzoncillos largos.

La cola de ateridos pasajeros avanzaba con lentitud en la lúgubre terminal. Dos daneses rompían el silencio de la gente con sus quejas acerca de lo que podían esperar de su visita a Letonia. El mayor de los dos hombres al parecer ya había estado antes en Riga, y le comentaba a su otro colega la situación desesperanzadora de apatía e inseguridad que él decía que reinaba en el país. A Wallander le irritaron los dos ruidosos daneses: tenía la impresión de que no mostraban el menor respeto por el mayor letón asesinado hacía poco.

Hizo un esfuerzo por recordar todo lo que sabía del país al que acababa de llegar. La semana anterior apenas habría podido ubicar correctamente los tres países bálticos en un mapa: Tallin bien podía haber sido la capital de Letonia, y Riga una importante ciudad portuaria de Estonia. De su época de escolar sólo recordaba vagas e incompletas piezas de un mapa general de Europa. Los días previos a la partida procuró leer todo lo que encontró sobre Letonia. Empezaba a intuir la imagen de un país pequeño, que, por los caprichos de la historia, siempre había caído víctima de las luchas entre diferentes potencias. Incluso Suecia en varias ocasiones le había causado estragos con sangrienta determinación. Creía que la situación actual del país se remontaba a la fatal primavera de 1945, cuando el caballo de guerra alemán yacía vencido y el poder soviético pudo ocupar y anexionarse Letonia sin ningún obstáculo. El intento de formar un gobierno letón independiente fue brutalmente sofocado. Por caprichos de la historia, el antiguo ejército de liberación se había convertido en un instrumento de opresión de la nación letona.

Pero, aun así, le parecía que no sabía nada acerca de aquel país. Su mente estaba llena de huecos sin información.

Los dos escandalosos daneses que estaban en Riga para hacer negocios de maquinaria agrícola habían llegado al control de pasaportes. Cuando Wallander iba a sacar el pasaporte del bolsillo interior de la chaqueta, notó que alguien le tocaba el hombro, y se sobresaltó como si fuera un delincuente al que acabaran de atrapar. Al darse la vuelta vio a un hombre vestido de uniforme de color azul grisáceo.

–¿Kurt Wallander? –preguntó–. Me llamo Jazeps Putnis. Siento llegar tan tarde, pero su avión aterrizó antes de lo previsto. Naturalmente, no vamos a molestarle con las formalidades habituales. Iremos por aquí.

Jazeps Putnis hablaba un excelente inglés, y Wallander recordó la eterna lucha del mayor Liepa por encontrar las palabras y la pronunciación correctas. Siguió a Putnis hasta una puerta custodiada por un soldado de guardia, y salieron a otra sala, igual de lúgubre y deteriorada que la anterior, en la que descargaban las maletas de un carro.

–Esperemos que su equipaje no tarde mucho –dijo Putnis–. Permítame darle la bienvenida a Letonia y a Riga. ¿Había visitado nuestro país antes?

–No; hasta ahora no había tenido ocasión.

–Me habría gustado que las circunstancias hubiesen sido distintas –prosiguió Putnis–. La muerte del mayor Liepa ha sido un duro golpe.

Wallander se quedó esperando una explicación que no

llegó. Jazeps Putnis, que, según los télex, tenía el rango de coronel, se calló de golpe. En lugar de hablar del mayor asesinado, se dirigió a un hombre vestido con un mono desteñido y un gorro de piel que holgazaneaba apoyado en una pared. El hombre se irguió cuando Putnis le habló con voz severa, para luego desaparecer rápidamente por una de las puertas que daban a las pistas.

–Todo va tan lento... –dijo Putnis con una sonrisa–. ¿Tienen el mismo problema en Suecia?

–A veces también tenemos que esperar –respondió Wallander.

El coronel Putnis era diametralmente opuesto al mayor Liepa: muy alto, con movimientos resueltos y enérgicos, y la mirada penetrante. Su perfil era agudo y sus ojos grises parecían captar todo lo que se movía a su alrededor. A Wallander, le recordó un animal: un lince o un leopardo vestido con uniforme de color azul grisáceo.

Intentó adivinar la edad del coronel: tendría unos cincuenta años, aunque podía ser mayor.

El carro con las maletas se balanceaba detrás de un tractor envuelto en una nube de humo. Wallander enseguida vio la suya, pero no pudo evitar que el coronel Putnis se le adelantara a recogerla. Al lado de una hilera de taxis, les aguardaba un coche de policía de la marca Volga. El chófer les abrió la puerta y les hizo un saludo militar, y Wallander, aunque sorprendido, logró responderle con un dudoso gesto.

«Esto tendría que verlo Björk. ¿Qué debió de pensar el mayor Liepa de todos nosotros, vestidos siempre con vaqueros y sin utilizar el saludo militar?, ¿y de la pequeña e insignificante ciudad sueca de Ystad?», se dijo para sus adentros Wallander.

–Le hemos hecho una reserva en el hotel Latvia –dijo el coronel Putnis cuando salieron del aeropuerto–, el mejor hotel de la ciudad; tiene veinticinco pisos.

–Estupendo –contestó Wallander–. Aprovecho para transmitirle un saludo y el más profundo pésame de parte de mis colegas de Ystad por la muerte del mayor Liepa. A pesar de haberle conocido muy pocos días, se hizo apreciar mucho.

–Gracias. La muerte del mayor ha sido una gran pérdida para todos nosotros.

Wallander esperó de nuevo una explicación que no llegó.

«¿Por qué no me cuenta lo que ha pasado? ¿Por qué fue asesinado el mayor? ¿Por quién? ¿Cómo? ¿Por qué me han hecho venir hasta aquí? ¿Tiene alguna relación con la visita del mayor a Suecia?», pensó Wallander.

Contempló el paisaje: campos desiertos con montones dispersos de nieve, y de cuando en cuando una vivienda gris rodeada por cercas sin pintar. A lo lejos se veía un cerdo hozando en un estercolero. Sintió repentinamente una profunda melancolía, que asoció con el viaje a Malmö que hacía poco había hecho en compañía de su padre. El paisaje escaniano podía ser feo durante los meses de invierno, pero en éste había un vacío que iba más allá de lo que él jamás habría podido sospechar.

Wallander sintió pena ante la visión del paisaje: era como si la dolorosa historia del país hubiese mojado el pincel en un interminable bote de pintura gris.

De pronto sintió la necesidad de hacer algo productivo: no había ido a Riga para que el paisaje triste de invierno lo dejara abatido.

–Me gustaría recibir un informe detallado cuanto antes –empezó–. ¿Qué ocurrió? Lo único que sé es que asesinaron al mayor Liepa el mismo día que regresó a Riga.

–Cuando se haya instalado en su habitación, vendré a recogerle –le informó el coronel Putnis–. Hemos convocado una reunión para esta noche.

–Me basta con dejar la maleta –objetó Wallander–. No necesito más tiempo.

–Se ha convocado la reunión a las siete y media –contestó el coronel, y Wallander comprendió que su entusiasmo no iba a cambiar el plan establecido.

Estaba anocheciendo cuando cruzaron los suburbios de Riga en dirección al centro de la ciudad.

Wallander contemplaba pensativo las viviendas lúgubres que se extendían a ambos lados de la carretera. No sabía qué sentir ante lo que le esperaba en Riga.

El hotel estaba en el centro de la ciudad, al final de una amplia avenida. Wallander vio una estatua que enseguida asoció con Lenin. El hotel Latvia se erigía como un pilar azul contra el cielo oscuro de la noche. El coronel Putnis le condujo rápidamente por el desierto vestíbulo hasta la recepción. Wallander tuvo la impresión de que se encontraba en un aparcamiento al que a duras penas habían convertido en el vestíbulo de un hotel. En una de las paredes laterales resplandecían los ascensores, y las escaleras se perdían por las alturas.

Para su sorpresa, no hizo falta que se registrara en el hotel. La recepcionista entregó la llave al coronel Putnis, y subieron en uno de los estrechos ascensores hasta el piso quince. A Wallander le habían dado la habitación 1.506, con vistas a los tejados de la ciudad. Se preguntó si sería posible ver desde allí el golfo de Riga al amanecer.

El coronel Putnis le dejó solo, no sin antes preguntarle si estaba satisfecho con la habitación. Dos horas más tarde pasaría a recogerle para la reunión de la noche en el cuartel general de la policía.

Wallander se acercó a la ventana y contempló los tejados que se extendían ante su vista. A lo lejos se oía el traqueteo de un camión. Por el agrietado marco de la ventana se colaba un aire frío; pasó la mano por un radiador apenas tibio. En algún lugar del hotel sonaba un teléfono sin cesar.

«Calzoncillos largos», pensó. «Será lo primero que compre mañana.»

Deshizo el equipaje y colocó los objetos de aseo en el

amplio baño. Tras dudar un instante, se sirvió unas gotas de whisky, que había comprado en el aeropuerto, en el vaso para el cepillo de dientes. Puso la radio de fabricación rusa de la mesilla de noche en funcionamiento: un hombre exaltado hablaba muy rápido, como si relatase un evento deportivo en el que los acontecimientos se precipitaban vertiginosamente. Apartó luego un poco la colcha y se tumbó en la cama.

«Estoy en Riga y todavía no sé lo que le pasó al mayor Liepa. Lo único que sé es que está muerto, y que ignoro lo que quiere de mí el coronel Putnis.»

Hacía demasiado frío para permanecer tumbado en la cama, así que decidió bajar a la recepción y cambiar algo de dinero por si había algún bar en el hotel donde tomar una taza de café.

En la recepción, para su sorpresa, vio a los dos daneses que tanto le habían molestado en el aeropuerto. El mayor de ellos agitaba enfurecido un mapa ante la recepcionista, como si estuviera explicando a la pobre mujer cómo construir una cometa o un avión de papel. A Wallander se le escapó la risa. Luego vio el letrero del cambio de divisas. Una mujer mayor le sonrió asintiendo con la cabeza, y él le entregó dos billetes de cien dólares, que cambió por un fajo de billetes letones. Al volver a la recepción, los dos daneses ya habían desaparecido. Preguntó al conserje dónde podía tomar un café, y éste le indicó el camino hasta el gran comedor. El camarero le acompañó a una mesa cerca de la ventana y le entregó la carta; se decidió por una tortilla y un café. Por el gran ventanal veía ruidosos troleibuses cruzar la ciudad, y a la gente muy abrigada. La corriente de aire que se colaba por las grietas del marco mecía las finas cortinas.

Echó una mirada por el desierto comedor, y vio que en una mesa estaba cenando un matrimonio mayor en profundo silencio, y en otra, un hombre solitario con traje gris tomaba un té. No había nadie más.

110

Wallander trató de rememorar los acontecimientos de la noche anterior, cuando llegó a Estocolmo con el avión de la tarde procedente de Sturup. Linda, su hija, le esperaba delante de la estación central cuando bajó del autobús del aeropuerto. Se dirigieron al hotel Central, muy cerca, en la calle de Vasagatan; como ella vivía en una pensión de Bromma, cerca de la escuela superior, él le reservó una habitación en el mismo hotel donde iba a hospedarse. Por la noche la invitó a cenar en un restaurante de Gamla Stan, el barrio antiguo. Hacía tantos meses que no se veían que la conversación al principio se ciñó a temas triviales. Empezó a preguntarse si sus informes por carta realmente decían la verdad. Le había escrito que se encontraba a gusto en la escuela, pero al preguntarle ahora cómo le iba, se limitaba a responderle con pocas palabras. Cuando se interesó por sus planes de futuro, sin que pudiera evitar un tono ligeramente irritado, ella le contestó que no tenía ni idea.

–¿No sería ya hora de que lo supieras?

–No creo que sea de tu incumbencia.

Y acto seguido empezaron a discutir sin alzar la voz. Él le reprochó que no podía continuar yendo de escuela en escuela, a lo que le respondió que tenía la edad suficiente para hacer lo que le viniese en gana.

De pronto se vio reflejado en Linda, aunque no podía concretar en qué aspecto: la extraña sensación de que la voz de su hija era el reflejo de su propia voz. Pensó que la historia siempre se repetía, ya que las dificultades de su hija para entablar una conversación con él eran las mismas que él tenía con su padre.

Tomaron vino y cenaron durante largo rato, y poco a poco la irritación y la tensión fueron desapareciendo. Wallander le habló sobre su viaje a Riga, y por un instante estuvo tentado de preguntarle si quería acompañarle. El tiempo pasó volando y cuando pagó la cuenta era pasada la medianoche. Pese al frío, fueron andando hasta el hotel, donde estuvieron hablando en la habitación de Wallander hasta más tarde de las tres de la noche. Cuando finalmente Linda se fue a su habitación, Wallander no pudo menos de pensar que pese al mal comienzo, habían pasado una velada agradable. Pero, aun así, no podía quitarse de encima la inquietud de no saber nada de la vida que llevaba su hija.

Cuando dejó el hotel por la mañana, Linda todavía dormía. Pagó las dos habitaciones y le escribió una nota, que el conserje prometió entregarle.

Despertó de su ensimismamiento cuando el matrimonio mayor salió del comedor. No habían entrado nuevos huéspedes, sólo quedaba el hombre solitario con su taza de té. Miró el reloj. Todavía faltaba una hora para que el coronel Putnis viniese a recogerle.

Pagó la cuenta, hizo un rápido cálculo mental y se percató de que la comida le había salido muy barata. De vuelta a la habitación, leyó unas cuantas notas que había traído consigo, y observó que poco a poco empezaba a entrar de nuevo en el caso, que ya había dado por entregado a los archivos del olvido. Empezaba a notar el fuerte olor de los cigarrillos del mayor Liepa en la nariz.

A las siete y cuarto el coronel Putnis llamó a la puerta. El coche estaba esperándoles delante del hotel. Atravesaron la ciudad de noche hasta el cuartel general de la policía de Riga. Por las calles no se veía a nadie. El frío se había vuelto más intenso con la noche. Las calles y las plazas de la ciudad apenas estaban iluminadas, y Wallander tuvo la sensación de que cruzaba una ciudad de siluetas y sombras recortadas en el horizonte. Entraron por un portal y se detuvieron ante lo que parecía un patio cercado por una muralla. El coronel Putnis permaneció callado durante todo el trayecto, mientras Wallander esperaba en vano conocer el objeto de su estancia en Riga. Caminaron por retumbantes pasillos desiertos, bajaron unas escaleras y enfilaron otro pasillo. Finalmente, el coronel Putnis se detuvo delante de una puerta, que abrió sin llamar.

Kurt Wallander entró en una sala cálida mal iluminada, donde por encima de todo destacaba una gran mesa ovalada de conferencias forrada con fieltro verde. Encima había una jarra de agua y vasos, y a su alrededor doce sillas.

En la penumbra de la sala un hombre les estaba esperando. Se volvió cuando Wallander entró y se acercó a él.

—Bienvenido a Riga —dijo—. Mi nombre es Juris Murniers.

—El coronel Murniers y yo somos los responsables de resolver el asesinato del mayor Liepa —aclaró Putnis.

Wallander notó enseguida que había cierta tensión entre los dos coroneles por el tono de voz que empleaba el coronel Putnis, y por lo que se ocultaba tras el breve intercambio de réplicas, si bien no supo definirlo.

El coronel Murniers rondaba los cincuenta años; tenía el pelo gris muy corto; la cara pálida e hinchada, como si sufriese de diabetes, y era de baja estatura. Wallander advirtió que se movía sigilosamente.

«Otro felino», pensó para sus adentros. «Dos coroneles, dos felinos, embutidos en un uniforme gris.»

Wallander y Putnis, tras colgar sus abrigos, se sentaron a la mesa. «El tiempo de espera ha acabado. Ahora sabré lo que le sucedió al mayor Liepa.»

Murniers llevaba la voz cantante. Wallander observó que se había colocado de manera que casi toda la cara le quedaba en penumbra. La voz, en un rico inglés bien formulado, parecía salir de una profundidad infinita. El coronel Putnis miraba al frente, como si en realidad no le importase lo que escuchaba.

Finalmente, la espera de Kurt Wallander terminó. Supo la suerte que había corrido el mayor Liepa.

—Es muy misterioso —empezó diciendo Murniers—. El mismo día que volvió de Estocolmo nos remitió un informe al coronel Putnis y a mí. Estuvimos reunidos en esta misma sala discutiendo el caso. Quedamos en que el mayor Liepa estaría al cargo de las posteriores indagaciones que se llevaran a cabo aquí en el país. Nos despedimos alrededor de las cinco, y más tarde nos informaron de que el mayor Liepa se había ido derecho a su casa, un apartamento situado detrás de la catedral de Riga. Su esposa nos explicó después que él estaba como siempre, muy contento de estar de nuevo en casa. Después de cenar, pasó a referirle sus vivencias en Suecia. A propósito, usted le causó muy buena impresión, inspector Wallander. Poco antes de las once de la noche, cuando estaba a punto de irse a la cama, le llamaron por teléfono. Su esposa no sabe quién llamó, pero el mayor se volvió a vestir y le dijo que tenía que volver al cuartel general urgentemente, lo que no la alarmó en absoluto; quizá se desilusionara por que requiriesen su presencia la misma noche de su regreso a casa. No le dijo ni quién llamó ni por qué tenía que prestar servicio urgente.

Murniers se quedó en silencio y alargó un brazo para servirse agua. Wallander lanzó una mirada a Putnis, que seguía con la vista clavada al frente.

–Lo que ocurrió después es muy confuso –continuó Murniers–. Por la mañana temprano, unos trabajadores del puerto encontraron el cuerpo del mayor Liepa en Daugavgriva, la parte exterior de la gran zona portuaria de Riga. El mayor yacía muerto en el muelle. Más tarde constatamos que le habían destrozado la parte posterior de la cabeza con un objeto contundente, quizás un tubo de hierro o un bate de madera. Los informes de nuestros forenses revelan que el mayor fue asesinado una o dos horas después de haber salido de casa. Esto es a grandes rasgos todo lo que sabemos. No hay ningún testigo de cuándo salió de casa ni de cuándo estuvo en el puerto. Todo es en definitiva muy misterioso. Raras veces, por no decir nunca, asesinan a un policía en este país, y mucho menos a uno del rango del mayor Liepa. Estamos ansiosos por atrapar al asesino cuanto antes, por supuesto.

Murniers calló y volvió a las sombras.

–O sea, que nadie de aquí le llamó –dijo Wallander.

–No –se apresuró a contestar el coronel Putnis–; lo hemos investigado. El mando de guardia, el capitán Kozlov, ha confirmado que no se estableció ningún contacto con el mayor Liepa esa noche.

–Entonces sólo quedan dos posibilidades –concluyó Wallander.

Putnis asintió con la cabeza.

–O bien mintió a su esposa, o bien le engañaron.

–En el segundo caso, debió de reconocer la voz –constató Wallander–, o quien llamó no le infundió sospechas.

–Opinamos lo mismo –replicó Putnis.

–No descartamos que su asesinato tenga relación con el trabajo que llevó a cabo en Suecia –empezó Murniers desde las sombras–. No podemos descartar nada. Por esta razón hemos solicitado ayuda a la policía sueca, en concreto la de usted, inspector Wallander. Agradeceremos cualquier sugerencia o hipótesis que pueda ayudarnos, para lo que nos ponemos a su entera disposición para todo lo que precise.

Murniers se levantó de la silla.

–Sugiero que por hoy lo dejemos aquí. Supongo que estará cansado del viaje, inspector Wallander.

Wallander no se sentía cansado en absoluto; al contrario, estaba listo para trabajar toda la noche si era menester. Pero como Putnis también se levantó, comprendió que la reunión había concluido.

Murniers pulsó un botón situado debajo de la mesa, y al instante la puerta se abrió y entró un joven policía uniformado.

–Le presento al sargento Zids –le informó Murniers–. Habla inglés a la perfección y en adelante será su chófer.

Zids juntó los tacones con un golpe y le hizo un saludo militar, a lo que Wallander respondió con un simple meneo de cabeza. Ni Putnis ni Murniers le invitaron a cenar, por lo

115

que comprendió que pasaría la noche a solas. Acompañó a Zids hasta el patio cercado, y el frío seco le azotó de pleno, en contraste con la bien climatizada sala de conferencias, y se acomodó en el asiento trasero del coche negro después de que el sargento le abriera la puerta.

–Hace frío –dijo Wallander cuando cruzaron el portal.

–Sí, mi coronel. En esta época hace mucho frío en Riga.

«Coronel», pensó Wallander. «Da por sentado que mi rango es igual que el de Putnis y Murniers.» La escena le divertía. Se dio cuenta de que le resultaría muy fácil acostumbrarse a los nuevos privilegios: coche propio, chófer, atención.

El sargento Zids conducía deprisa por las desiertas calles. Wallander no se sentía cansado, y no quería meterse en la habitación fría del hotel.

–Tengo hambre –le dijo al sargento–. Lléveme a un buen restaurante que no sea demasiado caro.

–El comedor del hotel Latvia es el mejor –contestó Zids.

–Ya he estado ahí –protestó Wallander.

–No hay otro restaurante mejor en Riga –respondió Zids al tiempo que frenaba ante un tranvía que, ruidosamente, doblaba una esquina.

–Pero debe de haber más de un buen restaurante en una ciudad de un millón de habitantes.

–La comida no es buena –insistió el sargento–; sólo puedo aconsejarle el hotel Latvia.

«Es obvio que tendré que ir allí», pensó Wallander, mientras se acomodaba en el asiento. «Quizá le hayan dado órdenes expresas de no dejarme ir a mis anchas por la ciudad. Asignarme un chófer puede que sea la forma de tenerme bajo control.»

Zids frenó delante del hotel, y antes de que Wallander tuviese tiempo de asir el tirador, el sargento ya le había abierto la puerta.

–¿A qué hora quiere usted que le recoja mañana, mi coronel? –le preguntó.

—A las ocho me va bien —contestó Wallander.

El gran vestíbulo estaba ahora más desierto que antes. Desde alguna parte del hotel se escuchaba música de fondo. Recogió la llave en la recepción y preguntó si el comedor aún estaba abierto. El conserje, al que le pesaban los párpados y cuya palidez le recordaba a la del coronel Murniers, asintió con la cabeza. Wallander aprovechó para preguntarle de dónde provenía la música.

—Tenemos un espectáculo de variedades en el hotel —contestó el conserje con una mirada sombría.

Cuando Wallander salió de la recepción, se topó con el mismo hombre que había estado tomando té en el comedor; ahora estaba sentado en un sofá de piel desgastada, sumergido en un periódico procurando pasar inadvertido. Wallander estaba seguro de que era el mismo hombre.

«Están vigilándome», pensó. «Como en la peor de las novelas sobre la guerra fría, un hombre enfundado en un traje gris pretende pasar inadvertido. ¿Qué es lo que temen Putnis y Murniers que haga?»

El comedor estaba casi igual de abandonado que antes. En torno a una larga mesa unos hombres vestidos de negro conversaban en susurros. Para su asombro, los camareros invitaron a Wallander a sentarse a la misma mesa que por la tarde. Le sirvieron para cenar una sopa de verduras y una chuleta reseca demasiado hecha; la cerveza letona, en cambio, era muy buena. Como no se sentía a gusto, no quiso tomar café, pagó y salió del comedor en busca del club nocturno del hotel. El hombre del traje gris continuaba sentado en el sofá.

Tuvo la impresión de hallarse perdido en un laberinto: escaleras que parecían no llevar a ninguna parte daban una y otra vez al comedor. Intentó orientarse por la música hasta que descubrió un letrero luminoso al final de un pasillo oscuro. Le abrió la puerta un hombre que le dijo algo que no entendió. Wallander entró en un bar poco iluminado. El contraste con el desierto comedor fue impactante, ya que el bar estaba atestado de gente. Tras una cortina, que separaba el bar de la pista de baile, tocaba una orquesta con gran estruendo. A Wallander le pareció reconocer una de las canciones de ABBA. La atmósfera era irrespirable, lo que le hizo evocar rápidamente el fuerte olor de los cigarrillos del mayor. Vio una mesa libre y se hizo paso entre la muchedumbre a empujones. Todo el tiempo tuvo la impresión de que numerosas miradas le perseguían. Tenía sobradas razones para mostrarse cauteloso, ya que era harto conocido que los clubes nocturnos de los estados del Este funcionaban de tapadera de las bandas especializadas en atracar a los turistas occidentales.

A pesar del ruido logró gritar su pedido al camarero. Minutos más tarde tenía sobre su mesa una copa de whisky que le costó casi lo mismo que la cena. Olió el contenido de la copa y, acto seguido, se imaginó un complot a base de bebidas envenenadas; desalentado, bebió a su propia salud.

De la penumbra surgió una muchacha que, sin decir su nombre, se sentó en la silla de al lado. No se percató de su presencia hasta que acercó la cabeza a su cara. Su perfume le recordó a las manzanas de invierno. Cuando le habló en alemán él negó con la cabeza. El inglés de ella era malo, mucho peor que el del mayor Liepa, pero, aun así, se hizo entender para ofrecerle su compañía y pedirle una copa. Wallander se sintió completamente confuso. Aunque sabía que era una prostituta, no quería pensar en ello. En esa Riga desierta y fría, necesitaba hablar con alguien que no fuese coronel de la policía. Pensó que podía invitarla a una copa, si bien él se encargaría de poner los límites. En más de una ocasión se había excedido con la bebida, hasta llegar a perder el juicio por completo. La última vez había sido el año pasado, cuando en un acceso de ira y excitación se abalanzó sobre Anette Brolin, la fiscal del distrito. Sólo de pensarlo, se estremeció. «Nunca volverá a ocurrir», pensó. «Por lo menos, no en Riga.» Al mismo tiempo se dio cuenta de que se sentía halagado por la atención que le prestaba la mujer.

«Se ha sentado demasiado pronto a mi mesa», pensó. «Acabo de llegar, y todavía no me he acostumbrado a este país.»

–Quizá mañana –dijo–. Esta noche, no.

Después se fijó en que no tenía más de veinte años. Tras el maquillaje, el rostro que se veía le recordaba al de su propia hija.

Acabó la copa, se levantó y se fue.

«Por los pelos», pensó. «Por muy poco.»

El hombre vestido de gris continuaba leyendo el periódico en el vestíbulo.

«Que duermas bien. Apuesto lo que sea a que nos vemos mañana.»

Durmió intranquilo, porque le pesaba el edredón y la cama era incómoda. Desde el profundo sueño oía cómo sonaba un teléfono sin cesar. Quiso levantarse para contestar, y cuando por fin despertó todo estaba en absoluto silencio.

Unos golpes en la puerta le despertaron a la mañana siguiente. Recién levantado gritó «Pase», y cuando volvieron a llamar se dio cuenta de que estaba echada la llave. Se puso los pantalones y abrió. Al otro lado había una señora vestida con una bata de la limpieza y una bandeja con el desayuno, lo que le sorprendió, ya que no había pedido nada; luego pensó que quizá fuera parte del funcionamiento del hotel, o bien que lo hubiese encargado el sargento Zids.

La asistenta le dijo buenos días en letón, palabra que Wallander procuró recordar. Colocó la bandeja en una mesa, sonrió tímidamente y se dirigió a la puerta. Él la siguió para cerrar.

Lo que pasó luego ocurrió muy deprisa. En lugar de salir, la asistenta cerró la puerta por dentro y se llevó un dedo a la boca. Wallander la miró sin entender nada, y vio que, con mucho cuidado, sacaba un papel del bolsillo de la bata. Wallander iba a decir algo cuando ella le tapó la boca. Él podía advertir lo asustada que estaba. Vio que, en realidad, aquella mujer no pertenecía al servicio del hotel, y comprendió que no era ninguna amenaza para él. Que tan sólo estaba asustada. Cogió el papel y leyó el texto en inglés dos veces para memorizar el contenido. Luego la miró, y ella metió la mano en el otro bolsillo, del que extrajo algo parecido a un póster arrugado. Se lo dio, y cuando lo desplegó, vio que se trataba de la sobrecubierta del libro sobre Escania que él le había regalado a su marido, el mayor Liepa, la semana anterior y donde figuraba una imagen de la catedral de Lund. Volvió a contemplar a la mujer, su semblante atemorizado había cobrado otra expresión, una especie de determinación mezclada con rebeldía. Cruzó el frío suelo de la habitación para coger un bolígrafo del escritorio, y sobre aquel papel que le acababa de tender la mujer escribió que había entendido: «*I have understood*». Cuando le devolvió aquella sobrecubierta, pensó que Baiba Liepa no se parecía en nada a como él se la había imaginado, si bien no recordaba lo que había pensado cuando el mayor, sentado en el sofá de su casa mientras escuchaba a Maria Callas, le contó que su mujer se llamaba Baiba.

Luego, mientras él carraspeaba, ella abrió la puerta sigilosamente y desapareció.

Se había presentado en el hotel porque quería hablarle de su difunto marido y porque tenía miedo. Las instrucciones eran claras: cuando llamasen a su habitación preguntando por el «señor Eckers», Wallander tendría que dirigirse al vestíbulo, luego bajar las escaleras que daban a la sauna del hotel y buscar una puerta de acero gris situada junto a la entrada de mercancías, que podría abrir desde dentro sin llave, y una vez en la calle, ella estaría esperándole detrás del hotel para hablarle de su difunto marido.

«*Please*», había escrito, «*please, please.*» Ahora estaba seguro de que en su rostro no sólo había miedo, sino también rebeldía, acaso odio.

«Aquí está ocurriendo algo más grave de lo que me imaginaba», pensó. «Ha hecho falta un mensajero vestido con el uniforme de la limpieza para que me diera cuenta. Había olvidado que estoy en un mundo completamente desconocido para mí.»

Poco antes de las ocho, ya estaba en la planta baja.

El hombre que leía el periódico no estaba, pero sí otra persona que contemplaba una vitrina con postales.

Cuando Wallander salió a la calle, notó que hacía menos frío que el día anterior. El sargento Zids, que le esperaba en el coche, le dio los buenos días, y cuando Wallander se acomodó en el asiento trasero, puso el motor en marcha. Amanecía lentamente sobre Riga. Como había tráfico, el sargento no pudo conducir tan rápido como deseaba.

No podía apartar de su cabeza el rostro de Baiba Liepa.

Y de pronto, sin ningún aviso, le asaltó el miedo.

8

Poco antes de las ocho y media Kurt Wallander pudo comprobar que el coronel Murniers fumaba los mismos cigarrillos fuertes que el mayor Liepa. Reconoció el paquete de la marca Prima que el coronel sacó de uno de sus bolsillos y colocó sobre la mesa.

A Wallander se le ocurrió de pronto que se hallaba en lo más intrincado de un laberinto, ya que el sargento Zids le había conducido por las numerosas escaleras que subían y bajaban del cuartel general, antes de detenerse delante de la puerta del despacho de Murniers. Wallander pensó que se trataba de una especie de juego, que tenía que haber un camino más corto y más fácil de recorrer hasta el despacho de Murniers, pero que por alguna razón no querían que él lo supiera.

La habitación estaba escasamente amueblada y no era muy grande; lo primero que le llamó la atención fueron los tres teléfonos que había. Un archivador abollado y cerrado se apoyaba contra una pared. Aparte de los teléfonos, en el escritorio había un gran cenicero de hierro forjado con un ornamento rebuscado que a Wallander le pareció una pareja de cisnes, pero más tarde comprendió que era un hombre musculoso enarbolando una bandera al viento. Ceniceros y teléfonos, pero ni rastro de ningún papel. Wallander no pudo saber si las persianas de los ventanales que estaban detrás de Murniers estaban bajadas hasta la mitad o rotas. Estuvo contemplándolas mientras repasaba con celeridad la gran noticia que Murniers le había dado justo al entrar.

–Hemos atrapado a un sospechoso –le informó el coronel–. Durante la noche, nuestras investigaciones han dado el resultado que esperábamos.

Kurt Wallander pensó que se refería al asesino del mayor, pero luego comprendió que estaba hablando de los dos hombres del bote salvavidas.

–Una banda –siguió Murniers–. Una banda con ramificaciones que llegan hasta Tallin y Varsovia. Una red de delincuentes que viven del contrabando, de los asaltos y los atracos, de todo lo que pueda dar dinero. Sospechamos que últimamente también han empezado a sacar provecho del tráfico de estupefacientes, que, por desgracia, se ha introducido en nuestro país. El coronel Putnis está ahora interrogando al hombre, y muy pronto sabremos más cosas al respecto.

Pronunció estas últimas palabras con serenidad, como si lo hubiese calculado con minuciosidad. Wallander se imaginó al coronel Putnis sonsacándole poco a poco la verdad al pobre diablo mediante la tortura. ¿Qué sabía él en realidad de la policía letona? ¿Existen límites entre lo que está permitido y lo que no en una dictadura? *¿Era* Letonia en realidad una dictadura?

Pensó en el rostro de Baiba Liepa, en el temor y su polo opuesto. «Cuando llamen y pregunten por el señor Eckers, usted tiene que venir.»

Murniers le sonrió, como si hubiese sido capaz de leer los pensamientos del inspector sueco, que, en un intento de ocultar su secreto, mintió para salir del paso:

–El mayor Liepa se había mostrado preocupado por su propia seguridad –empezó–, pero no explicó las razones de tal inquietud. Ésa es una de las preguntas a las que el coronel Putnis debe intentar encontrar respuesta: si existe alguna relación entre los dos muertos del bote y el asesinato del mayor Liepa.

A Wallander le pareció intuir un ligero cambio en el rostro de Murniers, y dedujo que acababa de decir algo que el otro no esperaba. Pero ¿era ese conocimiento suyo lo inesperado?, ¿o bien ya sabía que el mayor Liepa había estado preocupado?

—Usted ya debe de haberse formulado las preguntas clave —prosiguió—. ¿Por qué salió el mayor Liepa en plena noche? ¿Quién podía tener motivos para asesinarle? Incluso cuando asesinan a un político hay que preguntarse si hay motivos personales, como en el caso de Kennedy, o como cuando en Suecia asesinaron a Olof Palme en plena calle hace unos años. Ustedes deben de haberlo considerado, ¿verdad?, al igual que habrán llegado a la conclusión de que no existe ningún motivo personal razonable. De lo contrario, no me hubieran pedido que viniese.

—En efecto —contestó Murniers—. Es usted muy sagaz. Su análisis es muy certero: el mayor Liepa era feliz en su matrimonio, no tenía problemas económicos, no era jugador ni tenía amantes. Era un policía apasionado por su trabajo, y creía que con su labor ayudaba al desarrollo del país. Al igual que usted, somos de la opinión de que su muerte, de alguna forma, está relacionada con su profesión. Como no estaba al cargo de ninguna otra investigación aparte de la de los dos cadáveres del bote salvavidas, solicitamos ayuda a Suecia. Pensamos que quizá les comunicó algo que no aparece redactado en el informe que nos entregó el día de su muerte. Necesitamos saberlo, y esperamos que usted pueda ayudarnos.

—El mayor Liepa habló de drogas —informó Wallander— y de la proliferación de laboratorios de anfetaminas en la Europa oriental. Estaba convencido de que los dos cadáveres habían sido víctimas de un ajuste de cuentas de una banda dedicada al contrabando de narcóticos. De lo que no estaba seguro era de si los dos hombres fueron asesinados por venganza o porque se hubiesen negado a revelar algo. Además, teníamos nuestras razones para creer que el bote salvavidas llevaba un cargamento de narcóticos, ya que lo robaron en nuestra propia comisaría; pero no supimos atar los diferentes cabos sueltos entre sí.

—Espero que lo averigüe el coronel Putnis —repuso Murniers—. Es un interrogador muy eficiente. Mientras tanto, le sugiero que vayamos al lugar donde asesinaron al mayor Liepa, ya que el coronel Putnis suele tomarse su tiempo en los interrogatorios.

—¿El lugar donde lo encontraron es el mismo que el del crimen?

—No hay indicios para pensar lo contrario. La zona portuaria está apartada, y por las noches poca gente la transita.

«Hay algo que no encaja», pensó Wallander. «El mayor se habría resistido a ir allí. No creo que resultara tan fácil arrastrarlo hasta el muelle en plena noche. Que el lugar esté apartado no es razón suficiente para pensar que lo mataran allí.»

—Me gustaría conocer a la viuda del mayor Liepa —dijo Wallander—. Es muy posible que una conversación con ella pueda ser importante incluso para mí. Supongo que ustedes ya habrán hablado con ella.

—Sí, la hemos interrogado en varias ocasiones —le explicó Murniers—. Por supuesto, le organizaremos una entrevista con ella.

Bordearon el río esa misma mañana de invierno. El sargento Zids recibió la orden de ponerse en contacto con Baiba Liepa mientras que Wallander y el coronel Murniers iban al lugar donde encontraron al mayor muerto, que según Murniers era el lugar del crimen.

—Su teoría... —empezó Wallander una vez que se hubieron sentado en el asiento trasero del coche de Murniers, que era mucho más grande y cómodo que el que habían puesto a su disposición—. Tanto usted como el coronel Putnis deben de haber pensado en ello.

—Narcóticos —contestó resuelto—. Sabemos que los cabecillas del tráfico de estupefacientes tienen sus propios guardaespaldas, por lo general drogadictos dispuestos a hacer cualquier cosa con tal de recibir sus dosis diarias. Posiblemente consideraron que el mayor Liepa se había acercado demasiado a ellos.

–¿Y lo había hecho?

–No. De ser cierta esa teoría, como mínimo una decena de oficiales de alto rango de la policía de Riga habrían encabezado una posible lista de objetivos. Lo más curioso de todo es que el mayor Liepa nunca había investigado crímenes relacionados con el narcotráfico. Fue una casualidad que le encontráramos el más adecuado para ir a Suecia.

–¿De qué tipo de investigaciones se encargaba el mayor Liepa?

Murniers estaba mirando por la ventanilla del coche cuando le contestó:

–Era un inspector muy inteligente. Hace poco hubo unos asesinatos con robo en Riga, y el mayor Liepa no cejó en su empeño hasta atrapar a los culpables. Muchos inspectores, con la misma experiencia que él, solicitaban su ayuda cuando se atascaban en alguna investigación.

Permanecieron en silencio en un semáforo en rojo. Wallander contempló a un grupo de personas que, encogidas por el frío, esperaban el autobús, y tuvo la impresión de que éste nunca llegaría ni abriría sus puertas.

–Narcóticos –dijo–. Mientras que para nosotros es un viejo problema, para ustedes es uno nuevo.

–No del todo –objetó Murniers–, pero lo que sí es nuevo es la magnitud que está alcanzando en la actualidad. La apertura de fronteras ha creado un mercado que antes no existía. Tengo que reconocer que a veces nos sentimos tan desamparados que nos vemos en la necesidad de cooperar con la policía occidental, puesto que la mayor parte de la droga que pasa por Letonia tiene su destino final en los mercados occidentales. Es vuestra poderosa moneda la que los atrae. Para nosotros está fuera de toda duda que Suecia es uno de los principales mercados de las bandas letonas, por razones tan sencillas como la corta distancia que hay entre Ventspils y la costa sueca; además, como la línea costera es larga, resulta difícil de vigilar. En otras palabras, se trata de una clásica ruta de contrabando que se ha vuelto a abrir. Antaño, por esa misma ruta se transportaban barriles de alcohol.

–Continúe –insistió Wallander–. ¿Dónde se elabora la droga? ¿Quiénes están detrás?

–Ante todo, debe entender que éste es un país pobre, tan pobre y arruinado como nuestros vecinos. Durante años hemos vivido encerrados en una jaula, desde la que contemplábamos las riquezas de Occidente como algo lejano. Y ahora, de repente, se vuelven accesibles, siempre y cuando se tenga dinero. Para quien no tenga escrúpulos ni moral, la droga es el camino más rápido para acceder a este dinero. Cuando nos ayudaron a derribar los muros y abrir las verjas donde habíamos vivido encerrados, a la vez se abrieron las esclusas a una oleada de avidez, avidez por todo lo que antes nos habíamos visto forzados a contemplar a distancia pero que nos estaba prohibido o nos resultaba inaccesible. Lo que está claro es que no sabemos lo que va a pasar.

Murniers se inclinó para decirle algo al chófer, que en el acto pisó el freno y se aproximó a la acera.

Murniers señaló con el dedo la fachada de una casa.

–Agujeros de bala –comentó–. Hace más o menos un mes.

Wallander se echó hacia delante para verlo: la pared estaba perforada por las balas.

–¿Qué casa es ésta? –preguntó.

–Es uno de nuestros ministerios –respondió Murniers–. Se lo enseño para que vea que no sabemos lo que puede ocurrir. Ignoramos si gozaremos de mayor libertad; si, por el contrario, disminuirá, o si desaparecerá del todo. Debe entender, inspector Wallander, que se halla en un país donde nada está decidido todavía.

Continuaron adelante y entraron en una amplia zona portuaria. Wallander reflexionó sobre lo que Murniers le acababa de decir, y sintió una repentina simpatía hacia aquel hombre pálido, de cara hinchada. Era como si todo lo que decía el coronel pudiera aplicarse también a su persona.

–Sabemos que hay laboratorios que se dedican a la elaboración de anfetaminas y drogas como la morfina y la efedrina –siguió Murniers–. Además, sospechamos que los cárteles de cocaína sudamericanos y asiáticos intentan abrir nuevas rutas de transporte a través de los Estados del Este. Su idea es sustituir las antiguas rutas que van directamente a Europa occidental, la mayoría de las cuales ya están reventadas por la policía europea. En la virgen Europa oriental, aún es posible escapar del acecho policial. En otras palabras, que resulta más fácil sobornarnos y corrompernos.

–¿Como al mayor Liepa?

–Jamás se habría rebajado a aceptar un soborno.

–Me refería a que era un policía acechante.

–Si el hecho de ser un buen profesional le llevó a la muerte, espero que el coronel Putnis pronto lo averigüe.

–¿Quién es la persona detenida?

–Un hombre que estuvo relacionado con los dos muertos del bote salvavidas en varias ocasiones: un ex carnicero de Riga, cabecilla de la delincuencia organizada contra la que luchamos sin tregua. Curiosamente siempre ha logrado evitar la cárcel, pero quizá podamos encerrarle ahora.

El coche frenó y se detuvo al lado de un muelle lleno de chatarra y restos de grúas. Salieron del vehículo y se acercaron al borde del muelle.

–Ahí encontraron al mayor Liepa.

Wallander miró a su alrededor en busca de una impresión general.

¿Cómo llegaron hasta ahí los asesinos y el mayor?, ¿por qué aquí? No le bastaba la explicación de que el muelle estaba apartado. Wallander contempló los restos de una grúa.

«*Please*», había escrito Baiba Liepa. Murniers fumaba a la vez que golpeaba rítmicamente el suelo con los pies para luchar contra el frío.

«¿Por qué no quiere informarme sobre el lugar del crimen?», pensó Wallander. «¿Por qué Baiba Liepa quiere verme en secreto? "Cuando pregunten por el señor Eckers tiene que venir." ¿Por qué estoy aquí en Riga?»

Volvió a sentir el mismo malestar que por la mañana, y lo atribuyó a que era un extraño en un país completamente desconocido para él. Ser policía significaba conocer una realidad de la que uno mismo formaba parte, y en Riga se encontraba al margen. Quizá pudiera penetrar en el paisaje desconocido encarnando al «señor Eckers», ya que el inspector sueco Kurt Wallander no tenía cabida en ese país.

Regresó al coche.

–Me gustaría estudiar los informes: la autopsia, la investigación del lugar del crimen y las fotografías.

–Mandaremos traducir el material –contestó Murniers.

–Quizá sea más rápido con un intérprete –propuso Wallander–. El sargento Zids habla un inglés perfecto.

Murniers esbozó una sonrisa, y encendió otro cigarrillo.

–Tiene usted prisa. Está impaciente –dijo–. Por supuesto que el sargento Zids puede traducirle los informes.

Regresaron al cuartel general de la policía. Allí, situados detrás de un espejo que a ellos les hacía invisibles, vieron al coronel Putnis interrogar a un hombre. La sala de interrogatorios, salvo por una pequeña mesa de madera y dos sillas, estaba completamente vacía. El coronel Putnis se había quitado la chaqueta del uniforme; el hombre que estaba sentado enfrente de él estaba sin afeitar y tenía cara de cansancio. Contestaba con mucha lentitud a las preguntas de Putnis.

–Esto va para largo –comentó Murniers pensativo–. Pero tarde o temprano sabremos la verdad.

–¿Qué verdad?

–Si estamos en lo cierto o no.

Volvieron al laberinto de pasillos, y condujeron a Wallander hasta una pequeña sala situada en el mismo pasillo que el despacho de Murniers. El sargento Zids se presentó con una carpeta con la investigación de las circunstancias de la muerte del mayor. Antes de dejarlos solos, Murniers intercambió una breve conversación con el sargento en letón.

–Traerán a Baiba Liepa para interrogarla a las dos de la tarde –dijo Murniers.

Wallander se asustó. *Me ha traicionado, señor Eckers. ¿Por qué lo ha hecho?*

–Me había imaginado más una charla que un interrogatorio.

–Debí haber usado otra palabra en lugar de interrogatorio –continuó Murniers–. Déjeme decirle que se ha alegrado de poder conocerle.

Murniers abandonó la habitación; al cabo de dos horas Zids ya había traducido todo el contenido del informe. Wallander contempló las borrosas fotografías del cadáver. La impresión que tenía de que algo no encajaba se vio reforzada. Como sabía que pensaba mejor cuando estaba ocupado en otra cosa, le pidió al sargento que le acompañase a comprar unos calzoncillos largos. El sargento no reaccionó de ningún modo especial cuando le dijo «*Long underpants*». Wallander notó lo absurdo de la situación cuando, con paso militar, entró en la tienda con el sargento. Era como si estuviera comprando unos calzoncillos largos bajo escolta policial. Zids habló por él e insistió en que Wallander se probara los calzoncillos antes de pagar. Compró dos pares y se los envolvieron en un papel marrón atado con un cordel. Al salir a la calle, Wallander le propuso ir a comer.

–Pero me niego a ir al hotel Latvia –exigió–. Donde sea, pero allí no.

El sargento Zids salió por una de las calles principales y

se metió en el casco antiguo. A Wallander le pareció que entraba en otro laberinto del que no sabría salir nunca por su propio pie.

El restaurante que eligió el sargento se llamaba Sigulda. Wallander comió una tortilla mientras que el sargento prefirió una sopa. El aire era denso y el olor a tabaco, asfixiante. Cuando llegaron, el comedor estaba a rebosar, pero el sargento ordenó que les preparasen una mesa.

—En Suecia es impensable que un policía entre y exija una mesa pese a estar lleno —comentó mientras comían.

—Aquí se prefiere estar a bien con la policía —respondió sin inmutarse.

A Wallander le irritó la arrogancia con que hablaba el sargento Zids.

—A partir de ahora no quiero que pasemos por delante de los demás —ordenó.

El sargento le miró asombrado.

—Entonces no comeremos —contestó.

—El comedor del hotel Latvia siempre está vacío —dijo escuetamente.

Poco antes de las dos estaban de vuelta en el cuartel general de la policía. Durante la comida, Wallander permaneció todo el rato callado reflexionando sobre lo que no encajaba en el informe que le habían traducido. Le inquietó llegar a la conclusión de que todo encajara a la *perfección*, como si el informe estuviera redactado *ex profeso* para que cualquier pregunta resultara innecesaria; aun así, no progresó más en sus cábalas, ya que desconfiaba de su propio juicio. ¿Acaso estaba viendo fantasmas donde no los había?

Murniers había salido del despacho y el coronel Putnis seguía con el interrogatorio. El sargento fue a buscar a Baiba Liepa y Wallander se quedó solo en el despacho que le habían asignado; se preguntó si habría micrófonos allí, o si estarían observándole tras el falso espejo. Inocentemente, abrió el paquete, se quitó los pantalones y se puso los calzoncillos largos, y rápidamente empezó a notar cómo le picaban las piernas. Llamaron a la puerta, dijo «Adelante», y el sargento hizo pasar a Baiba Liepa. *Ahora soy Wallander, no el señor Eckers. No existe ningún señor Eckers. Por eso quiero hablar con usted.*

–¿Habla inglés la viuda del mayor Liepa? –le preguntó al sargento.

Zids asintió con la cabeza.

–Entonces puede dejarnos solos.

Había intentado prepararse: «Tengo que recordar que todo lo que digamos o hagamos lo verán unos vigilantes secretos. Ni siquiera podremos llevarnos el dedo a la boca, y menos aún escribir una nota. Y, sin embargo, Baiba Liepa tiene que saber que el señor Eckers existe todavía».

Llevaba puesto un abrigo oscuro y un gorro de piel. A diferencia de la mañana, llevaba gafas. Se quitó el gorro y sacudió su media melena oscura.

–Siéntese por favor, señora Liepa –empezó Wallander.

Le dedicó una fugaz sonrisa, como si le hubiera mandado una señal secreta con una linterna, que aceptó como si no hubiese esperado otra cosa. Sabía que tenía que hacerle una serie de preguntas cuyas respuestas ya sabía, pero que quizá le permitieran incluir un mensaje para «el señor Eckers».

Le dio un sincero pésame por la muerte de su marido. Luego pasó a hacerle las preguntas rutinarias, sin poder quitarse de la cabeza que les estaban escuchando y observando todo el tiempo.

–¿Cuántos años llevaba casada con el mayor Liepa?

–Ocho años.

–Tengo entendido que no tenían hijos.

–Queríamos esperar un tiempo. Tengo mi profesión.

–¿Cuál es su profesión, señora Liepa?

–Soy ingeniera, pero últimamente me dedico a traducir libros científicos para la escuela superior y otras instituciones.

«¿Cómo lo hiciste para servirme el desayuno?», pensó. «¿Quién es tu contacto en el hotel Latvia?»

Este pensamiento le hizo perder el hilo de la conversación. Formuló la siguiente pregunta:

–¿Y no podían combinárselo para tener hijos?

Tras pronunciar estas palabras, se arrepintió en el acto, ya que era una pregunta muy personal que estaba fuera de lugar. Se disculpó sin esperar la reacción de ella, y se apresuró a proseguir:

–Señora Liepa, estoy convencido de que usted tiene que haber pensado, reflexionado y preguntado qué fue lo que le ocurrió a su marido. En el informe de los interrogatorios que la policía le hizo, he leído que usted no sabe nada, que no entiende nada y que no sospecha nada. Y así es. Estoy seguro de que usted no desea otra cosa que se atrape al asesino de su marido y se le castigue. Por eso le pido que intente recordar todo lo que pueda hasta el día que su marido volvió de Suecia. Puede que se olvidara de contar algo debido al choque emocional que debió de sufrir cuando supo que le habían asesinado.

–No –respondió–. No he olvidado nada en absoluto. *Señor Eckers, no sufrí ningún shock. Sucedió lo que nos temíamos.*

–Quizá si retrocediera en el tiempo –insistió Wallander, y ahora procedía con sumo cuidado para no causarle problemas que no supiera manejar.

–Mi marido no me explicaba nada de su trabajo –contestó–. Jamás hubiese roto el deber del silencio que tenía como policía. Mi esposo era de una moral intachable.

«En efecto, fue esa moral intachable la que le mató», pensó Wallander para sus adentros.

–El mayor Liepa me causó esa misma impresión, a pesar de que en Suecia nos tratamos muy pocos días –dijo.

¿Entendería Baiba Liepa que él estaba de su lado? ¿Que le había pedido venir para correr una cortina de preguntas que no significaban nada?

Volvió a pedir que retrocediera en el tiempo, que hiciese un esfuerzo por recordar. Estuvo haciéndole preguntas y ella respondiendo hasta que Wallander consideró que era suficiente. Llamó a un timbre para avisar al sargento Zids, a continuación se levantó y estrechó la mano de la mujer.

«¿Cómo sabías que había llegado a Riga?», pensó. «Alguien debe de habértelo dicho, alguien interesado en que nos viésemos, pero ¿por qué? ¿Qué imaginas que puede hacer por ti un inspector sueco de una insignificante ciudad?»

Llegó el sargento y acompañó a Baiba Liepa a la salida. Wallander se puso delante de la ventana mal ajustada y contempló el patio. Sobre la ciudad caía aguanieve. Más allá de los altos muros se veían torres de iglesias y alguna que otra casa.

De repente pensó que todo eran imaginaciones suyas, que había dado rienda suelta a la imaginación sin dejar que el sentido común opusiera resistencia. Se imaginaba conspiraciones donde no las había: se había creído el falso tópico de que las dictaduras de los estados del Este se asentaban en todo tipo de conspiraciones. ¿Qué razones tenía para desconfiar de Murniers y de Putnis? El hecho de que Baiba Liepa se presentase en su hotel vestida de la señora de la limpieza podía tener una explicación menos dramática de la que imaginaba.

El coronel Putnis le interrumpió sus pensamientos llamando a la puerta. Parecía cansado, y su sonrisa era forzada.

–Se ha suspendido el interrogatorio –empezó–. Por desgracia, el hombre no ha confesado lo que esperábamos. Cuando confirmemos los datos que nos ha proporcionado, proseguiremos.

–¿En qué se basan las sospechas?

–Hace tiempo que sabemos que Leja y Kalns colaboraban con él a menudo –aclaró Putnis–. Esperamos probar que este último año se habían dedicado al narcotráfico. El sospechoso, Hagelman, es un tipo que no dudaría en torturar o asesinar a sus colaboradores si lo considerase necesario. Naturalmente, no ha actuado solo. Estamos buscando a los otros miembros de su banda, la mayoría ciudadanos soviéticos, que, por desgracia, ya estarán en su país, pero no nos daremos por vencidos hasta atraparlos. Además, hemos encontrado varias armas a las que Hagelman ha tenido acceso. Estamos investigando si las balas que mataron a Leja y Kalns se corresponden con alguna de ellas.

–¿Dónde encaja la muerte del mayor Liepa? –preguntó Wallander.

–No lo sabemos –contestó Putnis–, pero fue un asesinato premeditado, una ejecución. Ni siquiera le habían robado. Tenemos que suponer que está relacionado con su trabajo.

–¿Puede ser que el mayor Liepa llevara una doble vida? –preguntó Wallander.

Putnis esbozó una sonrisa cansada.

–Vivimos en un país donde el control de los ciudadanos raya en la perfección –contestó–, sobre todo si se trata de controlar a la policía. Si el mayor Liepa hubiese llevado una doble vida, lo habríamos sabido.

–No, si alguien le encubría –dijo Wallander.

Putnis le miró asombrado.

–¿Quién iba a encubrirle? –preguntó.

–No lo sé. Sólo pensaba en voz alta. Me temo que no es un pensamiento muy inteligente.

Putnis se levantó de la silla para marcharse.

–Había pensado en invitarle a cenar a mi casa esta noche, pero, por desgracia, no podrá ser, ya que quiero continuar el interrogatorio con el sospechoso. Tal vez al coronel Murniers se le ocurra hacerlo. Es muy poco cortés por nuestra parte dejarle solo en una ciudad que no conoce.

–El hotel Latvia es excelente –replicó Wallander–. Además, tenía pensado hacer una recopilación de todos los datos referentes a la muerte del mayor Liepa, lo que probablemente me lleve toda la noche.

Putnis asintió con la cabeza.

–Mañana por la noche quiero que venga a vernos a mi

familia y a mí –le ordenó–. Mi esposa Ausma es una estupenda cocinera.

–Con mucho gusto, será un placer.

Putnis se fue, y Wallander llamó al timbre. Quería abandonar la comisaría antes de que a Murniers se le ocurriese invitarle a cenar a su casa o a un restaurante.

–Me voy al hotel –le informó al sargento Zids cuando apareció en la puerta–. Tengo trabajo pendiente que quisiera acabar esta noche en mi habitación. Puede pasar a recogerme mañana a las ocho.

Cuando el sargento le dejó en el hotel, Wallander compró unas postales y unos sellos en la recepción. Además, pidió un mapa de la ciudad; como el que le ofrecieron era muy poco detallado, le enseñaron el camino hasta una librería cercana.

Wallander miró a su alrededor: por ninguna parte vio a nadie que tomara el té o leyera el periódico.

«Siguen ahí», pensó. «Reaparecerán dentro de dos días, y a los dos siguientes desaparecerán de nuevo. Pretenden que dude de la existencia de las sombras.»

Salió del hotel en busca de la librería. Había anochecido y el aguanieve había mojado las aceras de unas calles que a aquellas horas aparecían repletas de gente. A veces, Wallander se detenía para mirar los escaparates, cuya variedad de productos era escasa y muy similar. Cuando llegó a la librería miró de reojo por si veía a alguien que detuviera el paso bruscamente.

Un señor mayor, que no sabía ni una palabra de inglés y se dirigía en letón a Wallander como si éste pudiera entenderle, le vendió un mapa de la ciudad. Wallander regresó al hotel. En algún lugar, no sabía concretar si por detrás o por delante de él, había una sombra que no podía ver. Decidió preguntar al día siguiente a uno de los coroneles por qué le vigilaban. «Lo haré con amabilidad, sin sarcasmo ni irritación», pensó.

En la recepción preguntó si alguien le había llamado, y el conserje negó con la cabeza. «*No calls, mister Wallander. No calls at all.*»

Subió a la habitación y se sentó a escribir postales. Apartó el escritorio de la ventana porque había corriente de aire. El motivo de la postal que enviaba a Björk era la catedral de Riga. Por allí, en algún lugar, vivía Baiba Liepa, y fue allí donde una voz al teléfono hizo salir al mayor una noche. «¿Quién llamó, Baiba? El señor Eckers está en su habitación esperando una respuesta.»

Escribió a Björk, a Linda y a su padre. No sabía qué hacer con la última postal que le quedaba, y finalmente se decidió a enviar un saludo a su hermana Kristina.

Eran las siete de la tarde. Llenó la bañera con agua tibia, se sirvió una copa de whisky, entornó los ojos y se puso a pensar en todo lo ocurrido desde el principio.

El bote salvavidas, los dos cadáveres y el extraño abrazo. Hizo un esfuerzo por vislumbrar algo nuevo: a menudo Rydberg le había hablado de la capacidad de ver lo *invisible*, de descubrir lo anómalo en lo aparentemente normal. Repasó todos los acontecimientos metódicamente. ¿Dónde se hallaba la clave que hasta ahora se le había pasado por alto?

Tras el baño, se sentó al escritorio y apuntó todo lo que recordaba. Ahora estaba seguro de que los dos coroneles iban por buen camino: todo apuntaba a que los dos hombres del bote salvavidas fueron víctimas de un ajuste de cuentas. El hecho de que les dispararan sin llevar puestas las chaquetas para luego arrojarlos al bote no era relevante. Ya no sostenía la hipótesis de que los autores del crimen querían que encontraran los cadáveres. «¿Por qué robaron el bote salvavidas?», escribió luego. «¿Quién lo hizo? ¿Cómo llegaron tan pronto a Suecia? ¿El robo fue perpetrado por suecos o por letones residentes en Suecia encargados de

138

allanar el terreno?» Continuó con el examen. Asesinaron al mayor Liepa la misma noche que volvió de Suecia, lo que indicaba que el propósito era silenciarlo. «¿Qué sabía el mayor Liepa?», escribió. «¿Por qué me han presentado una investigación tan dudosa en la que es del todo imposible determinar el lugar del crimen?»

Releyó todos sus apuntes y continuó: «Baiba Liepa», escribió, «¿qué es lo que sabe que no quiere revelárselo a la policía?» Apartó los apuntes y se sirvió otra copa de whisky. Eran casi las nueve de la noche cuando sintió que tenía hambre. Levantó el auricular para ver si funcionaba el teléfono. Luego bajó a la recepción e informó de que estaría en el comedor. Echó una ojeada al vestíbulo: no vio a sus vigilantes por ninguna parte. En el comedor volvieron a asignarle la misma mesa. «Tal vez haya un micrófono escondido en el cenicero», pensó con ironía. «O tal vez haya un hombre debajo de la mesa tomándome el pulso.» Bebió media botella de vino armenio y comió pollo hervido con patatas. Cada vez que se abrían las puertas giratorias de la recepción, pensaba que era el conserje que venía a avisarle de que tenía una llamada. Tomó una copa de coñac con el café mientras recorría con la mirada el comedor. Esa noche la mayoría de las mesas estaban ocupadas: en un rincón había unos rusos, y en torno a una mesa alargada un grupo de alemanes junto con sus anfitriones letones. Eran cerca de las once cuando pagó la irrisoria cuenta. Por un instante le pasó por la cabeza visitar el club nocturno; finalmente tomó la decisión de subir andando hasta el piso quince.

Al poner la llave en la cerradura oyó que sonaba el teléfono de su habitación. Profirió una palabrota, abrió la puerta de golpe y descolgó con brusquedad.

–¿Puedo hablar con el señor Eckers? –preguntó un hombre cuya pronunciación en inglés era muy mala.

Wallander contestó según lo indicado: que no había ningún señor Eckers.

–Debe de haber una equivocación.

El hombre se disculpó y colgó. «Utilice la puerta de atrás.»

Se puso el abrigo y se encasquetó el gorro de lana, pero más tarde se arrepintió y lo guardó en el bolsillo. Al llegar a la recepción hizo cuanto pudo para que no le vieran. El grupo alemán salía del comedor cuando él comenzaba a acercarse a las puertas giratorias. Bajó rápidamente las escaleras que daban a la sauna del hotel y al pasillo que acababa en la rampa de carga del restaurante. La puerta de acero gris era tal y como la había descrito Baiba Liepa. La abrió con cuidado, y notó el frío viento de la noche golpearle en la cara. Se dirigió a tientas por la rampa hasta llegar a la parte posterior del hotel.

Unas cuantas farolas iluminaban la estrecha calle. Cerró la puerta y se adentró en las sombras. Tan sólo se divisaba a un anciano que paseaba a su perro. Wallander esperó inmóvil en la oscuridad, pero no aparecía nadie. El hombre aguardó pacientemente a que el perro terminara de hacer sus necesidades contra el contenedor de basura, y cuando pasó por delante de Wallander, le dijo que le siguiera cuando hubiese doblado la esquina. Mientras esperaba, oyó el traqueteo de un tranvía a lo lejos. Como ya no nevaba, el frío era más intenso, y Wallander se puso otra vez el gorro de lana. El hombre desapareció por la esquina y Wallander se dirigió despacio en la misma dirección. Al doblar la esquina se adentró en otra callejuela. El hombre había desaparecido. La puerta de un coche se abrió sin hacer el menor ruido junto a él.

–Señor Eckers –dijo una voz desde el interior oscuro del coche–, debemos salir de inmediato.

Se sentó en el asiento trasero a la vez que le asaltaba el pensamiento de que lo que estaba haciendo estaba mal. Y recordó el miedo repentino que había sentido esa misma mañana en el coche del sargento Zids.

Ahora lo sentía de nuevo.

9

El olor áspero a lana húmeda.

De ese modo recordaría Kurt Wallander aquel trayecto nocturno por las calles de Riga. Se había agachado e introducido en el asiento trasero, y antes de que los ojos se le acostumbraran a la oscuridad, unas manos le cubrieron la cabeza con una capucha que olía a lana. Al cabo de un rato estaba sudando y empezó a picarle la piel. Pero el miedo, la aguda impresión de que todo iba mal, desapareció en el mismo instante que entró en el coche. Una voz, que suponía pertenecía a las mismas manos que le habían puesto la capucha, intentaba calmarle.

–*We are no terrorists. We just have to be cautions.*

Reconoció la voz del teléfono, la voz que había pedido por el «señor Eckers» y que luego se disculpó por haberse equivocado de habitación. La voz tranquilizadora era del todo convincente, y se le ocurrió que era algo que las personas de los Estados del Este abocados al hundimiento tenían que aprender, ser convincentes cuando decían que no había peligro cuando en realidad sí lo había.

El coche era incómodo. Por el ruido del motor supo que era de fabricación rusa, probablemente un Lada. Aunque no pudo calcular cuántas personas había en el interior, sabía que como mínimo eran dos, porque delante de él había alguien que tosía y conducía, y el hombre que le hablaba con voz tranquilizadora estaba sentado a su lado. Bajaban el cristal de la ventanilla de cuando en cuando para dejar salir el humo del tabaco, y el aire frío le golpeaba en la cara. Por un instante le pareció sentir una suave fragancia en el coche, el perfume de Baiba Liepa, pero pronto comprendió que era fruto de su imaginación o quizá del deseo. Le resultaba imposible determinar si iban rápido o no, pero sí notó que la calzada había cambiado, por lo que dedujo que habían dejado atrás la ciudad. De cuando en cuando el coche frenaba y torcía en alguna dirección. En una ocasión, circularon por una rotonda. Intentó calcular el tiempo que pasaban en el coche, pero pronto perdió la cuenta. El viaje por fin acabó, el coche dobló una última vez y ahora traqueteaba y botaba como si fuesen por un terreno sin asfaltar. El chófer detuvo el motor, abrieron las puertas y le ayudaron a salir.

Notó el frío y el olor a pino. Le sujetaron por el brazo para que no tropezara y le hicieron subir unas escaleras. Oyó el chirrido de unas bisagras, y entró en una habitación cálida que olía a queroseno. Cuando le quitaron la capucha, se sobresaltó mucho más que cuando le taparon la cabeza. La habitación era alargada con paredes de gruesos troncos. Lo primero que pensó fue que se hallaba en una especie de cabaña de caza. Una cabeza de ciervo colgaba de una chimenea de leña; los muebles eran de madera clara, y por toda iluminación había dos lámparas de queroseno.

El hombre de la voz tranquilizadora habló de nuevo. Su cara no se parecía en nada a la que Kurt Wallander había imaginado, si es que había imaginado alguna: era bajito, enjuto, como si hubiese sufrido mucho o pasado por una huelga de hambre autoimpuesta, tenía el rostro pálido y llevaba unas gafas de carey demasiado grandes y pesadas para sus pómulos. Wallander pensó que el hombre podría tener entre veinticinco y cincuenta años. Le señaló con una sonrisa una silla, en la que Wallander se sentó.

–*Sit down, please* –dijo con su voz serena.

De la penumbra se deslizó sigilosamente un hombre con un termo y unas tazas de café. «Quizá sea el conductor», pensó Wallander. Era un hombre mayor, moreno, y casi podía asegurar que nunca sonreía. Le dieron una taza de té y luego los dos hombres se sentaron al otro lado de la mesa y el chófer subió la llama de la lámpara. Un sonido casi imperceptible llegó a los oídos de Wallander proveniente de las sombras que se extendían fuera del círculo de luz. «Hay alguien más aquí, alguien que ha estado esperando y que ha preparado el té.»

–Sólo podemos ofrecerle té –dijo el hombre de voz serena–. Pero ha cenado poco antes de que viniéramos a recogerle, señor Wallander, y tampoco vamos a retenerle mucho tiempo.

Lo que acababa de oír indignó a Wallander. Mientras había sido el «señor Eckers» se sentía como si todo lo que estaba ocurriendo en realidad no le incumbiese directamente a él, pero ahora era el «señor Wallander», y desde sus invisibles mirillas le habían estado vigilando y le habían visto cenar. El único error que habían cometido era llamarle segundos antes de que abriese la puerta de la habitación.

–Tengo muchas razones para desconfiar de ustedes. Ni siquiera sé quiénes son. ¿Dónde está Baiba Liepa, la viuda del mayor?

–Disculpe mi descortesía; mi nombre es Upitis. Puede estar usted completamente tranquilo. Le garantizo que cuando acabe nuestra conversación, volverá a su hotel.

«Upitis», se dijo Wallander. «Igual que "señor Eckers". Cualquiera que sea su nombre, no es éste.»

–No sirve de nada que me lo garantice alguien a quien no conozco –replicó Wallander–. Me raptan poniéndome una capucha en la cabeza. –¿Se decía «capucha» *hood*?–. Acepté reunirme con la señora Liepa bajo sus condiciones, ya que conocí a su marido. Supuse que quería contarme algo relacionado con la muerte del mayor Liepa que ayudaría a la policía. No sé quiénes son ustedes, por lo que tengo mis razones para desconfiar.

El hombre que decía llamarse Upitis asintió pensativo con la cabeza.

–Estoy de acuerdo con usted –replicó–, pero es imprescindible que seamos precavidos y cautos. La señora Liepa no ha podido estar esta noche con nosotros, así que voy a hablar en su nombre.

–¿Cómo puedo estar seguro de que dice la verdad? ¿Qué quieren en realidad?

–Queremos su ayuda.

–¿Por qué tienen que proporcionarme una identidad falsa y hacer que nos reunamos en un lugar secreto?

–Como ya le he dicho, es absolutamente imprescindible. Cuando lleve más tiempo en Letonia, señor Wallander, lo comprenderá.

–¿Cómo puedo ayudarles?

De nuevo oyó el sonido apenas audible proveniente de las sombras de detrás de la tenue luz de las lámparas. «Es Baiba Liepa», pensó. «No se deja ver, pero sé que está aquí a mi lado.»

–Tenga un poco de paciencia –continuó Upitis–. Déjeme empezar por explicarle lo que es Letonia en realidad.

–¿Lo cree necesario? Me figuro que Letonia es un país como otro cualquiera, aunque tengo que reconocer que no sé cuáles son los colores de su bandera.

–Es imprescindible que se lo explique, sobre todo cuando acaba de decir que nuestro país es como otro cualquiera; hay muchas cosas que tiene usted que entender sin falta.

Wallander tomó un sorbo de té tibio, e intentó penetrar en las sombras con su mirada. Por el rabillo del ojo le pareció ver una rendija de luz, como la de una puerta entreabierta.

El hombre que iba al volante, con los ojos entornados, se calentaba las manos con la taza. Wallander comprendió que la conversación se mantendría entre Upitis y él.

–¿Quiénes sois? –preguntó–. Al menos decidme esto.

–Somos letones –respondió Upitis–. Nos ha tocado nacer en una época y un país lacerados. Nuestros caminos se han cruzado y nos hemos dado cuenta de que estamos unidos en una misión que cumplir.

–¿El mayor Liepa...? –preguntó Wallander dejando en suspenso la pregunta.

–Déjeme empezar por el principio –dijo Upitis–. Antes de nada, tiene que comprender que nuestro país está al borde del derrumbe definitivo. Al igual que ocurre con nuestros otros vecinos bálticos, o con los demás países bajo el mando de la Unión Soviética, la gente intenta a toda costa reconquistar la libertad perdida durante la segunda guerra mundial. La libertad nace del caos, señor Wallander, y monstruos atroces acechan en la sombra. Creer que sólo se puede estar a favor o en contra de la libertad es un grave error, porque ésta tiene muchas caras. La población rusa trasladada aquí para que se mezclara con la gente del país y nos obligara a afrontar nuestra propia destrucción, no sólo está preocupada por que se cuestione su presencia, sino también por el temor a perder sus privilegios. La historia no conoce ningún ejemplo de nadie que haya cedido sus privilegios voluntariamente. Por eso se arman en la clandestinidad, y por eso suceden cosas como las del otoño pasado: que las fuerzas soviéticas tomen el control e instauren el estado de sitio. Creer que una nación brutalmente oprimida por una dictadura puede llegar al unísono a algo parecido a la democracia es otro grave error. Para nosotros, los letones, la libertad es algo que nos atrae, como una hermosa mujer cuyos encantos no se pueden resistir; mientras que, para otros, constituye una amenaza contra la que hay que luchar con todos los medios.

Upitis se calló, como si sus palabras también le hubiesen alterado a él.

–¿Una amenaza? –preguntó Wallander.

–Puede estallar una guerra civil en cualquier momento –aseguró Upitis–. La discusión política puede sustituirse por personas ávidas de venganza capaces de destruirlo todo en un acceso de rabia. El afán de libertad puede convertirse en un infierno de dimensiones imprevisibles. Los monstruos acechan en la sombra y los cuchillos se afilan de noche. El desenlace es tan difícil de predecir como el futuro.

Una misión que cumplir. Wallander intentó descifrar el verdadero significado de las palabras de Upitis, pero sabía de antemano que era infructuoso, ya que de la transformación que sufría Europa apenas sabía nada. En su ámbito profesional, el compromiso político nunca había estado presente: se limitaba a votar con indiferencia cuando había elecciones. Los cambios que no le afectaban directamente a él le resultaban ajenos.

—Un policía no acostumbra a perseguir monstruos —dijo titubeante en un intento por justificarse—. Me dedico a la investigación de crímenes reales perpetrados por personas reales. La única razón por la que he aceptado pasar por ser el señor Eckers es porque suponía que Baiba Liepa quería verme a solas. La policía letona me ha pedido que les ayude a encontrar el asesino del mayor Liepa, y sobre todo que investigue si su asesinato tiene alguna conexión con dos ciudadanos letones que aparecieron muertos en la costa sueca. Y ahora ustedes me piden ayuda. Tiene que haber un modo más sencillo de decirlo, sin tantos rodeos ni explicaciones políticas, de las que no entiendo nada.

—En efecto —concedió Upitis—. Lo mejor será que digamos que nos ayudamos mutuamente.

Wallander intentó recordar en vano la palabra inglesa para «enigma».

—Es demasiado confuso —afirmó—. Será mejor que me digan lo que quieren sin rodeos.

Upitis cogió un bloc de notas que estaba tras la lámpara, y del bolsillo de la vieja chaqueta desgastada sacó un lápiz.

—El mayor Liepa le visitó a usted en Suecia —dijo—. Dos

muertos de nacionalidad letona llegaron a la deriva a la costa sueca. ¿Usted colaboró con él?

–Sí; era un inspector muy eficiente.

–Pero estuvo muy pocos días en Suecia, ¿no?

–Sí.

–¿Cómo pudo saber en tan poco tiempo que era un hábil inspector?

–La meticulosidad y la experiencia se ven de inmediato.

A Wallander las preguntas le parecieron inocentes, pero, sin embargo, intuía el propósito de Upitis: tejer una red invisible. Actuaba como el hábil investigador de un crimen, que desde el principio se dirigía a una determinada meta. La aparente inocencia de las preguntas era una ilusión. «Quizá sea policía», pensó Wallander. «Tal vez no sea Baiba Liepa la que se esconde en la sombra, sino el coronel Putnis o Murniers.»

–Así pues, usted apreciaba el trabajo del mayor Liepa.

–Por supuesto. Ya se lo he dicho, ¿no?

–¿Y si dejamos al margen la experiencia y habilidad del mayor Liepa...?

–¿Cómo podría hacerlo?

–¿Qué impresión le dio como persona?

–La misma impresión que como policía. Era tranquilo, meticuloso, muy paciente, hábil e inteligente.

–El mayor Liepa tenía la misma opinión de usted, señor Wallander: que era un inspector muy hábil.

En su interior Wallander oyó un reloj de alarma: intuía vagamente que Upitis se adentraba en el terreno de las preguntas importantes al tiempo que presentía que algo iba mal. Aunque el mayor Liepa había tenido muy poco tiempo de estar en casa antes de que le asesinaran, el tal Upitis que tenía sentado enfrente tenía conocimientos detallados sobre su viaje a Suecia, información que sólo podía haber proporcionado el mayor o su esposa.

–Qué amable por su parte que apreciase mi trabajo –respondió Wallander.

–¿Tenía usted mucho trabajo los días que el mayor estuvo en Suecia?

–La investigación de un asesinato siempre es ardua.

–Es decir, que no tuvieron tiempo de verse fuera del trabajo.

–No le entiendo.

–Frecuentarse, relajarse, reír, cantar, ya sabe. He oído que a los suecos les gusta cantar.

–El mayor Liepa y yo no formamos ningún dúo, si se refiere a eso. Le invité una noche a mi casa. Eso es todo. Esa noche había una tormenta de nieve, y nos bebimos una botella de whisky y escuchamos música, y luego se fue a su hotel.

–Al mayor Liepa le encantaba la música. A menudo se quejaba de no tener tiempo para ir a los conciertos.

En su interior el reloj de alarma sonaba más fuerte. «¿Qué coño querrá saber?», pensó. «¿Quién es este Upitis? ¿Dónde está Baiba Liepa?»

–¿Puedo preguntarle qué música escucharon? –preguntó Upitis.

–Ópera, Maria Callas. Aunque no lo recuerdo muy bien, creo que era *Turandot*.

–No la conozco.

–Es una de las óperas más hermosas de Puccini.

–¿Y bebieron whisky?

–Sí.

–¿Y había una tormenta de nieve?

–Sí.

«Ahora se acerca al punto culminante», pensó Wallander. «¿Qué será lo que quiere que le diga sin que yo me dé cuenta?»

–¿Qué marca de whisky tomaron?

–JB, creo.

–El mayor Liepa bebía alcohol con mucha moderación, pero de cuando en cuando le gustaba relajarse con una copa.

–¿Ah sí?

–Era muy moderado en todos los aspectos.

–Creo que me afectó a mí más que a él, si eso es lo que quiere saber.

–Tengo la impresión de que recuerda la noche con bastante claridad, ¿verdad?

–Tan sólo escuchábamos música sentados con una copa en la mano. Conversamos y permanecimos callados. ¿Por qué no iba a recordarlo?

–¿Acaso hablaron de los dos hombres muertos que habían arribado a la costa?

–No, que yo recuerde. Más que nada, el mayor Liepa habló de Letonia, y esa misma noche, por cierto, me dijo que estaba casado.

Wallander advirtió que algo había cambiado en la habitación. Upitis le miraba con ojos inquisitivos, y el conductor había cambiado de postura imperceptiblemente en su silla. Su intuición le decía que habían llegado al punto de la conversación que Upitis pretendía. Pero ¿qué era? Para sus adentros, vio al mayor sentado en el sofá, con el sencillo vaso de duralex apoyado en la rodilla, con música de fondo.

Tenía que haber algo más, algo que justificase la creación del señor Eckers, bajo cuya identidad se escondía el inspector sueco.

–Cuando se despidió del mayor Liepa, usted le regaló un libro, ¿no?

–Le compré un libro de vistas sobre Escania. No era muy original, pero no se me ocurrió nada mejor.

–El mayor Liepa agradeció mucho el regalo.

–¿Cómo lo sabe?

–Su esposa me lo dijo.

«Estamos apartándonos», pensó Wallander. «Formula estas preguntas para alejarnos de lo que importa de verdad.»

–¿Había colaborado antes con policías de los Estados del Este?

–En una ocasión nos visitó un inspector polaco. Eso es todo.

Upitis apartó el bloc de notas en el que no había tomado ningún apunte, pero, aun así, Wallander estaba seguro de que Upitis había obtenido la respuesta que buscaba. «¿Qué es lo que debo de haber dicho?», pensó Wallander.

Wallander tomó un sorbo de té frío. «Ahora es mi turno», pensó. «Tengo que darle un giro a la conversación.»

–¿Por qué murió el mayor? –preguntó.

–El mayor Liepa estaba muy preocupado por la situación del país –dijo Upitis con tono vacilante–. Comentábamos a menudo qué podíamos hacer al respecto.

–¿Fue por eso por lo que murió?

–¿Por qué si no iban a asesinarle?

–No es ninguna respuesta, sino otra pregunta.

–Mucho nos tememos que sea eso.

–¿Quién podía tener motivos para matarle?

–Recuerde lo que le he dicho antes sobre los que temen la libertad.

–¿Los que afilan los cuchillos en la oscuridad?

Upitis asintió lentamente con la cabeza. Wallander intentó reflexionar acerca de todo lo que había escuchado.

–Si no lo he entendido mal, ustedes son una organización –dijo.

–Más bien un grupo fluctuante de personas. Una organización sería demasiado fácil de encontrar y aplastar.

–¿Qué es lo que quiere realmente?

Upitis parecía dudar, y Wallander esperaba una respuesta.

–Somos personas libres, señor Wallander, en medio de esta no libertad. Somos libres en el sentido de que tenemos la posibilidad de analizar lo que ocurre en Letonia. Tengo que añadir que la mayoría de nosotros somos intelectuales: periodistas, científicos, poetas. Tal vez seamos el núcleo de lo que podría ser el movimiento político que salve a este país de la destrucción, si estallase el caos, si la Unión So-

150

viética interviniese con la fuerza militar, si no se pudiese evitar la guerra civil.

–¿El mayor Liepa era uno de los suyos?

–Sí.

–¿Un líder?

–No tenemos líderes, señor Wallander, pero sí era un miembro importante de nuestro círculo. Desde su posición tenía una gran visión de conjunto. Creemos que fue traicionado.

–¿Traicionado?

–La policía de este país está en manos de las fuerzas de ocupación. El mayor Liepa era una excepción. Mantenía un doble juego con sus colegas, corría grandes riesgos.

Wallander reflexionó, y recordó lo que uno de los coroneles le había dicho: «Somos hábiles en vigilarnos los unos a los otros».

–¿Quiere decir que alguien del cuerpo de la policía está detrás del asesinato?

–No lo sabemos con seguridad, pero tenemos nuestras sospechas. No hay otra posibilidad.

–¿Quién puede haber sido?

–Esperamos que nos ayude a averiguarlo.

Wallander comprendió que por fin rozaba alguna pista. Recordó la dudosa investigación del lugar donde habían encontrado el cuerpo del mayor y que desde su llegada a Riga le habían estado siguiendo. De repente se le presentaba con toda lucidez una serie de maniobras ficticias conectadas entre sí.

–¿Alguno de los coroneles? –preguntó–. ¿Putnis o Murniers?

Upitis contestó sin sopesar la respuesta. Más tarde Wallander pensaría que utilizó un tono de voz triunfante al decir:

–Sospechamos del coronel Murniers.

–¿Por qué?

–Tenemos nuestras razones.

–¿Cuáles?

–El coronel Murniers siempre ha destacado como el buen ciudadano soviético que es.

–¿Es ruso? –preguntó Wallander sorprendido.

–Murniers llegó aquí durante la guerra. Su padre pertenecía al Ejército Rojo. En 1957 ingresó en la policía. Por aquel entonces era muy joven, joven y prometedor.

–¿Insinúa que ha matado a uno de sus subordinados?

–No hay otra explicación. Lo que no sabemos es si fue él quien lo hizo, puede que lo hiciera otro.

–Pero ¿por qué asesinarlo la misma noche que regresó de Suecia?

–El mayor Liepa era un hombre muy reservado –sentenció Upitis–. Nunca decía nada innecesario, algo que desgraciadamente aprendes rápido en este país. A pesar de que era íntimo amigo suyo, nunca me contaba más de lo necesario. Aprendes a no cargar a los amigos con demasiadas confianzas. Con todo, de vez en cuando se le escapaba que estaba tras la pista de algo.

–¿Por ejemplo?

–No lo sabemos.

–Tiene que saber algo.

Upitis negó con la cabeza con el semblante muy cansado. El conductor permanecía inmóvil en su silla.

–¿Cómo saben que pueden fiarse de mí? –preguntó Wallander.

–No lo sabemos, pero tenemos que correr ese riesgo. Suponemos que a un policía sueco no le interesará para nada inmiscuirse en el caos que impera en nuestro país.

«En efecto», pensó Wallander. «No me gusta que me sigan, ni tampoco que me saquen por la noche y me lleven a una apartada cabaña de caza. En realidad, lo único que deseo es irme a casa.»

–Tengo que hablar con Baiba Liepa –dijo.

Upitis asintió con la cabeza.

–Quizá mañana le llamemos y preguntemos por el señor Eckers –contestó.

–Puedo solicitar que la llamen para un interrogatorio.

Upitis negó con la cabeza.

–Habrá demasiadas personas escuchando –dijo–. Nosotros nos encargaremos de arreglarles un encuentro.

La conversación se acabó. Upitis parecía ensimismado en sus pensamientos; Wallander aprovechó la ocasión para mirar de reojo hacia las sombras: el débil haz de luz había desaparecido.

–¿Ha logrado sonsacarme la información que deseaba?

Por respuesta, Upitis esbozó una sonrisa.

–La noche que el mayor estuvo en mi casa tomando whisky y escuchando *Turandot* no dijo nada que pueda arrojar luz sobre su asesinato. Habría podido preguntármelo sin tantos rodeos.

–En nuestro país no hay atajos –dijo Upitis–. La mayoría de las veces el único camino viable y seguro son los rodeos.

Upitis apartó el bloc de notas y se levantó, y el conductor hizo lo mismo de un salto.

–Preferiría no llevar la capucha durante el camino de vuelta –dijo Wallander–. Me pica.

–Claro –contestó Upitis–. Tiene que comprender que las precauciones son por su bien.

Cuando regresaron a Riga la luna brillaba en lo alto y hacía frío. A través de la ventanilla, Wallander vio pasar las siluetas de los pueblos oscuros. Pasaron por los suburbios de Riga, por infinitas sombras de rascacielos y por calles con las farolas apagadas.

Wallander bajó del coche en el mismo lugar donde le habían recogido. Upitis le dijo que entrase por la puerta trasera del hotel. Cuando intentó abrir la puerta, vio que estaba cerrada con llave. No supo qué hacer cuando oyó que alguien la abría con cuidado desde dentro. Para su sorpresa, reconoció al hombre de la entrada del espectáculo de variedades del hotel. Le siguió por unas escaleras de incendios, y el hombre no se fue hasta que abrió la puerta de su habitación. Eran las dos y tres minutos de la noche.

La habitación estaba fría. Se sirvió un whisky en el vaso para el cepillo de dientes, se envolvió en una manta y se sentó ante el escritorio. A pesar de estar cansado, sabía que no podría irse a la cama sin antes escribir un resumen de lo que había ocurrido esa noche. El bolígrafo estaba helado. Se acercó los apuntes, bebió un sorbo de whisky y se puso a reflexionar.

«Vuelve al punto de partida», le habría aconsejado Rydberg. «Olvida las lagunas y las vaguedades. Empieza por lo que sabes seguro.»

Pero ¿qué era lo que sabía realmente? Que dos letones asesinados arriban a la costa de Ystad en un bote salvavidas yugoslavo, punto de partida sin contradicciones. Que un mayor de la policía de Riga pasa unos días en Ystad para ayudar en la investigación. Que él mismo comete el imperdonable error de no examinar minuciosamente el bote, y que más tarde lo roban. ¿Quién? Que el mayor Liepa regresa a Riga y presenta un informe a los coroneles Putnis y Murniers. Que después se va a casa y enseña a su esposa el libro que él le ha regalado. ¿De qué habla con su esposa? ¿Por qué le presenta a Upitis después de hacerse pasar por la señora de la limpieza de un hotel? ¿Por qué inventa al señor Eckers?

Wallander apuró la copa y se sirvió más whisky. Tenía las puntas de los dedos blancas de frío y se las calentó debajo de la manta.

«Busca las conexiones incluso donde creas que no las hay», solía decir Rydberg. Pero ¿había tales conexiones? El único denominador común era el mayor Liepa. Éste le había hablado de contrabando, de drogas, igual que el coronel Murniers, pero no había pruebas, sólo conjeturas.

Wallander releyó lo que había anotado al tiempo que

pensaba en lo que Upitis le había dicho. «El mayor Liepa estaba tras la pista de algo.» Pero ¿qué podía ser? ¿Uno de aquellos monstruos de los que hablaba Upitis?

Mientras reflexionaba vio mecerse la cortina por el aire que se colaba por la ventana.

«Alguien le traicionó. Sospechamos del coronel Murniers.»

¿Era posible?, se preguntó, y recordó que el año pasado un policía de Malmö mató de un disparo a sangre fría a un refugiado que solicitaba asilo político. ¿Había algo que no fuera posible?

Continuó escribiendo. «Cadáveres en un bote / drogas / mayor Liepa / coronel Murniers.» ¿Tenía algún significado esa concatenación de hechos? ¿Qué era lo que Upitis quería saber? ¿Acaso creía que el mayor Liepa descubrió algo sentado en mi sofá escuchando a Maria Callas? ¿Quería saber de qué habíamos hablado? ¿O sólo quería saber si el mayor Liepa me había hecho alguna confidencia?

Eran cerca de las tres y cuarto de la noche. Wallander estaba tan cansado que no pudo continuar. Entró en el cuarto de baño y se cepilló los dientes. Cuando se miró en el espejo vio que aún tenía la cara irritada por la capucha de lana.

¿Qué es lo que sabe Baiba Liepa? ¿Qué es lo que yo no sé ver?

Se desnudó y se metió en la cama tras poner la alarma del despertador poco antes de las siete. No pudo conciliar el sueño. Miró su reloj de pulsera: las cuatro menos cuarto. Las manecillas del despertador relucían en la oscuridad: las tres y treinta y cinco. Arregló la almohada y cerró los ojos, pero se sobresaltó. Volvió a mirar el reloj de pulsera: las cuatro menos nueve minutos. Estiró la mano y encendió la lámpara de la mesilla de noche: el despertador señalaba las cuatro menos diecinueve minutos. Se enderezó en la cama. ¿Por qué iba mal el despertador? ¿O era el reloj de pulsera? ¿Por qué no marcaban la misma hora los dos relojes? No le había ocurrido nunca. Cogió el despertador en la mano y giró las manecillas para que los dos relojes señalasen la misma hora: las cuatro menos seis minutos. Después apagó la luz y cerró los ojos. Cuando estuvo a punto de dormirse, abrió los ojos de nuevo, y permaneció inmóvil en la oscuridad pensando que eran imaginaciones suyas. Sin embargo, volvió a encender la lámpara de la mesilla de noche, se sentó en la cama y desenroscó la parte trasera del despertador.

El micrófono era del tamaño de una moneda de diez céntimos, de unos tres o cuatro milímetros de grosor. Estaba entre las dos pilas. Lo primero que pensó Wallander era que se trataba de una pelusa de polvo o de un trocito de cielo gris, pero al volver la pantalla de la lámpara y examinar el despertador, comprendió que lo que estaba encajado entre las pilas era un micrófono inalámbrico.

Permaneció un buen rato sentado con el despertador en las manos, y enroscó de nuevo la parte trasera.

Poco antes de las seis cayó en un perturbador sueño.

Dejó encendida la lámpara de la mesilla de noche.

10

Kurt Wallander se despertó furioso. Se sentía humillado y nervioso por que le hubieran colocado un micrófono en el despertador. Mientras se daba una ducha para quitarse de encima el cansancio, decidió averiguar cuanto antes por qué le vigilaban. Daba por sentado que los responsables eran los dos coroneles. Pero ¿por qué habían pedido a la policía sueca ayuda si desconfiaban de él? Podía entender lo del hombre del traje gris que le vigilaba, primero en el comedor y luego en la recepción porque así era como imaginaba la existencia en un país que aún estaba tras el telón de acero. Pero ¿entrar en su habitación y ocultar un micrófono?

A las siete y media tomó un café en el comedor. Miró a su alrededor para descubrir alguna sombra al acecho, pero no había nadie, aparte de dos japoneses conversando en voz baja a la mesa de un rincón. Poco antes de las ocho salió a la calle. El aire volvía a ser templado, primer síntoma de que se acercaba la primavera. El sargento Zids estaba junto al coche haciéndole señas. Para demostrar su enfado, Wallander permaneció callado y reservado durante todo el trayecto hasta el fortificado cuartel general de la policía. Rechazó con la mano el ofrecimiento del sargento Zids para acompañarle hasta el despacho que le habían asignado, situado en el mismo pasillo que el de Murniers. Creía que conocía el camino, pero se equivocó, y muy irritado tuvo que preguntarle cómo se iba hacia allí. Se detuvo frente a la puerta del coronel Murniers y levantó la mano para llamar, pero en el último momento cambió de idea y se dirigió a su propio despacho. Se sentía cansado para enfrentarse con Murniers. Mientras se quitaba la chaqueta, sonó el teléfono.

–Buenos días –dijo el coronel Putnis–. Espero que haya dormido bien, señor Wallander.

«Apuesto lo que sea a que sabes que no he dormido casi nada», pensó Wallander furioso. «Habréis oído por el micrófono que apenas he roncado. Seguro que ya tendrás el informe en tu mesa.»

–No puedo quejarme –respondió–. ¿Cómo va el interrogatorio?

–Me temo que no muy bien. Continuaré esta mañana. Vamos a apretar al sospechoso con unos nuevos datos que posiblemente le hagan reflexionar sobre su situación.

–Me siento muy inútil –dijo Wallander–. Me cuesta ver lo que puedo aportar aquí.

–Los buenos policías se caracterizan por ser impacientes –contestó el coronel Putnis–. Pensaba subir a verle dentro de un rato, si no tiene inconveniente.

–Aquí estaré –dijo Wallander.

Al cabo de un cuarto de hora se presentó el coronel Putnis. Le acompañaba un joven policía con dos tazas de café sobre una bandeja. Putnis, con ojeras, tenía cara de cansancio.

–Parece cansado, coronel Putnis.

–Es el aire irrespirable de la sala de interrogatorios.

–Quizá fuma demasiado.

Putnis se encogió de hombros.

–Seguramente sea eso –dijo–. He oído que los policías suecos apenas fuman. Yo no concibo vivir sin tabaco.

«¿Es que tuvo tiempo el mayor Liepa de explicarles cómo era la comisaría de Suecia, donde sólo se podía fumar en zonas especiales?», pensó Wallander.

Putnis sacó un paquete de cigarrillos del bolsillo.

–¿Me permite? –preguntó.

–Por favor. Yo no fumo, pero no me molesta el humo.

Wallander bebió un sorbo de café, cuyo regusto era amargo y muy fuerte. Putnis se mostraba muy pensativo mientras contemplaba cómo se elevaba el humo hasta el techo.

–¿Por qué me siguen? –preguntó Wallander.

Putnis le miró sorprendido.

–¿Qué ha dicho?

«Sabe cómo fingir», pensó Wallander, y notó que empezaba a irritarse.

–¿Por qué me vigilan? He advertido que han puesto una sombra tras mis pasos. ¿Creen necesario colocar un micrófono en mi despertador?

Putnis le miró.

–El micrófono del despertador ha sido un lamentable error –dijo–. Algunos de mis subordinados pecan de eficientes. Es por su propia seguridad por lo que le están vigilando.

–¿Qué puede ocurrirme?

–De eso se trata, no queremos que le pase nada. Hasta que no sepamos lo que le ocurrió al mayor Liepa, actuaremos con la máxima precaución.

–Puedo cuidar solo de mí mismo –dijo Wallander con un gesto de rechazo–. En adelante, no quiero más micrófonos; de lo contrario, regresaré a Suecia.

–Lo lamento –aseguró Putnis–. Enseguida reconvendré al responsable.

–¿Fue usted quien dio la orden?

–La de poner el micrófono no –se apresuró a responder–. Probablemente sea una iniciativa poco acertada de alguno de mis subordinados.

–El micrófono era muy pequeño –dijo Wallander–. Muy moderno. Imagino que alguien habrá estado en la habitación contigua escuchando.

Putnis asintió con la cabeza.

–Supongo que sí.

–Creí que la guerra fría había acabado –dijo Wallander.

–Cuando un sistema político sustituye a otro, siempre queda algún reducto de personas del antiguo régimen –contestó Putnis filosóficamente–. Me temo que también pueda aplicarse a la policía.

–¿Me permite preguntarle algo que no tiene nada que ver con la investigación?

La sonrisa cansada de Putnis apareció de nuevo.

–Claro, pero no estoy seguro de que pueda satisfacerle.

La exagerada amabilidad de Putnis no concordaba con la imagen que se había formado Wallander de los policías del Este, y recordó que en su primer encuentro le pareció un felino. «Un depredador sonriente», pensó. «Un depredador cortés y sonriente.»

–Tengo que admitir que no sé lo que ocurre en Letonia –empezó a decir–, pero en cambio sí sé lo que pasó aquí el otoño pasado. Carros blindados por las calles; cadáveres amontonados en las cunetas; los estragos producidos por los temidos boinas negras. He visto los restos de las barricadas que aún quedan en las calles y las perforaciones de bala en las paredes. En este país existe la voluntad de liberarse de la Unión Soviética, de acabar por fin con la ocupación, pero esa voluntad topa con una resistencia.

–Hay divergencia de opiniones al respecto –respondió Putnis.

–¿Qué actitud toma la policía respecto a esta situación?

Putnis le miró sorprendido.

–Mantenemos el orden, por supuesto –contestó.

–¿Y cómo mantienen el orden de los carros blindados?

–Lo que trato de decir es que intentamos mantener a la gente tranquila para que no sufra daños innecesarios.

–Pero el principal desorden en realidad son los carros blindados, ¿no?

Putnis apagó su cigarrillo y reflexionó antes de contestar:

–Usted y yo somos policías con un único objetivo: tomar medidas legales contra el crimen y procurar que la gente se sienta segura, aunque trabajemos bajo distintas condiciones, y eso marca la diferencia.

–Usted acaba de decir que hay divergencia de opiniones. ¿Ocurre lo mismo en el cuerpo de policía?

–Sé que los policías de Occidente son funcionarios apolíticos, y que al cuerpo policial no debe importarle el partido que gobierna. En principio, se aplica lo mismo entre nosotros.

–Pero si aquí sólo existe un partido.

–Ya no. Últimamente han surgido nuevas organizaciones políticas.

Wallander comprendió que Putnis evitaba un enfrentamiento directo con él, por lo que decidió ir derecho al grano:

–¿Qué opina usted? –preguntó.

–¿Acerca de qué?

–De la independencia, de la liberación.

–Un coronel del cuerpo de policía letón no debe pronunciarse al respecto, al menos no ante un desconocido.

–No creo que aquí haya micrófonos –insistió Wallander–. Lo que me responda quedará entre nosotros. Además, pronto regresaré a Suecia, y no voy a proclamar a los cuatro vientos lo que usted me diga en confianza.

Putnis le miró fijamente antes de contestar.

–Confío en usted, señor Wallander. Déjeme decirle que simpatizo con lo que está ocurriendo en este país y en nuestros países vecinos, y en la Unión Soviética. Pero mucho me temo que no todos mis colegas compartan esta opinión.

«Como el coronel Murniers, aunque no quiera reconocerlo», pensó Wallander.

El coronel Putnis se levantó de la silla.

–Aunque la conversación es muy fructífera, el deber me reclama: un tipo desagradable en la sala de interrogatorios. En realidad sólo vine a decirle que mi esposa Ausma quiere saber si le va bien aplazar para mañana la cena. Me había olvidado por completo de que ella tenía otro compromiso para esta noche.

–Por supuesto –contestó Wallander.

–El coronel Murniers desea que se ponga en contacto con él cuanto antes. Quiere hablarle sobre los puntos en los que hay que centrar la investigación a partir de ahora. Por supuesto, si hay alguna novedad en el interrogatorio, le avisaré.

Putnis salió del despacho y Wallander releyó los apuntes que había tomado tras regresar de la cabaña. «Sospechamos del coronel Murniers», le había dicho Upitis. «Creemos que traicionaron al mayor Liepa. No hay otra explicación.»

Se puso al lado de la ventana y contempló los tejados de las casas. Hasta ahora nunca se había encontrado con una investigación similar. El paisaje por el que se movía estaba poblado de gente cuya forma de vida él ignoraba por completo. ¿Qué posición debía tomar? Lo mejor sería quizá que volviese a Suecia, pero al mismo tiempo no podía negar que le picaba la curiosidad. Quería saber por qué habían matado al pequeño y miope mayor Liepa. ¿Dónde estaban las dichosas conexiones? Se sentó ante el escritorio y empezó a repasar de nuevo sus anotaciones. El teléfono que tenía al lado sonó estruendosamente, y lo descolgó pensando que era Murniers.

La línea carraspeaba, y al principio sólo oyó un insoportable crujido. Al rato comprendió que era Björk el que intentaba hacerse entender en un pésimo inglés.

–¡Soy yo! Wallander –gritó.

–¡Kurt!, ¿eres tú? Apenas te oigo. Vaya mierda de líneas. ¿Me oyes?

–Sí, te oigo. No hace falta que grites.

–¿Qué dices?

–Que no grites. Habla más despacio.

–¿Cómo te va?

–Es lento. Ni siquiera sé si avanzamos.

–¿Oye?

–He dicho que va despacio. ¿Me oyes?

–Mal. Habla poco a poco, y no grites. ¿De acuerdo?

De pronto la conexión se volvió nítida y audible, como si Björk llamase desde el despacho contiguo.

–Ya te oigo mejor. Repite lo que has dicho, que no te he entendido.

–He dicho que va despacio y que ni siquiera sé si avanzamos. El coronel Putnis está desde ayer interrogando a un sospechoso, pero no sé si conseguiremos algo.

–¿Eres de alguna utilidad?

Wallander dudó un momento. Luego contestó rápido y con decisión.

–Sí –dijo–. Creo que estaría bien que siguiera aquí, siempre y cuando podáis prescindir de mí un poco más.

–No hay inconveniente; no ha ocurrido nada especial, todo está relativamente tranquilo.

–¿Habéis averiguado algo sobre el bote salvavidas?

–Nada.

–¿Hay algo más que tenga que saber? ¿Está Martinson por ahí?

–Está en casa con gripe. Hemos suspendido las investigaciones preliminares, ya que Letonia se ha hecho cargo del caso. No tenemos nada nuevo que aportar.

–¿Ha nevado?

Wallander no supo lo que contestó Björk, porque la comunicación se cortó repentinamente, como si alguien hubiera arrancado el cable telefónico. Cuando Wallander colgó, se acordó de su padre, al que aún no había llamado ni enviado las postales que había escrito. ¿No tendría que comprar algunos recuerdos de Riga? ¿Qué se lleva uno de Letonia?

Un vago sentimiento de nostalgia le distrajo un momento. Luego se tomó el café frío y se inclinó de nuevo sobre sus anotaciones. Al cabo de media hora se recostó en la chirriante silla e hizo estiramientos de espalda. Por fin le desapareció el cansancio. «Lo primero es hablar con Baiba Liepa», pensó. «De lo contrario, todo lo que me proponga serán meras suposiciones. Ella debe de poseer información de gran relevancia. Tengo que saber lo que Upitis quería con su interrogatorio anoche. Lo que esperaba oír, o lo que temía que yo supiera.»

Escribió su nombre en un papel y lo rodeó con un círculo. Tras el nombre puso un signo de admiración. Luego escribió el nombre de Murniers y colocó un signo de interrogación detrás. Recogió los papeles, se levantó y salió al pasillo. Cuando llamó a la puerta del despacho de Murniers, oyó un gruñido desde dentro. Estaba hablando por teléfono cuando entró. Le indicó que pasara y le señaló una de las incómodas sillas para las visitas. Wallander se sentó, y esperó a que acabara. Escuchaba la voz de Murniers. Era una conversación acalorada, hasta el punto de que a veces la voz del coronel se alzaba hasta cobrar forma de rugido. Wallander comprendió que aquel cuerpo hinchado y gastado todavía tenía considerables fuerzas. No entendió ni una palabra de lo que decía, pero se dio cuenta de que no hablaba en letón, porque la sonoridad del idioma era distinta. Tardó un rato en comprender que estaba hablando en ruso. La conversación acabó con una retahíla de palabras que sonaban a órdenes amenazadoras. Y luego colgó el auricular bruscamente.

–Idiotas –murmuró, y se enjugó la cara con un pañuelo.

Luego se volvió con una sonrisa a Wallander más calmado y tranquilo.

–Siempre resulta un quebradero de cabeza cuando los subordinados no hacen lo que deben. ¿Les ocurre a ustedes lo mismo en Suecia?

–Con mucha frecuencia –respondió Wallander cortésmente.

Observó con detenimiento al hombre que estaba sentado frente a él. ¿Pudo ser él quien mató al mayor Liepa? «Claro que sí», se dijo para sus adentros Wallander. Su larga carrera como policía le había enseñado que no había asesinos, sino personas que cometían asesinatos.

–He estado pensando que tendríamos que repasar el material una vez más –dijo Murniers–. Estoy convencido de que el hombre al que está interrogando el coronel Putnis está implicado de alguna manera en este asunto. Mientras tanto, tal vez juntos podamos encontrar nuevos enfoques para el caso.

Wallander decidió atacar.

–Tengo el presentimiento de que la investigación del lugar del crimen es deficiente –dijo.

Murniers enarcó las cejas.

–¿En qué sentido?

–Cuando el sargento Zids me tradujo el informe, varias cosas me llamaron la atención, por ejemplo, que no examinaran el muelle.

–¿Qué podría haberse encontrado allí?

–Marcas de coche, por ejemplo. No creo que el mayor Liepa fuera andando hasta allí.

Wallander esperó a que Murniers le comentara algo, pero como no decía nada, prosiguió:

–Tampoco se ha buscado el arma homicida. Mi impresión general es que el lugar donde encontraron el cadáver no es el lugar del crimen. En los informes que el sargento Zids me tradujo se afirma que el lugar del hallazgo y el del crimen es el mismo, pero en realidad no existen pruebas fehacientes que apoyen tal hipótesis. Además, me ha sorprendido mucho que no se haya interrogado a testigos.

–No había testigos –dijo Murniers.

–¿Cómo lo sabe?

–Hemos hablado con los guardias del puerto. Nadie vio nada. Además, Riga es una ciudad que duerme por las noches.

–Más bien me refería al barrio donde vivía el mayor Liepa. Salió tarde de casa. Alguien pudo haber oído cerrarse una puerta y tener curiosidad por saber quién salía a esas horas de la noche. Cualquier coche pudo haberse detenido.

Normalmente, si ahondas un poco, siempre aparece alguien que ha visto u oído algo.

Murniers asintió con la cabeza.

–Estamos en ello –le informó–. Ahora mismo un grupo de policías está pasando por los apartamentos del vecindario con una foto del mayor Liepa.

–¿No es un poco tarde para eso? La gente olvida deprisa. O confunden las fechas y los días. El mayor Liepa entraba y salía de su casa a diario.

–A veces esperar puede ser una ventaja –dijo Murniers–. Al propagarse el rumor de la muerte del mayor Liepa, mucha gente había visto o imaginado cosas. Esperar unos días es la manera de hacer reflexionar a la gente, separar las ideas equivocadas de las observaciones reales.

Wallander sabía que Murniers podía tener razón, pero su experiencia le decía que lo mejor era hacer dos visitas con un intervalo de pocos días.

–¿Tiene usted alguna otra pregunta? –inquirió Murniers.

–¿Cómo iba vestido el mayor Liepa?

–¿Que cómo iba vestido?

–¿Llevaba uniforme o iba vestido de civil?

–Llevaba uniforme. Le había dicho a su esposa que tenía que entrar en servicio.

–¿Qué encontraron en sus bolsillos?

–Cigarrillos, cerillas, unas cuantas monedas y un bolígrafo. Nada sospechoso. Tampoco faltaba nada. En el bolsillo superior tenía la tarjeta de identificación. La cartera se la había dejado en su casa.

–¿Llevaba el arma reglamentaria?

–El mayor Liepa prefería no llevarla, a no ser que corriera peligro.

–¿Cómo solía llegar el mayor Liepa a la comisaría?

–Tenía un chófer a su disposición, pero a menudo prefería venir andando. Dios sabe por qué.

–En el informe del interrogatorio a Baiba Liepa se dice

que ella no recuerda haber oído ningún coche detenerse en la calle.

–Claro; no tenía ningún servicio, le habían engañado.

–Pero eso él no lo sabía. Como no volvió a su casa, debió de creer que algo habría ocurrido con el coche. ¿Qué hizo entonces?

–Creemos que echó a andar, pero no estamos seguros.

A Wallander no se le ocurrieron más preguntas. La conversación que habían mantenido había acabado de convencerle de que la investigación estaba mal llevada, tan mal llevada que incluso parecía estar amañada, pero para ocultar ¿qué?

–Me gustaría visitar su casa y las calles adyacentes –dijo Wallander–. El sargento Zids puede ayudarme.

–No encontrará nada –respondió Murniers–, pero por supuesto es libre de seguir su propia iniciativa. Si ocurre algo importante en la sala de interrogatorios, haré que le avisen.

Llamó al timbre, y en el acto apareció el sargento Zids. Wallander le pidió que empezara por enseñarle la ciudad. Sentía que necesitaba distraer su cabeza antes de ocuparse de la suerte que había corrido el mayor Liepa.

El sargento Zids se alegró de poder enseñarle la ciudad. Le describió con todo lujo de detalles las calles y los parques por donde pasaron, y Wallander notó el orgullo con que hablaba. Condujeron por el largo y monótono bulevar Aspasias; a la izquierda estaba el río, donde el sargento se detuvo para señalarle el alto monumento a la libertad. Wallander intentó ver lo que representaba el gran obelisco, ya que le vinieron a la memoria las palabras de Upitis sobre la libertad tan anhelada como temida. Al pie del monumento se acurrucaban unos hombres astrosos, y Wallander vio cómo uno de ellos recogía una colilla de la calle. «Riga es una ciudad de contrastes sin misericordia», pensó. «En todo lo que veo y poco a poco creo entender descubro inmediatamente su polo opuesto. Bloques de apartamentos altos sin pintar se mezclan con ornamentadas casas en ruinas de antes de la guerra. Enormes avenidas desembocan en callejones estrechos o en inmensas plazas, el campo de pruebas de la guerra fría de cemento gris y toscos monumentos de granito.»

Cuando el sargento se detuvo ante un semáforo en rojo, Wallander observó con atención la corriente de personas que andaban por las aceras. ¿Eran felices? ¿Eran acaso distintas a los suecos? No podía discernirlo.

–Aquí tenemos el parque Verman; hay dos cines –dijo el sargento Zids–: el Spartak y el Riga. A la izquierda tenemos la avenida, y ahora estamos entrando por la calle Valdemar. Después de pasar por el puente sobre el canal de la ciudad, puede ver el Teatro Nacional a la derecha. Ahora volvemos a girar a la izquierda, hacia el muelle del 11 de Noviembre. ¿Quiere que sigamos, coronel Wallander?

–Ya es suficiente por hoy –respondió Wallander, que no se sentía en absoluto como un coronel–. Me gustaría que luego me ayudaras a comprar unos regalos, pero ahora quiero que pares cerca de la casa del mayor Liepa.

–El mejor sitio es la calle Skarnu –dijo el sargento Zids–. Está en el corazón del casco antiguo de Riga.

Detuvo el coche detrás de un maloliente camión que estaba descargando sacos de patatas. Wallander dudó un momento si llevarse consigo al sargento: sin él no podría preguntar nada, pero al mismo tiempo sentía la necesidad de estar a solas con sus observaciones y pensamientos.

–Ahí está la casa del mayor Liepa –dijo señalando un edificio encajado entre dos bloques altos que parecían sostener el edificio de en medio.

–¿Su casa da a la calle? –preguntó Wallander.

–Segundo piso. Las cuatro ventanas de la izquierda.

–Espera aquí en el coche –dijo Wallander.

Aunque era de día, no se veía mucha gente por la calle. Wallander se dirigió despacio a la casa de la que había salido el mayor Liepa la última noche de su vida. Pensó en las palabras que Rydberg pronunció una vez: que a veces un policía debe ser como un actor; que tiene que afrontar lo desconocido con arrojo; meterse en la piel del criminal o de la víctima e imaginarse los pensamientos y los patrones de conducta. Wallander se acercó al portal exterior y lo abrió. Las escaleras estaban a oscuras y notó el agrio olor a orines. Cuando soltó la puerta, ésta se cerró con un débil clic.

Nunca pudo saber de dónde le vino la inspiración, pero al observar fijamente las escaleras oscuras, de pronto le pareció entender el sentido de todo. Fue como una breve ráfaga de luz que se apagó en el acto, por lo que era preciso que recordara todo lo que había intuido. «El asunto debía de venir de lejos», pensó. Cuando el mayor Liepa llegó a Suecia, ya debían de haber ocurrido cosas. El bote salvavidas que descubrió la viuda de Forsell en la playa de Mossby Strand era otro eslabón de una gran conspiración, una conexión que el mayor Liepa perseguía, y precisamente era eso lo que Upitis quería saber cuando le estuvo interrogando. ¿Había revelado el mayor Liepa sus sospechas? ¿Había compartido lo que sabía o lo que creía saber acerca de la conspiración que se estaba forjando en su país? Wallander comprendió con toda lucidez que se le había escapado algo de lo que debería haberse dado cuenta. Si Upitis tenía razón, si el mayor Liepa había sido traicionado por uno de los suyos, tal vez por el coronel Murniers, ¿no sería lógico que otros se hicieran la misma pregunta?: «¿Qué es lo que realmente sabe el inspector sueco Kurt Wallander?». ¿Acaso el mayor Liepa compartió sus conocimientos o sus sospechas con él?

Wallander comprendió que la sensación de miedo que le había asaltado en Riga en diferentes ocasiones era una señal de advertencia. Quizá debería ser más cauto a partir de ahora. No cabía ninguna duda de que los que estaban detrás de los asesinatos de los dos hombres del bote salvavidas y del mayor Liepa no dudarían en matar de nuevo.

Cruzó la calle y echó una mirada a las ventanas. «Baiba Liepa debe de saberlo», pensó. «Pero ¿por qué no vino ella misma a la cabaña? ¿Acaso también la vigilaban? ¿Es ésa la razón de que me hayan convertido en el señor Eckers? ¿Por qué hablé con Upitis? ¿Quién es Upitis? ¿Quién estuvo escuchando detrás de la puerta a la pálida luz de una lámpara?»

«Capacidad de identificación», pensó. En este momento, Rydberg se dedicaría a dar rienda suelta a su imaginación: «El mayor Liepa vuelve de Suecia. Presenta su informe a los coroneles Putnis y Murniers. Luego se dirige a su casa. Algo relacionado con sus pesquisas en Suecia le sentencia a muerte. Cena con su esposa y le enseña el libro que Wallander, el inspector sueco, le ha regalado. Está contento de estar otra vez en casa, no sospecha que será la última noche de su vida. Al morir, su viuda se pone en contacto con el inspector sueco, se inventa al señor Eckers, y un tal Upitis le interroga para descubrir lo que sabe o lo que ignora. Instan al inspector sueco a que les ayude, sin precisar cómo. Lo que parece claro es que el crimen está relacionado con el desorden político del país, y que el centro neurálgico es el mayor Liepa. Por tanto, existe otro eslabón que hay que añadir a los anteriores: la política. ¿Habló de ello el mayor con su esposa la última noche de su vida? Poco antes de las once, suena el teléfono. Nadie sabe quién llama, pero el mayor Liepa no parece sospechar que haya sido sentenciado a muerte. Dice a su esposa que tiene servicio de noche y abandona la casa. Y nunca más regresa.

»No apareció ningún coche», pensó Wallander. «Espera unos minutos. Todavía no sospecha nada. Al cabo de un rato piensa que probablemente el coche se haya estropeado, y decide ir a pie.»

Wallander sacó el mapa de Riga del bolsillo y echó a andar.

El sargento Zids le observaba desde el coche. «¿A quién

presentará su informe?», pensó Wallander. «¿Al coronel Murniers?»

«La voz que llamó por teléfono y le hizo salir de noche tenía que ser de su confianza», pensó Wallander. «Seguro que el mayor Liepa no sospechaba nada. ¡Tenía motivos para desconfiar de todo el mundo! ¿En quién confiaba en realidad?»

La respuesta era obvia: en Baiba Liepa, su esposa.

Wallander comprendió que no iba a avanzar más con un mapa en la mano. Los que recogieron al mayor –porque debían de ser más de uno– la última noche de su vida, lo hicieron con absoluta precisión. Wallander tendría que ir tras otras pistas para avanzar en la investigación.

De vuelta al coche, donde Zids le esperaba, le extrañó que no hubiera ningún informe por escrito sobre el viaje del mayor a Suecia. Wallander había visto con sus propios ojos cómo tomaba notas sin cesar todos los días que permaneció en Ystad, y en varias ocasiones le comentó la importancia de los informes redactados de inmediato con todo lujo de detalles. La memoria oral no era suficiente para un policía que trabajaba con tanta meticulosidad.

Aun así, el sargento Zids no le tradujo ningún informe por escrito del mayor Liepa. Putnis o Murniers se habían limitado a informarle de viva voz acerca de su último encuentro con el mayor.

Le parecía ver al mayor Liepa ante sí: en cuanto despegó el avión de Sturup, lo más seguro es que bajara la mesita y se pusiera a redactar el informe. Habría continuado durante la espera en el aeropuerto de Arlanda y habría seguido trabajando durante el trayecto final del viaje, sobre el mar Báltico hasta Riga.

–¿El mayor Liepa no dejó ningún informe por escrito sobre su trabajo en Suecia? –preguntó al sentarse en el coche.

El sargento Zids le miró sorprendido.

–¿Cómo podría haber tenido tiempo para eso?

«Sí que tuvo tiempo», pensó Wallander para sus adentros. «Ese informe tiene que estar en alguna parte, pero quizás haya alguien interesado en que no lo vea.»

–Me gustaría comprar algunos regalos en unos grandes almacenes –dijo Wallander–; después iremos a comer, pero no quiero que tengamos que quitarle la mesa a nadie.

Aparcaron delante del almacén central, donde durante una hora estuvo pululando con el sargento pegado a sus talones. Había mucha gente, pero la oferta de mercado era muy escasa. Sólo se detuvo con interés cuando llegó al departamento de libros y música. Encontró unas cuantas grabaciones de ópera con cantantes y orquestas rusas a precios muy bajos y se compró unos libros de arte igual de baratos, si bien no tenía claro a quién iba a regalárselos. Se lo entregaron todo envuelto en papel de regalo, y el sargento le condujo con gran habilidad por las diferentes cajas: todo era tan complejo que rompió a sudar.

Cuando salieron a la calle, le propuso sin rodeos que comieran en el hotel Latvia. El sargento asintió contento, como si por fin sus palabras hubiesen surtido efecto.

Wallander subió a la habitación con los paquetes, colgó la chaqueta y se lavó las manos en el cuarto de baño. Esperaba ilusamente que el teléfono sonara y que alguien preguntase por el «señor Eckers», pero no llamó nadie. Cerró con llave y bajó en el lento ascensor hasta la planta baja. Pese a estar con el sargento Zids, preguntó si había algún recado para él. El recepcionista negó con la cabeza. Echó una mirada en busca de las sombras, pero ni rastro de ellas. Mandó al sargento Zids que pasara delante, con la vana esperanza de que les indicasen una mesa distinta.

De pronto vio que una mujer, sentada detrás de un mostrador donde vendían periódicos y postales, le hacía señas con la mano. Miró a su alrededor antes de estar seguro de que se dirigía a él, y luego se acercó a ella.

–¿No quiere usted unas postales, señor Wallander? –preguntó.

–Quizá más adelante –respondió al tiempo que se preguntaba cómo sabía su nombre.

La mujer de detrás del mostrador tendría unos cincuenta años y vestía un traje gris. En un desesperado intento se había pintado los labios de color rojo intenso, y Wallander pensó que precisaba de una buena amiga que le advirtiera de que no le sentaba bien.

Le acercó unas postales.

–¿Verdad que son bonitas? –preguntó–. ¿No le apetece conocer más a fondo la realidad de nuestro país?

–Desgraciadamente no creo que tenga tiempo –respondió–. Si no, con mucho gusto hubiese hecho un viaje turístico por su país.

–¿Pero verdad que tendrá tiempo para asistir a un concierto de órgano? –insistió la mujer–. A usted le gusta la música clásica, ¿no es así, señor Wallander?

Se sobresaltó casi imperceptiblemente. ¿Cómo podía saber cuáles eran sus gustos musicales? Eso no constaba en su pasaporte.

–Hay un concierto de órgano en la iglesia de Santa Gertrudis esta noche –prosiguió–. Empieza a las siete. Le he trazado un mapa por si quiere ir.

Se lo entregó, y Wallander vio que el reverso, escrito a lápiz, rezaba: «señor Eckers».

–El concierto es gratis –dijo la mujer al ver que buscaba la cartera.

Wallander asintió con la cabeza y se metió el mapa en el bolsillo. Se llevó unas cuantas postales y se dirigió luego al comedor.

Esta vez estaba seguro de que se encontraría con Baiba Liepa.

El sargento Zids le hacía señas sentado a la mesa de siempre. Había bastante gente en el comedor, y por primera vez los camareros parecían darse prisa para atender a los clientes.

Wallander se sentó y le mostró sus postales.

—Vivimos en un país muy hermoso —dijo el sargento Zids.

«Un país desgraciado, herido y lacerado como un animal moribundo», pensó Wallander.

«Esta noche me reuniré con una de esas aves de alas rotas.»

Con Baiba Liepa.

11

A las cinco y media de la tarde Kurt Wallander salió del hotel. Pensó que si en el término de una hora no lograba deshacerse de sus vigilantes nunca lo conseguiría. Cuando se despidió del sargento Zids después de comer –se disculpó diciendo que tenía mucho que hacer y que prefería trabajar en su habitación–, dedicó el resto de la tarde a urdir un plan para librarse de sus perseguidores.

Nunca antes le habían vigilado, y raras veces se había visto implicado en el seguimiento de algún sospechoso. Intentó recordar si Rydberg se había manifestado en alguna ocasión acerca del difícil arte de seguir a alguien, pero no recordó que Rydberg hubiera dicho nada al respecto. Además, sabía que se hallaba en una situación extremadamente difícil, ya que apenas conocía las calles de Riga, y por tanto no podía planear ninguna acción sorpresa. Tendría que aprovechar la ocasión, y no tenía mucha fe en conseguirlo.

De todos modos, se sentía obligado a intentarlo. Baiba Liepa no haría tantos esfuerzos por proteger sus encuentros si no tuviese un buen motivo. Imaginaba que la viuda del mayor no era proclive a escenas dramáticas innecesarias.

Cuando salió del hotel ya había oscurecido. Dejó la llave en el mostrador de la recepción sin decir adónde iba ni cuándo iba a volver. La iglesia de Santa Gertrudis, en la que se celebraba el concierto, se hallaba cerca del hotel Latvia. Albergaba la ligera esperanza de poder escabullirse entre la gente que salía del trabajo y se dirigía a sus casas.

Fuera, notó unas ráfagas de viento. Se abrochó la chaqueta hasta el mentón y echó una mirada a su alrededor. No vio a nadie parecido a su vigilante. ¿Y si eran más de uno? En algún sitio había leído que los buenos vigilantes nunca se acercaban por detrás, sino que andaban siempre por delante de la persona a la que vigilaban. Caminaba despacio y a menudo se detenía ante algún escaparate. No se le ocurrió nada mejor que simular ser un paseante, un turista de visita en Riga, quizá con la ambición de comprar los regalos adecuados antes de marcharse. Atravesó la ancha avenida y torció por la calle de detrás del Parlamento. Estuvo casi tentado de parar un taxi y pedirle que le llevara a cualquier lugar para luego cambiar de coche, pero pensó que era un ardid demasiado fácil de descubrir para sus perseguidores. Seguro que tenían acceso a un coche y la posibilidad de trazar un mapa sabiendo dónde y con qué taxis de la ciudad había viajado.

Se detuvo ante un escaparate con una triste colección de ropa para caballero. No reconoció a ninguna de las personas que pasaban detrás de él reflejadas en el cristal. «¿Qué hago?», pensó. «Baiba, debiste explicarle al señor Eckers cómo llegar a la iglesia sin que le siguieran.» Continuó andando. Notó que tenía las manos frías y lamentó no haberse llevado los guantes.

Por una repentina inspiración, decidió entrar en una cafetería cuando pasó por delante. El local estaba lleno de humo y a rebosar de gente, y olía a cerveza, tabaco y sudor. Miró a su alrededor en busca de una mesa vacía. No quedaba ninguna, pero sí una silla libre en un rincón. Dos hombres mayores conversaban acaloradamente con unas jarras de cerveza; cuando Wallander les hizo un gesto interrogativo por la silla vacía se limitaron a asentir con la cabeza. Una camarera con manchas de sudor en las axilas le gritó algo, y él señaló una de las jarras de cerveza. No podía apartar la vista de la puerta exterior. ¿Le seguiría la sombra hasta allí? La camarera le trajo la jarra espumosa, él le extendió un billete y ella le dejó el cambio sobre la pegajosa mesa. Un hombre con una chaqueta de cuero gastada entró por la puerta. Wallander le siguió con la mirada hasta que se sentó entre un grupo de gente, que al parecer estaba esperándole con impaciencia. Wallander probó la cerveza y miró su reloj de pulsera: las seis menos cinco. Tenía que decidir lo que iba a hacer. Detrás de él estaban los lavabos, y cada vez que alguien abría la puerta, le azotaba el fuerte olor a orín. Cuando se había bebido la mitad de la cerveza se dirigió al lavabo. Una bombilla solitaria se bamboleaba en el techo, y cruzó un estrecho pasillo flanqueado por cabinas de inodoros. Fue hasta el final del pasillo porque creyó que tal vez habría una puerta trasera por donde salir, pero el pasillo acababa en una pared y un urinario. «No funcionará», pensó. «Es inútil intentarlo. ¿Cómo escapar de lo que no se ve? Por desgracia el señor Eckers acudirá acompañado al concierto de órgano.» Su incapacidad de encontrar una solución le irritó. Se puso a orinar cuando entró un hombre que se metió en una de las cabinas de inodoros y cerró la puerta tras de sí.

Wallander supo de inmediato que era alguien que había entrado después que él en el café. Tenía buena memoria para la indumentaria y las fisonomías, y comprendió en el acto que tenía que arriesgarse a un posible error. Salió deprisa del urinario y atravesó el local, que estaba lleno de humo, hasta la puerta. Una vez en la calle, miró a su alrededor en busca de las sombras, pero no detectó ninguna. Luego regresó por donde había venido, torció por una callejuela y corrió todo lo que pudo hasta salir nuevamente a la avenida. Se detuvo un autobús en una parada y logró entrar justo en el momento en que se cerraban las puertas. En la parada siguiente se bajó sin que nadie le exigiera el importe, se alejó de la amplia avenida y torció de nuevo por una de las innumerables callejuelas. A la luz de una farola, sacó el mapa para orientarse. Todavía le quedaba tiempo, por lo que decidió demorarse un rato más antes de seguir adelante. Se introdujo en un portal oscuro. Al cabo de diez minutos, no vio pasar a nadie que él juzgara una de sus sombras. A pesar de ser consciente de que aún podrían estar vigilándole, consideró que había hecho todo lo que estaba en sus manos por deshacerse de ellos.

A las siete menos nueve minutos atravesó el atrio de la iglesia, donde ya se habían congregado muchas personas. Vio un sitio libre en el extremo de una capilla lateral. Se sentó y contempló a la gente que entraba a raudales en la iglesia, y por ninguna parte vio a nadie que pudiera estar siguiéndole; pero tampoco vio a Baiba Liepa.

El estruendo del órgano le produjo un gran sobresalto, como si todo el recinto eclesiástico estallara con la potente música. Wallander recordó que de niño su padre le llevó a la iglesia y el órgano le asustó tanto que rompió a llorar. Ahora, sin embargo, encontraba sosiego en la música. «Bach no tiene patria», pensó. «Su música está en todas partes.» Wallander dejó que la música penetrase en su conciencia: «Puede que fuera Murniers quien le llamara por teléfono», pensó. «Tal vez el mayor dijo algo a su regreso que le forzó a acallarle inmediatamente. Puede que al mayor Liepa le ordenaran presentarse en comisaría. Le podían haber asesinado allí mismo.»

La sensación de que alguien le observaba le sacó de su ensimismamiento. Miró a los lados pero sólo vio caras concentradas en la música. En la nave central sólo veía espaldas y nucas. Paseó la mirada hasta llegar a la capilla lateral que estaba frente a él.

Baiba Liepa le devolvió la mirada. Estaba sentada en medio de una fila de ancianos con un gorro de piel. Hasta que no estuvo segura de que Wallander la había visto, no desvió la mirada. Durante la hora que duró el concierto evitó mirarla, pero irremediablemente se le escapaba la vista, y observó que estaba con los ojos cerrados escuchando las notas que surgían del órgano. Le embargó una sensación de irrealidad: unas semanas atrás su marido había estado sentado en el sofá de su apartamento escuchando la voz de Maria Callas en *Turandot* mientras fuera caía una tormenta de nieve. Y ahora se encontraba en una iglesia de Riga, el mayor había sido asesinado y su viuda estaba con los ojos cerrados escuchando una fuga de Bach.

«Ella tiene que saber cómo salir de aquí», pensó. «Ha sido ella quien ha elegido este lugar como punto de encuentro, no yo.»

Al finalizar el concierto, el público se levantó rápidamente y salió de la iglesia en grupos que se apretujaban. A Wallander le sorprendió aquella prisa. Era como si el concierto no hubiese existido nunca, como si el público evacuase la iglesia tras una amenaza de bomba. Perdió de vista a Baiba Liepa, y se vio arrastrado por la muchedumbre. A punto de llegar al atrio, la vio de pronto en la penumbra de la capilla lateral, y advirtió que le hacía señas; se escabulló como pudo de la corriente humana.

–Sígame –fue todo lo que le dijo.

Detrás de una capilla centenaria había una pequeña puerta lateral que abrió con una llave más grande que su mano. Salieron a un cementerio, ella miró rápidamente a su alrededor y luego apresuró el paso por entre las lápidas rotas y las cruces de hierro oxidadas. Cruzaron una verja que daba a una callejuela; un coche con las luces apagadas puso el motor en marcha con gran estruendo. Subieron al coche y esta vez Wallander estaba seguro de que se trataba de un Lada. El hombre que estaba al volante era muy joven y fumaba los mismos cigarrillos fuertes que el mayor. Baiba Liepa sonrió a Wallander, tímida e insegura, y luego enfilaron una calle –Wallander creía que era la de Valdemar–. Se dirigieron al norte, pasaron por delante del parque que Wallander había visto esa mañana con el sargento Zids, y después torcieron a la izquierda. Baiba Liepa le preguntó algo al conductor, que negó con la cabeza. Wallander se dio cuenta de que a menudo tenía la mirada fija en el espejo retrovisor. Torcieron de nuevo a la izquierda y de repente el conductor pisó a fondo el acelerador e hizo un giro brusco hasta colocarse en el carril contrario. Volvieron a pasar por delante del parque –Wallander ya estaba seguro de que era el parque Verman– y volvieron al centro de la ciudad. Baiba Liepa se inclinaba hacia delante como si le diese órdenes tácitas al conductor con el aliento. Enfilaron el bulevar Aspasias, y luego una de las tantísimas plazas solitarias de Riga, y cruzaron el río por un puente cuyo nombre Wallander ignoraba.

Se internaron en un barrio de fábricas en ruinas y viviendas tristes. El conductor redujo la velocidad, Baiba Liepa se reclinó en el asiento y Wallander entendió que por fin se habían librado de las sombras.

Minutos después el coche se detuvo frente a una casa de dos plantas medio abandonada. Baiba Liepa le hizo una señal con la cabeza a Wallander, y los dos salieron del coche. Le condujo deprisa por una verja de hierro, subieron por un sendero de grava y abrió la puerta con una llave. Wallander oyó el ruido del coche que se alejaba a sus espaldas. Entró en un recibidor que olía ligeramente a desinfectante; por toda iluminación había una débil bombilla bajo una pantalla de tela roja, y Wallander pensó que bien podrían hallarse en un club nocturno de dudosa reputación. Ella se quitó el grueso abrigo y él dejó la chaqueta encima de una silla; la siguió hasta una sala de estar, donde lo primero que atrajo su atención fue un gran crucifijo colgado de la pared. Ella encendió unas lámparas, de pronto pareció que se sentía completamente tranquila, y le hizo señas a Wallander de que se sentara.

Después, mucho tiempo después, le sorprendería no recordar nada de la habitación donde se reunió con Baiba Liepa. Lo único que le quedó grabado en la memoria fue la cruz negra de un metro de altura que colgaba entre dos ventanas, cuyas cortinas estaban cuidadosamente cerradas, y el ligero olor a desinfectante del recibidor. Pero ¿de qué color era el viejo sillón donde escuchó sentado la historia espantosa de Baiba Liepa? Nunca pudo recordarlo. En su memoria era como si hubiesen conversado en una habitación con los muebles invisibles. La cruz negra bien podía haber colgado del aire por una fuerza divina.

Ella vestía un traje chaqueta de color teja. Más tarde supo que se lo había comprado el mayor en un almacén de Ystad. Dijo que lo llevaba para honrar la memoria de su marido, y para no olvidar la traición y el asesinato de su esposo. Sólo salían de la habitación para ir al lavabo, situado a la izquierda del pasillo, o para preparar té en la cocina. Wallander fue quien habló más y quien hizo más preguntas, a las que ella respondió con voz contenida.

Lo primero que hicieron fue borrar al «señor Eckers», pues ya no hacía ninguna falta.

–¿Por qué ese nombre? –preguntó.

–Un nombre cualquiera –respondió ella–. Puede que exista o no. Me lo inventé para la ocasión. Además, era fácil de recordar. Es muy probable que encuentre a alguien con ese nombre si busca en el listín telefónico. No lo sé.

Al principio su forma de hablar le recordó a la de Upitis. Era como si necesitara dar rodeos antes de ir al grano. Como estaba acostumbrado al doble sentido de las frases, muy frecuentes por otra parte en la sociedad letona, Wallander escuchó atentamente. Sin embargo, Baiba repitió las palabras de Upitis sobre los monstruos que acechaban en las sombras y sobre la lucha irreconciliable que tenía lugar en Letonia. Le habló de la venganza y del odio, y del temor que lentamente soltaba las garras de una generación oprimida desde la segunda guerra mundial. Imaginó que ella se-

181

ría anticomunista, antisoviética, una de los simpatizantes occidentales con los que los Estados del Este, paradójicamente, siempre habían suplido a sus llamados enemigos. Aun así, no se entregó a afirmaciones sin argumentarlas con todo detalle: intentaba hacerle comprender. No quería que ignorase todo lo que había detrás, la explicación de toda una serie de acontecimientos que aún no podían abarcarse, y se dio cuenta de que no sabía nada de lo que acontecía en Europa oriental.

–Llámame Kurt –le dijo.

Pero ella negó con la cabeza, y continuó manteniendo las distancias que había establecido desde el principio. Para ella seguiría siendo el señor Wallander.

Le preguntó dónde se encontraban.

–En el apartamento de un amigo –respondió–. Para poder soportar esta situación y sobrevivir tenemos que compartirlo todo, especialmente en un país y en una época en que se nos anima a todos a pensar sólo en nosotros mismos.

–Pensaba que el comunismo era justo lo contrario –dijo–. Que lo único que se valoraba era lo que se hacía y se pensaba en común.

–Alguna vez fue así. Entonces todo era distinto. Quizá sea posible hacer renacer ese sueño en el futuro, aunque mucho me temo que los sueños muertos no puedan resucitarse, igual que ocurre con los difuntos.

–¿Qué fue lo que ocurrió realmente? –preguntó.

Al principio no supo a qué se refería, pero luego comprendió que hablaba de su marido.

–A Karlis le traicionaron y luego le asesinaron –empezó–. Se había adentrado bajo la superficie de un crimen demasiado grande y que englobaba a demasiadas personas importantes para que le dejaran continuar con vida. Sabía que estaba amenazado, pero no sospechaba que le habían descubierto como a un tránsfuga, como a un traidor dentro de la Nomenklatura.

–Cuando regresó de Suecia se fue derecho al cuartel general de la policía para entregar su informe. ¿Usted fue a recogerle al aeropuerto?

–Ni siquiera sabía que él iba a regresar ese día –respondió Baiba Liepa–. Quizás intentó ponerse en contacto conmigo, o tal vez enviase un telegrama a la policía pidiéndoles que me avisaran, pero nunca lo sabré. No me llamó hasta que estuvo de vuelta en Riga. Ni siquiera tenía comida en casa para celebrar su regreso, y un amigo mío tuvo que ofrecerme un pollo que tenía en casa. Cuando acabamos de cenar me enseñó el hermoso libro que usted le regaló.

Wallander se sintió ligeramente avergonzado porque compró el libro con prisas y sin ilusión alguna, ya que no tenía ningún valor sentimental para él. Ahora, al oír sus palabras, se sentía como si la hubiese engañado.

–El mayor debió de decirle algo cuando llegó a casa –sugirió Wallander, consciente de que su vocabulario en inglés era cada vez más pobre.

–Estaba eufórico, pero también preocupado y furioso. Pero sobre todo recuerdo que estaba contento.

–¿Qué fue lo que pasó?

–Dijo que por fin lo veía todo claro. «Ahora sí que estoy completamente seguro», repetía una y otra vez. Como sospechaba que nuestro apartamento estaba intervenido, me llevó a la cocina, abrió los grifos de agua y me lo susurró al oído. Dijo que había descubierto una conspiración de tal envergadura y tan atroz que por fin vosotros, los occidentales, os veríais obligados a ver lo que estaba ocurriendo en el Báltico.

–¿Eso fue lo que dijo? ¿Una conspiración en el Báltico? ¿No en Letonia?

–Estoy completamente segura. Solía irritarse cuando se hablaba de los tres estados como una unidad, por las grandes diferencias que existen entre ellos, pero esa noche no hablaba sólo de Letonia.

183

–¿Usó la palabra conspiración?

–Sí. Conspiración.

–¿Sabía usted lo que significaba?

–Claro. Todo el mundo sabía desde hacía tiempo que había conexiones directas entre delincuentes, políticos y policías. Se protegían los unos a los otros para posibilitar todo tipo de crímenes y compartir así los beneficios. También habían intentado sobornar a Karlis muchas veces, pero nunca aceptó dinero de nadie, puesto que eso hubiese destrozado su amor propio. Durante mucho tiempo intentó elaborar un mapa de lo que ocurría y quiénes estaban involucrados. Yo, por supuesto, estaba al corriente de todo: vivimos en una sociedad que no es más que una pura conspiración. Desde un mundo imaginario colectivo, ha crecido un monstruo, y la conspiración es la única ideología viva.

–¿Cuánto tiempo llevaba investigándolo?

–Empezó a investigar antes de que nos conociéramos, y estuvimos casados ocho años.

–¿Qué pretendía conseguir?

–Al principio, la verdad.

–¿La verdad?

–Para la posteridad, para el futuro que estaba convencido iba a llegar, en el que sería posible revelar lo que se escondía bajo la ocupación.

–O sea, que era enemigo del régimen comunista. ¿Cómo pudo llegar a ser un alto oficial de policía?

Le respondió con brusquedad, como si acabara de acusar ignominiosamente a su marido.

–¿Es que no lo entiende? ¡Precisamente era comunista! Su desespero era la traición, y su pena, la corrupción y la apatía. El sueño de una sociedad que se había convertido en una farsa.

–¿Así que llevaba una doble vida?

–No creo que pueda imaginarse lo que significa tener que aparentar año tras año lo que no eres, expresar opiniones que desprecias y defender el régimen que odias. Pero no sólo le ocurría a mi marido, sino a mí y a toda la gente de este país que se niega a perder la esperanza de un mundo diferente.

–¿Qué descubrió?

–No lo sé; desgraciadamente, no tuvimos tiempo de comentarlo. Manteníamos nuestras conversaciones más íntimas bajo el edredón, donde nadie podía oírnos.

–¿No dijo nada?

–Tenía hambre, sólo quería comer y beber vino. Creo que por fin sentía que podía relajarse unas horas y entregarse a su alegría. Si no llega a ser por que sonó el teléfono, hubiese empezado a cantar con la copa de vino en la mano.

De repente se calló, y Wallander esperó a que prosiguiera. Ni siquiera sabía si habían enterrado al mayor Liepa.

–Trate de recordar un momento –insistió–. Puede que dejara entrever algo. A menudo los que saben cosas de gran trascendencia revelan detalles inconscientemente.

Ella negó con la cabeza.

–He reflexionado sobre ello largo y tendido, y estoy segura –respondió–. Quizá tenga que ver con algo que descubrió en Suecia. Quizás en su mente por fin dedujera la conclusión de un problema crucial.

–¿Dejó algunos papeles en casa?

–Nada. Era muy cauteloso: el testimonio escrito puede ser muy peligroso.

–Y a sus amigos, ¿no les dejó nada? ¿A Upitis?

–No; lo hubiese sabido.

–¿Se fiaba de usted?

–Nos fiábamos el uno del otro.

–¿Se fiaba de alguien más?

–Confiaba en sus amigos. Sin embargo, ha de entender que las confidencias pueden volverse una carga. Estoy segura de que no confiaba tanto en nadie como en mí.

–Tengo que saberlo todo –dijo Wallander–. Cualquier

detalle que sepa sobre esta conspiración es de suma importancia.

Se quedó callada un momento antes de proseguir. Wallander notó que había empezado a sudar de tan concentrado que estaba.

–A finales de la década de los setenta, unos años antes de que nos conociéramos, ocurrió algo que le hizo abrir los ojos respecto a lo que ocurría en este país. Me lo contaba a menudo para sostener la hipótesis de que cada persona se conciencia de forma individual. Solía usar un símil que al principio no entendí: «Los gallos despiertan a algunas personas y el silencio, a otras». Ahora sé lo que quería decir. Hace más de diez años, invirtió mucho esfuerzo en la investigación de un crimen que concluyó con la detención de un culpable, un hombre que había robado innumerables iconos de nuestras iglesias, unas obras de arte irreemplazables: las sacó de contrabando de nuestro país y luego las vendió por elevadas sumas de dinero. Las pruebas eran concluyentes, y Karlis estaba seguro de que sería condenado, pero no fue así.

–¿Qué ocurrió?

–Ni siquiera tuvieron que absolverlo porque no llegaron ni a juzgarle. La investigación del caso fue sobreseída. Karlis exigió que se celebrara el juicio, pero soltaron al hombre de la prisión preventiva y todos los informes fueron declarados secreto de sumario. El superior de Karlis le ordenó que se olvidara del caso. Todavía recuerdo su nombre, Amtmanis. Karlis estaba convencido de que el tal Amtmanis había protegido al delincuente y que incluso habían compartido las ganancias. Aquel suceso le afectó mucho.

De pronto a Wallander le vino a la memoria la noche de tormenta en que el mayor Liepa estuvo sentado en el sofá de su apartamento. «Soy creyente», había manifestado entonces. «No creo en ningún Dios, pero soy creyente de todos modos.»

–¿Qué pasó después? –preguntó, interrumpiendo sus propios pensamientos.

–Yo aún no conocía a Karlis, pero supongo que sufrió una profunda crisis. Quizá pensara en huir a Occidente, o dejar el trabajo de policía. De hecho, siempre he creído que fui yo quien le convenció de que tenía que continuar con su trabajo.

–¿Cómo se conocieron?

Ella le miró inquisitivamente.

–¿Tiene eso importancia?

–No lo sé, pero tengo que preguntar para poder ayudarla.

–¿Cómo se conoce la gente? –dijo con una sonrisa melancólica–. A través de amigos. Había oído hablar de un joven oficial de policía que no era como los demás. No parecía gran cosa, pero me enamoré de él la primera noche que le conocí.

–¿Qué ocurrió después? ¿Se casaron? ¿Continuó él con su trabajo?

–Cuando nos conocimos era capitán, pero le promocionaron con una rapidez inesperada. Cada vez que subía de rango, llegaba a casa diciendo que le habían colgado otro crespón negro en sus charreteras. Seguía en busca de pruebas de una posible conexión entre la administración política del país, la policía y distintas organizaciones criminales. Había decidido elaborar un mapa de todos los contactos, y alguna vez habló de que existía un departamento invisible en Letonia cuya única misión era coordinar todos los contactos entre el hampa y los políticos y policías involucrados. Hace unos tres años le oí usar por primera vez el término «conspiración». No olvide que para entonces ya sentía que el viento comenzaba a soplar a su favor. La *Perestroika* de Moscú ya había llegado también a nosotros, y nos reuníamos cada vez más a menudo para comentar más abiertamente lo que se tenía que hacer en nuestro país.

–¿Su jefe todavía era Amtmanis?

–Amtmanis había muerto. Murniers y Putnis ya eran por entonces sus superiores más directos. Desconfiaba de los dos, ya que tenía la firme sospecha de que uno de ellos estaba inmiscuido en el meollo, y que incluso podía ser el líder de la conspiración que intentaba desenmascarar. Solía decirme que dentro de la policía había un «cóndor» y un «frailecillo», pero no sabía cuál era uno y cuál el otro.

–¿Un cóndor y un frailecillo?

–El cóndor es una especie de buitre y el frailecillo, un inocente pájaro cantor. De joven, a Karlis le interesaban mucho los pájaros, incluso había soñado con ser ornitólogo.

–¿Y no sabía quién era uno y quién era el otro? Creí que sospechaba del coronel Murniers.

–Eso ocurrió mucho después, hará unos diez meses.

–¿Qué pasó?

–Karlis iba tras la pista de una importante red de contrabando de narcóticos. Dijo que era un plan diabólico que nos mataría por partida doble.

–¿«Matarnos por partida doble»? ¿Qué quería decir con eso?

–No lo sé.

Se levantó bruscamente, como si tuviese miedo de continuar.

–Sólo puedo ofrecerle una taza de té; lo siento, pero no tengo café –dijo.

–Con mucho gusto tomaré té –respondió Wallander.

Desapareció en la cocina y Wallander valoró el tipo de preguntas que haría para proseguir. Sentía que era sincera con él, aunque todavía no sabía para qué querían su ayuda. Dudaba de su capacidad para cumplir las expectativas que tenían depositadas en él. «Sólo soy un simple policía de homicidios de Ystad», pensó. «Necesitaríais un hombre de la talla de Rydberg, pero, al igual que el mayor, Rydberg está muerto.»

Ella entró con la tetera y unas tazas en una bandeja. «Debe de haber otra persona en el apartamento. No se hierve tan rápido el agua. Estoy rodeado por doquier de vigilantes invisibles», pensó. «En este país soy incapaz de captar lo que ocurre a mi alrededor.»

Vio que parecía cansada.

—¿Cuánto tiempo podremos continuar? —preguntó.

—No mucho más. Mi casa debe de estar vigilada. No puedo ausentarme por más tiempo. Pero podemos continuar mañana por la noche en este mismo lugar.

—Mañana estoy invitado a cenar en casa del coronel Putnis.

—Entiendo. ¿Y pasado mañana?

Asintió con la cabeza, tomó un sorbo del flojo té, y siguió con las preguntas.

—A usted debió de intrigarle qué podía querer decir con eso de que los narcóticos les matarían por partida doble —continuó—. Igual que a Upitis, supongo. Lo han comentado, ¿verdad?

—Karlis dijo en una ocasión que se puede hacer chantaje con cualquier pretexto —contestó—. Al preguntarle qué quería decir, dijo que era algo que había dicho uno de los coroneles. No sé por qué lo recuerdo, quizá porque Karlis era muy reservado e introvertido en aquella época.

—¿Chantaje?

—Sí, utilizó esa palabra.

—¿Chantajear a quién?

—A nuestro país. A Letonia.

—¿Eso dijo? ¿Chantaje a todo un país?

—Sí. Si tuviese la menor duda, no lo diría.

—¿Cuál de los dos coroneles habló de chantaje?

—Creo que Murniers, pero no estoy segura.

—¿Qué opinión tenía Karlis del coronel Putnis?

—Decía que no era de los peores.

—¿Qué quería decir?

—Que obedecía la ley, que no aceptaba sobornos de cualquiera.

—Pero ¿los aceptaba?

–Todos lo hacen.

–¿Y Karlis?

–Jamás. Él era diferente.

Wallander notó que ella empezaba a inquietarse, y comprendió que las preguntas tendrían que esperar.

–Baiba –dijo; era la primera vez que usaba su nombre de pila–. Quiero que reflexiones sobre todo lo que me has contado esta noche. Pasado mañana tal vez vuelva a preguntarte lo mismo.

–Sí, no hago otra cosa.

Por un instante pensó que rompería a llorar, pero se contuvo y se levantó. Descorrió una cortina de la pared; detrás había una puerta, y la abrió.

Una joven entró en la habitación. Esbozó una fugaz sonrisa y retiró las tazas de té.

–Te presento a Inese –dijo Baiba Liepa–. Si alguien te pregunta, dirás que a quien has visitado esta noche es a ella; que la has conocido en el club nocturno del hotel Latvia y que es tu amante; que no sabes exactamente dónde vive, sólo que está al otro lado del puente; que ignoras su apellido porque sólo es tu amante en Riga por unos pocos días y supones que es una simple administrativa.

Wallander escuchaba atónito. Baiba Liepa dijo algo en letón y la chica llamada Inese se colocó frente a él.

–Fíjate bien en su cara –dijo Baiba Liepa–. Pasado mañana te recogerá ella. Ve al club nocturno después de las ocho de la noche; ella te esperará allí.

–¿Cuál será tu coartada?

–Que he ido a un concierto de órgano y luego he visitado a mi hermano.

–¿Tu hermano?

–El que conduce el coche.

–¿Por qué me encapucharon para reunirme con Upitis?

–Porque tiene más sentido común que yo. No sabíamos si podíamos confiar en ti.

–¿Y ahora lo sabéis?

–Sí –afirmó muy seria–. Confío en ti.

–¿Qué creéis que puedo hacer?

–Lo sabrás pasado mañana –dijo evasivamente–. Tenemos que darnos prisa.

El coche esperaba frente a la verja. Durante el trayecto de regreso al centro de la ciudad, Baiba permaneció callada, y Wallander creyó que estaba llorando. Cuando le dejaron cerca del hotel, le estrechó la mano y le murmuró algo ininteligible en letón. Wallander se apresuró a salir del coche, que desapareció en el acto. Pese a sentirse hambriento, se fue derecho a la habitación. Se sirvió una copa de whisky y se echó en la cama tapándose con el cubrecama.

Pensaba en Baiba Liepa.

No se desnudó, y hasta pasadas las dos de la noche no se metió en la cama. Soñó que alguien estaba a su lado, pero no era la amante que le había tocado, Inese, sino otra, cuya cara no le permitieron ver los coroneles que aparecían en el sueño.

El sargento Zids le recogió a las ocho en punto de la mañana, y a las ocho y media el coronel Murniers entró en su despacho.

–Creemos haber encontrado al asesino del mayor Liepa –afirmó.

Wallander le miró incrédulo.

–¿El hombre que el coronel Putnis ha interrogado durante dos días?

–No es ése. Será algún astuto malhechor metido en alguna parte de la trama. Pero éste es otro hombre. ¡Sígame!

Bajaron al piso inferior. Murniers abrió una puerta que daba a una antesala. En una de las paredes había un falso espejo. Murniers indicó a Wallander que se acercara.

La sala interior consistía en paredes desnudas, una mesa

y dos sillas. En una de ellas estaba sentado Upitis. Llevaba una venda sucia sobre una de las sienes. Wallander vio que llevaba la misma camisa que la noche que hablaron en la desconocida cabaña de caza.

–¿Quién es? –preguntó Wallander sin dejar de mirar a Upitis. Tenía miedo de que su nerviosismo le delatara, aunque Murniers quizá ya lo supiera.

–Un hombre al que hemos tenido bajo vigilancia durante bastante tiempo –respondió Murniers–. Un académico fracasado, poeta, coleccionista de mariposas y periodista. Bebe y habla demasiado. Estuvo unos años en la cárcel por repetidas malversaciones de fondos. Hace tiempo que sabemos que estaba involucrado en círculos delictivos. Recibimos un anónimo en el que se decía que tenía algo que ver con la muerte del mayor Liepa.

–¿Hay pruebas?

–No ha dicho nada, pero tenemos pruebas que pesan tanto como una confesión.

–¿Cómo?

–Tenemos el arma homicida.

Wallander se volvió y miró a Murniers.

–El arma homicida –repitió Murniers–. Lo mejor será que vayamos a mi despacho y que le informe sobre la detención. El coronel Putnis debe de haber llegado ya.

Wallander subió las escaleras detrás de Murniers, y oyó cómo el coronel canturreaba por lo bajo.

«Alguien me ha engañado», pensó con horror.

«Alguien me ha engañado y no tengo ni idea de quién es. No sé quién y ni siquiera por qué.»

12

Habían detenido a Upitis. Cuando la policía registró su domicilio, encontraron un viejo mazo de madera con manchas de sangre y cabellos. A Upitis le costó gran esfuerzo explicar lo que había estado haciendo la tarde y la noche que asesinaron al mayor Liepa: dijo que se había emborrachado y que había ido a ver a unos amigos, pero no recordó a quiénes. Por la mañana, Murniers envió una jauría de policías para interrogar a posibles personas que pudieran ofrecerle una coartada a Upitis, pero ninguno recordaba haberle visto ni haberle recibido ese día. Murniers mostraba una energía arrolladora, mientras que el coronel Putnis se mantenía a la expectativa.

Wallander intentaba febrilmente comprender lo que estaba ocurriendo a su alrededor. El primer pensamiento que le vino a la mente al ver a Upitis al otro lado del cristal fue que también a él le habían traicionado, pero al cabo de un rato empezó a dudar. Todavía quedaban muchos puntos oscuros. Las palabras de Baiba Liepa acerca de que vivían en una sociedad donde la conspiración era el mayor denominador común resonaban todo el tiempo en su cabeza. Aunque las sospechas del mayor Liepa hubiesen sido ciertas, y Murniers fuese un policía corrupto y tal vez también fuese el responsable de la muerte del mayor, Wallander creyó que todo el asunto empezaba a cobrar proporciones irreales. ¿Por qué iba Murniers a correr el riesgo de enviar a un inocente ante un tribunal sólo para deshacerse de él? ¿No sería el síntoma de una arrogancia irracional?

—Si es el culpable —preguntó—, ¿qué castigo recibirá?

—En este país somos tan anticuados que aplicamos la pena de muerte —contestó Putnis—. Asesinar a un alto oficial de policía es uno de los peores delitos que se pueden cometer. Imagino que se le ejecutará, y personalmente creo que es un castigo justo. ¿Usted qué opina, inspector Wallander?

No respondió nada. Saber que se encontraba en un país donde colgaban a los criminales le horrorizó tanto que por un instante se quedó sin habla.

Se dio cuenta de que Putnis estaba a la expectativa. Comprendió que los dos coroneles cazaban en distintas direcciones sin informarse el uno al otro. No habían dicho nada a Putnis sobre el soplo anónimo que había recibido Murniers. En uno de los más frenéticos ataques de actividad de éste por la mañana, Wallander se llevó a Putnis a un despacho, envió al sargento Zids a por café e intentó que Putnis le aclarara lo que estaba sucediendo. Recordó que desde el primer día había intuido gran tensión entre los dos coroneles, y ahora, en medio de la gran confusión, pensó que no tenía nada que perder por plantear su asombro ante Putnis.

—¿Realmente es el hombre que estamos buscando? —preguntó—. ¿Qué móvil pudo haber tenido? Un mazo de madera con manchas de sangre y unos cabellos. ¿Cómo pueden considerarlo una prueba sin haber analizado antes la sangre? Los cabellos pueden ser los bigotes de un gato, ¿no?

Putnis se encogió de hombros.

—Ya veremos —respondió—. Murniers parece estar seguro de lo que hace. Raras veces detiene al hombre equivocado. Es bastante más eficiente que yo. Parece que usted tiene dudas, inspector Wallander. ¿Puedo preguntarle por qué?

—No tengo dudas —contestó Wallander—. En más de una ocasión he acabado por detener a la persona menos sospechosa de todas. Sólo pregunto, nada más.

Permanecieron callados mientras se tomaban el café.

—Estaría bien que se detuviera al asesino del mayor Liepa –dijo Wallander–. Sin embargo, el tal Upitis no parece ser el líder de ningún complicado grupo de delincuentes que haya querido deshacerse de un oficial de policía.

–Quizá sea drogadicto –contestó Putnis vacilante–. Los drogadictos son capaces de cualquier cosa. Alguien le podría haber dado la orden.

–¿De matar al mayor Liepa con un mazo de madera? Con un cuchillo o una pistola, desde luego. Pero ¿con un mazo? ¿Y cómo logró llevar el cuerpo hasta el puerto?

–No lo sé, pero ya lo averiguará Murniers.

–¿Qué tal le va con el hombre que está interrogando?

–Bien, aunque de momento no ha confesado nada importante, pero ya lo hará. Estoy convencido de que estaba involucrado en el tráfico de estupefacientes en el que andaban metidos los dos cadáveres que aparecieron en Suecia. De momento estoy a la espera. Le estoy dando tiempo para que reflexione sobre su situación.

Putnis salió del despacho y Wallander se quedó inmóvil en la silla intentando formarse una idea de lo que estaba ocurriendo. Se preguntó si Baiba Liepa sabía que habían detenido a su amigo por el asesinato de su marido. Retrocedió en la memoria hasta la cabaña del bosque y comprendió que Upitis quizá temiese que Wallander supiese algo que le obligara a darle también un mazazo a él. Wallander comprendió que se derrumbaban todas las teorías y que se enfriaban todos los argumentos uno detrás de otro. Intentó juntar las piezas para aferrarse a algo que le permitiera proseguir.

Después de pasar a solas una hora en el despacho, comprendió que solamente podía hacer una cosa: regresar a Suecia. Estaba en Riga porque la policía letona había solicitado su ayuda, pero no había podido ayudarles en nada; y ahora, que al parecer ya habían detenido al autor del crimen, no le quedaban motivos para quedarse allí. Sólo podía aceptar su propia confusión, que él mismo había sido interrogado una noche por el hombre que quizá era el asesino del mayor. Había desempeñado el papel de «señor Eckers» sin conocer nada de la obra en la que supuestamente participaba. Lo más sensato sería que se fuera a casa cuanto antes y se olvidara de todo el asunto.

Pero aun así, se resistía. Tras todo el malestar y confusión que sentía, había algo más: el miedo y la rebeldía de Baiba Liepa, los ojos cansados de Upitis. Pensó que aunque existían muchas cosas en la sociedad letona que no era capaz de ver, podía ser que a la vez viera lo que otros no veían.

Así que decidió alargar su estancia unos días más. Como sintió la necesidad de hacer algo práctico, y no pasarse el día entero cavilando en su despacho, le pidió al sargento Zids, que esperaba pacientemente en el pasillo, que le trajera las investigaciones de las que el mayor Liepa se había ocupado los últimos doce meses. Al no ver ninguna posibilidad de avanzar por el momento, decidió hacer un salto atrás en el tiempo, profundizar en el pasado del mayor. Quizás encontrara algo en los archivos que le permitiera avanzar.

El sargento Zids demostró una gran diligencia, y al cabo de media hora regresó cargado con una pila de carpetas polvorientas.

Seis horas después el sargento Zids estaba afónico y se quejaba de dolor de cabeza. Ni siquiera se habían concedido una pausa para comer. Una tras otra, repasaron todas las carpetas, y el sargento Zids tradujo, aclaró, contestó a las preguntas de Wallander y continuó traduciendo. Habían llegado a la última página del último informe de la última carpeta, cuando Wallander no pudo menos de admitir su decepción. Anotó que el mayor Liepa se había dedicado el último año de su vida a la detención de un violador y a la de un atracador que había tenido en vilo a un suburbio entero de Riga; a solventar dos casos de falsificaciones de correos; y a esclarecer tres asesinatos, dos de los cuales se habían cometido en el seno de una familia. En ningún sitio encontró rastro alguno de lo que según Baiba Liepa había sido la verdadera misión de su marido. No se podía cuestionar la imagen del mayor Liepa como un investigador eficiente, tal vez a ratos puntilloso, pero eso era todo lo que Wallander sacó de los archivos. Despachó a Zids con las carpetas y pensó que lo más destacable de todo era lo que brillaba por su ausencia. «Tuvo que guardar el material de la investigación secreta en algún sitio», pensó Wallander. Carecía de sentido que lo tuviera todo almacenado en la cabeza, si bien sabía que corría el riesgo de ser descubierto. ¿Cómo podía dedicarse seriamente a una investigación, con la ambición de que fuese para la posteridad, si no legaba un «testamento»? Se exponía a que le atropellasen en la calle y que no quedase nada de su investigación. En algún lugar tenía que estar el material escrito, y alguien sabía dónde. ¿Acaso Baiba Liepa? ¿O Upitis? ¿O había alguien más en la vida del mayor que ni siquiera reveló a su propia esposa? «No es improbable del todo», argumentó. «Toda confidencia es una carga», había admitido Baiba Liepa, unas palabras que seguramente eran de su marido.

El sargento Zids volvió del archivo.

–¿Tenía el mayor Liepa más familia aparte de su mujer? –preguntó.

–No lo sé –respondió–, pero ella lo sabrá, ¿no?

Wallander no quería preguntárselo de momento a Baiba Liepa. Pensó que en adelante tendría que actuar según la norma vigente: no proporcionar informaciones ni confidencias innecesarias, sino ir a la caza por el terreno que él mismo eligiera.

–Quiero ver el expediente personal sobre el mayor Liepa –dijo.

–No tengo acceso a esa información –respondió Zids–. Sólo unas pocas personas tienen permiso para sacar material del archivo personal.

Wallander señaló el teléfono.

–Entonces llame a quienquiera que tenga ese permiso –dijo–. Diga que el inspector sueco quiere echar un vistazo al expediente personal del mayor Liepa.

Tras insistir un rato, el sargento Zids logró encontrar al coronel Murniers, que prometió sacar el expediente del mayor Liepa de inmediato. Cuarenta y cinco minutos después estaba sobre la mesa de Wallander. Tenía las tapas rojas. Lo primero que vio al abrirlo fue la cara del mayor. La fotografía era antigua, pero se sorprendió de que el aspecto del mayor apenas hubiese cambiado en diez años.

–Traduce –le ordenó a Zids.

–No me está permitido ver el contenido de estos expedientes –contestó.

–Si puedes ir a buscar la carpeta, podrás también traducir el contenido para mí, ¿verdad?

–No tengo permiso –contestó apesadumbrado.

–Te lo doy yo. Lo único que quiero que me digas es si el mayor Liepa tenía más familia aparte de su mujer. Te ordeno que luego lo olvides todo.

El sargento Zids se puso a hojear la carpeta de mala gana. A Wallander le dio la impresión de que Zids tocaba las páginas con el mismo asco que si estuviese examinando un cadáver.

El mayor Liepa tenía padre. Según el expediente, se llamaba igual que su hijo, Karlis, y era jefe de correos, ahora jubilado, residente en Ventspils. Wallander recordó el folleto que le enseñó la mujer de los labios pintados de rojo del hotel que hablaba de un viaje a la costa y a la ciudad de Ventspils. Según el expediente, el padre tenía setenta y cuatro años y era viudo. Wallander cerró la carpeta y la apartó tras contemplar la fotografía del mayor una vez más. En ese momento entró Murniers en el despacho y el sargento Zids se levantó con rapidez para apartarse lo máximo posible de la carpeta roja.

–¿Ha encontrado algo interesante? –preguntó Murniers–. ¿Algo que se nos haya escapado?

–Nada; estaba a punto de devolver la carpeta a los archivos.

El sargento cogió la carpeta roja y salió del despacho.

–¿Cómo le va con el detenido? –preguntó Wallander.

–Terminará confesando –respondió Murniers con dureza–. Estoy convencido de que es nuestro hombre, si bien el coronel Putnis parece tener sus dudas.

«Yo también tengo mis dudas», pensó Wallander. «Quizá pueda hablar de ello con Putnis esta noche para ver los diferentes puntos de vista.»

De repente decidió comenzar de inmediato su marcha solitaria para salir de la gran confusión en la que estaba inmerso. Ya no había razones para mantener los pensamientos en secreto.

«En el reino de la mentira, la media verdad es el rey», pensó. «¿Por qué decir lo que piensas cuando tienes permiso para manejar la verdad de cualquier manera?»

–Durante su estancia en Suecia, el mayor Liepa me dijo algo que me desconcierta mucho –empezó Wallander–. El sentido no está muy claro. Había bebido bastante whisky, pero insinuó su preocupación por que algunos de sus colegas no mereciesen su absoluta confianza.

Murniers no mostró ni con una mueca que las palabras de Wallander le hubiesen sorprendido.

–Había bebido –prosiguió Wallander, con un ligero malestar por tener que mentir sobre una persona muerta–, pero si no le entendí mal, sospechaba que uno de sus superiores estaba involucrado en los círculos de delincuencia del país.

–Una afirmación interesante, aun viniendo de una persona ebria –dijo Murniers pensativo–. Si usó la palabra «superiores», sólo pudo referirse al coronel Putnis o a mí.

–No mencionó ningún nombre.

–¿Indicó alguna prueba de sus sospechas?

–Habló del tráfico de estupefacientes y de las nuevas rutas de la Europa oriental. En su opinión, dicho tráfico resultaría imposible sin la protección de una persona con un alto cargo.

–Interesante –comentó Murniers–. Siempre consideré al mayor Liepa una persona extraordinariamente sensata, una persona con una moral intachable.

«Está impasible», pensó Wallander. «¿Lo estaría si el mayor Liepa hubiese estado en lo cierto?»

–¿Qué conclusiones saca usted? –preguntó Murniers.

–Ninguna en absoluto. Sólo quería mencionárselo.

–Ha hecho bien –dijo Murniers–. Explíqueselo también a mi colega, el coronel Putnis.

Murniers se fue. Wallander se puso la chaqueta y se encontró con el sargento Zids en el pasillo. Cuando regresó al hotel, se echó en la cama y durmió una hora envuelto con el cubrecama. Luego se obligó a darse una ducha rápida con agua fría y se puso el traje azul marino que se había traído de Suecia. Poco después de las siete bajó al vestíbulo, donde el sargento Zids le esperaba apoyado en el mostrador de la recepción.

El coronel Putnis vivía en el campo, a unos veinte kilómetros al sur de Riga. Durante el trayecto, Wallander se dio cuenta de que siempre viajaba por Letonia en la oscuridad. Se movía en la oscuridad y pensaba en la oscuridad. En el asiento trasero del coche, sintió una repentina nostalgia por su casa, que atribuyó a la ambigüedad de su misión. Miró fijamente el paisaje oscuro. Al día siguiente llamaría a su padre sin falta, que a su vez le preguntaría por su regreso.

«Pronto», contestaría, «muy pronto.»

El sargento Zids salió de la carretera principal y pasó por entre dos altas verjas de hierro. La entrada estaba asfaltada. El camino privado del coronel Putnis era el más cuidado que había visto durante su estancia en Letonia. El sargento Zids frenó delante de una terraza iluminada por unos focos invisibles. Wallander tuvo la sensación de haber llegado a otro país. Al salir del coche y ver que todo lo que le rodeaba ya no era oscuro, también dejó Letonia tras de sí.

El coronel Putnis le recibió en la terraza. Se había quitado el uniforme policial y vestía un traje elegante que a Wallander le recordó la ropa que llevaban los dos hombres del bote salvavidas. A su lado estaba su esposa, que era mucho más joven que él. Wallander calculó que aún no habría cumplido los treinta. Cuando se saludaron, pudo apreciar que hablaba un excelente inglés, y Wallander entró en la hermosa casa con una agradable sensación de bienestar, de esas que sólo se sienten al concluir un largo y penoso viaje. El coronel Putnis, con una copa de whisky en la mano y sin poder ocultar su orgullo, le guió por la casa. Los muebles de las habitaciones eran de importación, lo que le daba a la casa un aire ostentoso y frío.

«Seguramente sería como ellos si viviese en un país donde todo parece estar derrumbándose», pensó. Se asombró de que un coronel de la policía pudiera ganar tanto dinero para costearse esa casa. «Sobornos», pensó. «Sobornos y corrupción.» Pero rechazó de inmediato tal pensamiento. No conocía al coronel Putnis ni a su esposa Ausma. Quizá todavía quedasen fortunas familiares en Letonia, a pesar de que los gobernantes habían dispuesto de casi cincuenta años para cambiar las leyes económicas del país.

¿Qué sabía él en realidad? Nada.

Cenaron en un comedor iluminado por unos candelabros altos. En el transcurso de la conversación, se enteró de que la esposa de Putnis trabajaba en la policía, pero en otro sector. Tuvo la vaga impresión de que su trabajo implicaba muchos secretos, y rápidamente pensó que tal vez perteneciese al departamento local de la KGB letona. Putnis le hizo muchas preguntas sobre Suecia, y Wallander notó que el vino le volvía arrogante, a pesar de que intentó contenerse.

Después de la cena, Ausma desapareció en la cocina para preparar el café. Putnis sirvió el coñac en una sala amueblada con elegantes sofás de piel. Wallander pensó que nunca podría costearse unos muebles así, y tal pensamiento le volvió repentinamente agresivo. De forma confusa, se responsabilizó de ello, como si él mismo, por no protestar, hubiese contribuido a los sobornos que habían costeado la casa del coronel Putnis.

–Letonia es un país de grandes contrastes –comentó, y notó que se atrancaba con el inglés.

–¿No lo es también Suecia?

–Por supuesto, pero no resulta tan llamativo como aquí. Para un oficial de policía sueco sería impensable vivir en una casa como ésta.

El coronel Putnis extendió los brazos a modo de disculpa.

–Mi esposa y yo no somos ricos –empezó–; durante años hemos vivido con grandes estrecheces. Tengo más de cincuenta y cinco años, señor Wallander, y quiero gozar de una vejez confortable. ¿Hay algo malo en eso?

–No digo que lo sea –aclaró Wallander–. Me refería a los contrastes. Cuando conocí al mayor Liepa era la primera vez que me encontraba con una persona de los Estados bálticos y me figuré que venía de un país extremadamente pobre.

–No voy a negarle que aquí hay muchas personas pobres.

–Me gustaría saber cómo es en realidad.

El coronel Putnis le contempló con ojos inquisitivos.

–Creo que no entiendo su pregunta.

–Los sobornos, la corrupción, la conexión entre las organizaciones de delincuencia y los políticos. Me gustaría obtener la respuesta a algo que me dijo el mayor Liepa cuando estuvo en Suecia, algo que dijo cuando estaba más o menos tan bebido como lo estoy yo ahora.

El coronel Putnis le miró sonriente.

–Claro –dijo–. Se lo aclararé si puedo. Pero antes tengo que saber lo que dijo el mayor Liepa.

Wallander repitió las falsas palabras que unas horas antes le había dicho al coronel Murniers.

–Ha habido irregularidades dentro de la policía letona –respondió Putnis–. Los sueldos son muy bajos y la tentación de dejarse sobornar es grande, pero también tengo que decirle que el mayor Liepa tenía, por desgracia, cierta tendencia a exagerar la situación existente. Su honradez y celo eran por supuesto admirables, pero quizá de vez en cuando confundía los hechos con espejismos emocionales.

–¿Quiere decir que exageraba?

–Me temo que sí.

–¿Como su afirmación de que algún alto oficial de la policía estaba involucrado en actividades delictivas?

El coronel Putnis calentaba la copa de coñac con las manos.

–Se refería al coronel Murniers o a mí –dijo pensativo–. Me asombra. Una afirmación tan desafortunada como insensata.

–Aun así debe de haber una explicación, ¿verdad?

–Quizás el mayor Liepa pensara que tanto Murniers como yo tardábamos demasiado en retirarnos –dijo Putnis con una sonrisa–. A lo mejor estaba descontento porque interferíamos en su propio ascenso.

–El mayor Liepa no daba esa impresión.

Putnis asintió pensativo con la cabeza.

–Déjeme darle una posible respuesta, pero sólo entre nosotros –dijo.

–No suelo ir contando las confidencias de la gente.

–Hace unos diez años el coronel Murniers tuvo una debilidad lamentable. Le sorprendieron aceptando un soborno del director de una de nuestras fábricas textiles, a quien habían detenido como sospechoso de grandes desfalcos. El dinero que aceptó fue en compensación por haber hecho la vista gorda con uno de los compinches del director y por hacer desaparecer documentos comprometedores.

–¿Qué ocurrió después?

–Se echó tierra sobre el asunto, y el director de la empresa recibió un castigo simbólico. Un año después se convertía en director de una de las serrerías más importantes de nuestro país.

–¿Qué le sucedió a Murniers?

–Nada. Estaba muy arrepentido. En aquella época estaba totalmente agotado y, además, había pasado por un divorcio largo y muy doloroso. El politburó que vio el caso consideró que había que perdonarle. Quizás el mayor Liepa confundiera una debilidad momentánea con un defecto de carácter crónico. Eso es todo lo que puedo decirle. ¿Le sirvo un poco más de coñac?

Wallander acercó su copa. Algo le preocupaba, algo que el coronel Putnis acababa de decirle, y que también Murniers le había dicho, pero no sabía qué. En ese momento, entró Ausma con el café, y empezó a contar con entusiasmo todo lo que Wallander debía ver sin falta antes de abandonar Riga. Mientras la escuchaba, sentía que la angustia se apoderaba de él. Se había dicho algo decisivo, algo que casi pasó inadvertido, pero que de todos modos llamó su atención.

–La Puerta de Suecia –dijo Ausma–. ¿Ni siquiera ha visto nuestro monumento de cuando Suecia era una de las más temidas y mayores potencias de Europa?

–Me temo que no.

–Suecia es una gran potencia todavía hoy –continuó el coronel Putnis–. Un país pequeño, pero envidiable por su gran riqueza.

Por miedo a perder el hilo de la idea difusa que le había asaltado, Wallander se excusó y se fue al lavabo. Cerró la puerta con llave y se sentó encima del inodoro. Muchos años antes, Rydberg le había enseñado a coger al vuelo cualquier sensación que tuviera de que un dato revelador estaba ante él, pero que, por la proximidad misma, era incapaz de ver.

Luego lo supo: era algo que Murniers había dicho, y que horas después Putnis había contradicho con palabras casi idénticas.

Murniers había hablado de la sensatez del mayor Liepa, mientras que el coronel Putnis se había referido a su insensatez. Considerando lo que Putnis le había contado sobre Murniers, no era de extrañar. Sentado en la tapa del inodoro, se dio cuenta de que lo que le preocupaba era el hecho de que se había esperado lo contrario.

Baiba Liepa había asegurado que sospechaban de Murniers; y que temían que el mayor Liepa fue traicionado.

«Quizás haya pensado completamente al revés», pensó Wallander. «Quizá vea en el coronel Murniers lo que debería buscar en el coronel Putnis.» Esperaba oír lo contrario de quien hablaba de la sensatez del mayor Liepa. Intentó recordar la voz de Murniers, y de repente tuvo la sensación de que el coronel quiso decir algo más: «El mayor Liepa es una persona sensata, un policía sensato. Por tanto tiene razón».

Sopesó la idea y comprendió que había aceptado con demasiada facilidad las sospechas e informaciones que le habían llegado de segunda y tercera mano.

Tiró de la cadena y regresó al lado de su taza de café y su copa de coñac.

–Nuestras hijas –dijo Ausma enseñándole dos fotografías enmarcadas–, Alda y Lija.

–Yo también tengo una hija –contestó Wallander–. Se llama Linda.

A partir de ese momento, la conversación fluctuó sin rumbo fijo. Wallander deseaba marcharse sin parecer descortés. Cerca de la una el sargento Zids le dejó delante del hotel Latvia. Wallander se había adormilado en el asiento trasero a causa de lo que había bebido de más. Al día siguiente se despertaría cansado y con resaca.

Se quedó largo rato mirando fijamente en la oscuridad antes de dormirse.

Las caras de los dos coroneles se unían en una única imagen. De repente comprendió que no soportaría regresar a casa antes de haber hecho todo lo posible para aclarar la muerte del mayor Liepa.

«Las conexiones están ahí», pensó. «El mayor Liepa, los cadáveres del bote salvavidas, la detención de Upitis. Todo está conectado. El único que no lo ve soy yo. Y detrás de mí, al otro lado de la pared, alguien invisible escucha mi respiración. Tal vez informen de que me paso despierto mucho rato antes de dormirme. Tal vez así crean que pueden seguir el hilo de mis pensamientos.»

Un camión solitario pasó con estruendo por la calle.

Antes de dormirse, cayó en la cuenta de que llevaba seis días en Riga.

13

Cuando Kurt Wallander se despertó a la mañana siguiente, tenía resaca y se sentía tan cansado como había temido. Las sienes le retumbaban, y al lavarse los dientes pensó que estaba a punto de vomitar. Echó dos comprimidos para el dolor de cabeza en un vaso de agua mientras reconocía que atrás habían quedado los buenos tiempos en que podía tomarse unas copas de noche sin que al día siguiente tuviera que encontrarse fatal.

Se miró en el espejo y se dio cuenta de que cada día se parecía más a su padre. La resaca no sólo le hizo sentirse mal, sentir que había perdido el tiempo, sino que también le hizo percatarse de las primeras señales de envejecimiento en su pálido e hinchado rostro.

A las siete y media bajó al comedor; se tomó un café y un huevo frito. El malestar le fue desapareciendo con los primeros sorbos de café. Aprovechó la media hora que le quedaba antes de que pasara a recogerle el sargento Zids para repasar mentalmente todos los hechos. Era difícil tener una visión de conjunto de todo aquel embrollo que había empezado con la aparición de los dos cadáveres vestidos con ropa de marca en la playa de Mossby Strand. Le costó un gran esfuerzo asimilar lo que había descubierto la noche anterior: que acaso fuera el coronel Putnis y no Murniers quien desempeñaba el papel de tránsfuga invisible, pero sus pensamientos sólo le llevaban de vuelta a sus propios puntos de partida. Todo era demasiado fluctuante y confuso. Se figuraba que las investigaciones en un país como Letonia tenían unas condiciones totalmente diferentes a las de Suecia. Había un rasgo escurridizo en el estado totalitario que dificultaba la posibilidad de recoger hechos, y reunir una serie de pruebas era mucho más complicado.

«Quizá sea así en Letonia, donde lo primero es dilucidar si un crimen va a ser investigado y examinado, o si entrará en la categoría de *no crimen* que impregna toda la sociedad.»

Cuando por fin se levantó y salió en busca del sargento, que le aguardaba en el coche, pensó que tenía que buscar las explicaciones en los dos coroneles con mucho más ahínco que antes. Tal como estaba ahora, no sabía si le estaban abriendo o cerrando las puertas, para él invisibles.

Atravesaron Riga en coche, y al ver la abigarrada disposición de casas en mal estado y plazas desoladas, le invadió una extraña melancolía que hasta ahora jamás había experimentado. Se imaginó que las personas que veía esperando en las paradas de los autobuses, o apresurándose por las aceras, albergaban la misma desolación, y tal pensamiento le estremeció. De nuevo sintió nostalgia de su casa. Pero ¿qué anhelaba en realidad?

El teléfono sonó con estruendo cuando entró en el despacho, después de haber enviado al sargento Zids a por café.

–Buenos días –dijo Murniers, y Wallander notó que el sombrío coronel estaba de buen humor–. ¿Lo pasó bien anoche?

–No había comido tan bien desde que llegué a Riga –respondió Wallander–, pero me temo que bebí demasiado.

–La moderación es una virtud desconocida en nuestro país –replicó Murniers–. Tengo entendido que el éxito sueco se debe a la capacidad que tienen de vivir austeramente.

Wallander no supo qué objetar. Murniers prosiguió:

–Tengo un documento sobre mi mesa que le interesará –afirmó–. Creo que le hará olvidar que ayer tomó demasiado buen coñac.

–¿Qué clase de documento?

–La confesión de Upitis redactada y firmada esta noche.

Wallander no dijo nada.

–¿Sigue ahí? –preguntó Murniers–. Lo mejor será que venga a verme cuanto antes.

En el pasillo se topó con el sargento Zids, que venía con una taza de café. Taza en mano, se dirigió al despacho de Murniers, que estaba sentado a su escritorio, con una sonrisa melancólica. Wallander se acomodó y Murniers levantó una carpeta de documentos de la mesa.

–Aquí está la confesión de Upitis –dijo–. Será un placer traducírsela. Parece usted sorprendido.

–Sí –contestó Wallander–. ¿Fue usted quien le interrogó?

–No. El coronel Putnis ordenó al capitán Emmanuelis que se encargara del interrogatorio. Por cierto, ha superado todas las previsiones, esperamos mucho de él en un futuro.

¿Era ironía lo que se insinuaba en el tono de voz de Murniers, o la voz normal del policía cansado y desilusionado que era?

–Upitis, el alcohólico coleccionista de mariposas y poeta, ha hecho al fin una confesión completa –continuó Murniers–. Ha confesado haber asesinado al mayor Liepa la noche del veintitrés de febrero en colaboración con Bergklaus y Lapin. Los tres hombres fueron contratados para quitar de en medio al mayor Karlis Liepa. Upitis dice no saber quién está detrás, lo que con toda probabilidad sea cierto, ya que el contrato ha pasado por muchos intermediarios antes de llegar a la dirección correcta. Puesto que se trataba de un alto mando de la policía, el importe del contrato era considerable. Upitis y sus dos compinches se repartieron unos honorarios que equivalen a cien sueldos anuales de un trabajador en Letonia. El trato se cerró hace más de dos meses, o sea, mucho antes del viaje a Suecia del mayor Liepa. Al principio, la persona que pagaba no había puesto fecha. Lo que quería a toda costa era que Upitis y sus dos compinches no fallaran, pero la situación cambió de repente. Tres días antes del asesinato, o sea, mientras el mayor Liepa todavía se encontraba en Suecia, uno de los intermediarios se puso en contacto con Upitis para informarle de que el mayor Liepa tenía que ser eliminado en cuanto regresara a Riga. No dieron ninguna explicación de tan repentinas prisas, pero sí aumentaron los honorarios y pusieron un coche a disposición de Upitis. A partir de entonces, éste debía acudir dos veces al día a cierto cine de la ciudad, el Spartak, para ser más exactos. En uno de los postes negros que sostienen el toldo exterior del cine, un día habría una inscripción, lo que ustedes en Occidente llaman *graffiti*, eso significaría que el mayor Liepa tendría que ser liquidado de inmediato. La mañana que regresó de Suecia, la inscripción estaba allí, y Upitis se puso de inmediato en contacto con Bergklaus y Lapin. El intermediario que antes se había puesto en contacto con él también le informó de que harían salir de su casa al mayor Liepa avanzada la noche. Lo que sucediera después, sería asunto suyo. Al parecer, esto había causado grandes problemas a los tres asesinos. Presumieron que el mayor Liepa estaría armado, que estaría atento, y que con toda probabilidad opondría resistencia. Por tanto tendrían que atacar en cuanto saliera del portal. El riesgo de fracasar era considerable.

Murniers se calló de pronto, y miró a Wallander.

–¿Voy demasiado rápido? –preguntó.

–No, creo que le sigo bien.

–Bueno, llevaron el coche hasta la calle en la que vivía el mayor Liepa –prosiguió Murniers–. Tras desenroscar la bombilla que iluminaba el portal, se escondieron en la penumbra armados. Antes habían visitado una cervecería de mala reputación y se habían dado ánimos con una cantidad de alcohol considerable. Cuando el mayor Liepa salió por el portal, le atacaron. Upitis afirma que fue Lapin quien le golpeó en la nuca. En cuanto encontremos a Lapin y Bergklaus, suponemos que se acusarán entre sí. A diferencia de la legislación sueca, aquí podemos procesarlos a los dos, si no nos es posible distinguir al culpable directo. El mayor Liepa se desplomó en la calle, acercaron el coche y metieron el cuerpo en el asiento trasero. Camino del puerto, había vuelto en sí, por lo que Lapin volvió a propinarle un golpe en la cabeza. Upitis es de la opinión de que el mayor Liepa ya estaba muerto cuando le llevaron al muelle. Su intención era que pareciese que el mayor Liepa había sufrido un accidente, si bien el intento estaba condenado al fracaso, pero no parece que Upitis y sus compinches se esforzaran demasiado en hacer que la policía siguiera una pista falsa.

Murniers dejó caer el informe sobre la mesa.

Wallander pensó en la noche que había pasado en la cabaña, en Upitis y en sus preguntas, y en el haz de luz de la puerta, donde alguien debía de estar escuchando.

«Sospechamos que traicionaron al mayor Liepa, sospechamos del coronel Murniers.»

—¿Cómo sabían el día exacto en que el mayor volvía? —preguntó.

—Tal vez sobornaron a algún empleado de Aeroflot. Hay listas de pasajeros. Averiguaremos cómo sucedió, por supuesto.

—¿Por qué asesinaron al mayor?

—Los rumores corren con rapidez en una sociedad como la nuestra. El mayor Liepa era demasiado molesto para ciertos círculos de la delincuencia.

Wallander pensó un instante antes de formular la siguiente pregunta. Había escuchado el informe de la confesión de Upitis, y comprendió que no era cierta, y aunque estaba convencido de que todo era mentira, no podía discernir si había algo de verdad en ella. Las mentiras se solapaban entre sí, y lo que había ocurrido en realidad, las causas de lo sucedido, no podía salir a la luz.

Se dio cuenta de que no tenía más preguntas, sino vagas y confusas afirmaciones.

–Pero usted sabe que nada de lo que Upitis ha admitido en su confesión es cierto –dijo.

Murniers le miró inquisitivo.

–¿Por qué no iba a serlo?

–Por la sencilla razón de que es obvio que Upitis no ha matado al mayor Liepa. Toda la confesión ha sido inventada. O le han obligado a confesar, o ha sufrido un trastorno mental.

–¿Por qué alguien de tan dudosa reputación como Upitis no podría haber asesinado al mayor Liepa?

–Porque lo conozco –dijo Wallander–. Hablé con él. Estoy convencido de que si hay una persona en este país al que puedan descartar como sospechoso de haber matado al mayor Liepa, ése es Upitis.

El asombro con que reaccionó Murniers no podía ser fingido. «Así que no era él quien estaba escuchando en la oscuridad de la cabaña», pensó Wallander. «Pero, entonces, ¿quién? ¿Baiba Liepa? ¿El coronel Putnis?»

–¿Dice usted que conoce a Upitis?

Wallander decidió recurrir de nuevo a una media verdad, ya que se sentía obligado a proteger a Baiba Liepa.

–Vino a verme al hotel presentándose como Upitis. Cuando el coronel Putnis me lo enseñó a través del cristal disimulado tras el falso espejo de la sala de interrogatorios, enseguida le reconocí. Me dijo que era un amigo del mayor Liepa.

Murniers se había enderezado en la silla y salido de su ensimismamiento. Wallander vio que estaba muy tenso, que toda su atención se centraba en lo que acababa de decirle.

–Curioso –comentó–. Muy curioso.

–Me dijo que sospechaba que al mayor Liepa le habían asesinado sus propios compañeros de trabajo.

–¿La policía letona?

–Sí. Upitis quería que le ayudara a averiguar qué había

212

ocurrido en realidad. No tengo ni la más remota idea de cómo sabía que yo estaba en Riga.

–¿Qué más le dijo?

–Que los amigos del mayor Liepa carecían de pruebas, pero que aun así el mayor se sentía amenazado.

–Amenazado, ¿por quién?

–Por alguien de dentro de la policía, quizá por la KGB.

–¿Para qué iban a amenazarle?

–Por la misma razón que tuvo Upitis para afirmar que los círculos de delincuencia en Riga habían decidido liquidarle. Desde luego se puede ver una conexión en esto.

–¿Qué conexión?

–Que Upitis tenía razón por partida doble, a pesar de haber mentido una sola vez.

Murniers se levantó de la silla de un salto.

Wallander pensó que había ido demasiado lejos, que había traspasado todos los límites, pero, para su sorpresa, Murniers le miró suplicante.

–Esto que acaba de decirme tiene que saberlo el coronel Putnis –dijo Murniers.

–Sí –asintió Wallander–; estoy de acuerdo.

Murniers alargó el brazo para llamar por teléfono, y, a los diez minutos, entraba el coronel Putnis por la puerta. Apenas tuvo tiempo de darle las gracias por la cena, cuando Murniers se puso a contarle en un letón exaltado y forzado lo que Wallander acababa de explicarle sobre su encuentro con Upitis. Wallander pensó que, si había sido Putnis el que se había escondido en las sombras de la cabaña, enseguida lo vería en su cara, pero su rostro no reflejaba nada. Wallander no vio ninguna de las señales que había esperado. Intentó encontrar una explicación razonable a la falsa confesión de Upitis, pero todo era tan confuso y extraño que desistió.

La reacción de Putnis fue diferente a la de Murniers.

–¿Por qué no nos había contado su encuentro con el criminal Upitis? –preguntó.

Wallander no tenía respuesta, y comprendió que a ojos del coronel Putnis había agotado la confianza que tenía en él. Al mismo tiempo, Wallander se preguntaba si era una simple casualidad que hubiese estado cenando en casa del coronel la noche en que Upitis había confesado. ¿Existían acaso las casualidades en una sociedad totalitaria? ¿No había dicho Putnis que siempre prefería interrogar a sus presos a solas?

La exaltación de Putnis desapareció tan rápido como había aflorado. Sonrió de nuevo y puso su mano paternal en el hombro de Wallander.

–Upitis, el coleccionista de mariposas y poeta, es un hombre muy astuto –dijo–. Es una maniobra extremadamente refinada conducir las sospechas que recaen sobre él hacia otro, yendo a ver a un inspector sueco de visita casual en Riga, pero la confesión de Upitis es auténtica. He esperado con paciencia hasta que no ha resistido más. El asesinato del mayor Liepa está resuelto, por lo que no hay ninguna razón para que usted prolongue su estancia en Riga. Arreglaré su viaje de regreso con celeridad. Ni que decir tiene que enviaremos una nota de agradecimiento al Ministerio de Asuntos Exteriores sueco a través de nuestros canales oficiales.

Y fue en ese preciso momento, al darse cuenta de que su estancia en Letonia estaba a punto de acabar, cuando Wallander descubrió el alcance de la gran conspiración.

No sólo comprendió la magnitud y el ingenioso equilibrio de verdades y mentiras, de pistas falsas y casualidades reales, sino que también descubrió que el mayor Liepa había sido el inspector hábil y honrado que siempre había imaginado. Entendió el temor de Baiba Liepa, al igual que su rebeldía. Aunque le obligaran a regresar a su casa, sabía que tenía que verla una vez más. Se lo debía, de la misma manera que se sentía en deuda con el mayor.

–Me iré a casa, claro –aceptó–, pero me quedaré hasta mañana. Anoche me di cuenta, cuando hablé con su esposa, de que no he tenido tiempo de visitar esta bonita ciudad.

Al hablar, se había dirigido a los dos coroneles, salvo las últimas palabras que iban dirigidas a Putnis.

–El sargento Zids es un cicerone excelente –continuó–. Espero poder usar sus servicios el resto del día aunque mi trabajo haya concluido.

–Por supuesto –dijo Murniers–. ¿Por qué no celebrar que esta extraña historia se esté acercando a su resolución? Sería muy descortés por nuestra parte dejarle marchar sin hacerle algún regalo o brindar juntos.

Wallander pensó en lo que se avecinaba aquella noche; pensó en Inese, que le esperaba en el club nocturno del hotel en calidad de su amante ficticia, en que tendría que verse con Baiba Liepa.

–Hagámoslo con discreción –sugirió–. Al fin y al cabo, somos policías y no actores que celebran un estreno exitoso. Además, tengo una cita esta noche con una joven que ha prometido hacerme compañía.

Murniers sonrió y sacó una botella de vodka de uno de los cajones del escritorio.

–No vamos a impedírselo –dijo–. Y ahora brindemos.

«Tienen prisa», pensó Wallander. «No saben cómo echarme del país.»

Brindaron y Wallander alzó la copa hacia los dos coroneles al tiempo que se preguntaba si alguna vez sabría quién de los dos había firmado la sentencia de muerte del mayor. Eso era lo único de lo que aún dudaba. Lo único que no podía saber. ¿Putnis o Murniers? Ahora estaba seguro de que el mayor Liepa tenía razón, de que sus investigaciones secretas le habían conducido a una verdad que se llevó a la tumba. Si había dejado algunas anotaciones, tendría que encontrarlas Baiba Liepa si quería averiguar quién mató a su marido: Murniers o Putnis. Sólo entonces tendría la explicación de por qué Upitis, que se había autoinculpado del asesinato del mayor, había hecho la falsa confesión en un último intento desesperado, tal vez también confuso, de averiguar quién de los dos coroneles era el culpable de la muerte del mayor.

«Estoy brindando con uno de los peores criminales a los que jamás me he acercado», pensó Wallander. «Sólo que no sé quién es de los dos.»

–Mañana le acompañaremos al aeropuerto –dijo Putnis cuando acabaron con los brindis.

Wallander salió del cuartel general de la policía tras el sargento Zids con la sensación de ser un prisionero acabado de liberar. Atravesaron la ciudad mientras su cicerone le señalaba, contaba y describía con todo lujo de detalles lo que veían. Wallander miraba y asentía con la cabeza murmurando «Sí» o «Muy bonito» cuando lo encontraba pertinente, aunque sus pensamientos estaban en otro lugar: pensaba si Upitis había tenido otra opción.

¿Qué le habían susurrado al oído Murniers o Putnis?

¿Qué amenazas habían elegido para la ocasión, qué atrocidades que Wallander ni siquiera se atrevía a imaginar?

Tal vez Upitis tenía su propia Baiba, tal vez tenía hijos. Pero ¿todavía mataban a niños en un país como Letonia? ¿O era suficiente amenazar con que el futuro estaría cerrado para siempre, perdido de antemano?

¿Era así como gobernaba el estado totalitario, *cerrando* la vida?

¿Qué otra elección había tenido Upitis?

¿Acaso había salvado su propia vida, la de su familia, la de Baiba Liepa, reconociendo ser el delincuente y asesino que en realidad no era? Wallander intentó recordar lo poco que sabía de los llamados juicios ficticios, el hilo conductor de las incomprensibles injusticias cometidas a lo largo de la historia en los Estados comunistas. Upitis era un ejemplo de ello. A Wallander le parecía incomprensible que se obligase a la gente a confesar crímenes que no habían cometido:

confesar haber matado a sangre fría a su mejor amigo, la persona que tenía el mismo sueño de futuro que él.

Pensó que nunca llegaría a saberlo.

«Nunca sabré lo que pasó, y quizá sea mejor así, porque no creo que lo entendiera. Baiba Liepa, en cambio, sí lo entenderá. Alguien tiene el testamento del mayor; su investigación, aunque proscrita, sigue viva, y se esconde en algún lugar donde no sólo el espíritu del mayor la vigila.

»Lo que estoy buscando es el *guardián*, y eso es lo que tiene que saber Baiba Liepa: que en alguna parte existe un secreto que no se puede perder, y que está tan bien guardado que sólo ella puede encontrarlo y descifrarlo, porque en ella era en quien confiaba el mayor, ella era su ángel en un mundo en el que todos los demás eran ángeles caídos.»

El sargento Zids se detuvo ante una puerta en los antiguos muros de la ciudad de Riga, y Wallander comprendió que era la Puerta de Suecia de que le había hablado la esposa de Putnis. Se estremeció, y pensó que de nuevo habían bajado las temperaturas. Contempló el muro de ladrillo agrietado e intentó interpretar unas señas antiguas grabadas en la piedra, pero se rindió en el acto y volvió al coche.

–¿Continuamos? –preguntó el sargento.

–Sí, quiero ver todo lo que merezca la pena ser visto –respondió Wallander.

A Zids le gustaba conducir, y Wallander prefería la soledad del asiento trasero, el frío y la mirada inquieta del sargento en el espejo retrovisor a la habitación de su hotel. Pensó en la noche, en que era de vital importancia que no ocurriese nada que imposibilitara el encuentro con Baiba Liepa. Se le ocurrió de pronto que lo mejor sería intentar encontrarla en ese preciso momento, buscarla por la universidad, que tenía que estar en alguna parte, y contarle lo que sabía en un pasillo sin gente, pero no sabía qué asignatura impartía; ni siquiera si había más de una universidad en Riga.

También había algo que lentamente iba cobrando forma

inteligible en su mente. Los pocos y breves encuentros que había tenido con Baiba Liepa, tan volátiles e impregnados de su amargo punto de partida, significaban algo más que la simple conversación sobre la muerte repentina del mayor: una sensación que sobrepasaba con mucho lo que acostumbraba a sentir. Eso le preocupaba y en su interior retumbaban las palabras furiosas de su padre, que le reprochaba que no sólo se hubiera hecho policía, sino que, además, fuera tan estúpido como para enamorarse de la viuda de un oficial de policía letón.

¿Acaso se estaba enamorando de Baiba Liepa?

El sargento Zids pareció leerle el pensamiento, porque en ese momento extendió el brazo hacia un horroroso edificio alargado de ladrillo y le esplicó que era una parte de la Universidad de Riga. Wallander contempló el edificio lúgubre a través del cristal empañado de la ventanilla, y pensó que allí dentro, en algún lugar de aquel edificio de aspecto carcelario, estaba Baiba Liepa. Todos los edificios oficiales del país le parecían cárceles y las personas que estaban dentro, presos. Salvo el mayor y Upitis, a pesar de que éste ahora estaba preso de verdad y no solamente en un sueño perverso que tal vez nunca acabara. Pidió al sargento que regresara al hotel porque de pronto se sintió cansado, y sin saber por qué, le dijo que volviera a recogerle a las dos de la tarde.

En la recepción vio a uno de los hombres de gris que lo vigilaban, y pensó que los coroneles ya no tenían que fingir. Entró en el comedor y se sentó ostentosamente en una mesa distinta de la habitual, a pesar de que al camarero se le mudó la cara. «Puedo provocar un gran revuelo rebelándome contra el departamento estatal encargado del reparto de mesas», pensó furioso. Se dejó caer pesadamente, pidió un aguardiente y una cerveza, al tiempo que notó que le estaba volviendo uno de los forúnculos que de vez en cuando le salían en las nalgas, lo que le puso aún más furioso. Estuvo sentado en el comedor durante más de dos horas.

Cuando acabó con sus copas, indicó al camarero que las llenara de nuevo. Mientras su ebriedad iba en aumento, sus ideas iban y venían, y en un arrebato de sentimentalismo barato se imaginó que Baiba Liepa le acompañaba de regreso a Suecia. Al abandonar el comedor, no pudo menos de saludar con la mano al hombre de gris que le vigilaba desde un sofá. Se fue a su habitación, se echó en la cama y se durmió. Mucho más tarde, le pareció soñar que alguien golpeaba en la puerta, pero no era un sueño, sino el sargento que le llamaba desde el pasillo. Wallander se sobresaltó en la cama, le gritó que esperara y se lavó la cara con agua fría. Después le pidió al sargento que le llevara fuera de la ciudad, a algún bosque donde pudiera dar un paseo y prepararse para el encuentro con la amante que le conduciría a Baiba Liepa.

Tuvo frío en el bosque, notó el suelo duro bajo los pies y pensó que aquella situación era imposible.

«Vivimos en una época en la que los ratones persiguen al gato, si bien nadie sabe quién es el ratón y quién el gato», pensó. «Ésta es la época que me ha tocado vivir. ¿Cómo se puede ser policía cuando ya nada es lo que aparenta ser, cuando ya nada encaja? Ni siquiera Suecia, el país que una vez creí comprender, es la excepción a esta regla. Hace un año conducía mi coche en un estado de grave embriaguez, pero no ocurrió nada porque mis colegas me protegieron; incluso en esa situación el delincuente estrecha la mano de su perseguidor.»

Mientras caminaba por el pinar, y el sargento Zids le esperaba en algún lugar detrás de él, dentro del coche negro, decidió de pronto solicitar el trabajo como jefe de seguridad en la fábrica de caucho de Trelleborg. Había llegado a un punto en que la decisión salía por pura necesidad. Comprendió que había llegado la hora de partir, sin un gran esfuerzo de voluntad de su parte, sin dudar siquiera.

La repentina idea le puso eufórico, y volvió al coche.

Regresaron a Riga. Se despidió del sargento y fue a buscar la llave en la recepción, donde había una carta para él del coronel Putnis en la que le informaba de que su avión para Helsinki despegaría a las nueve y media del día siguiente. Subió a la habitación, tomó un baño tibio y se metió en la cama. Aún faltaban tres horas para que se encontrara con su amante, y de nuevo repasó todo lo que había sucedido hasta entonces. En sus pensamientos acompañó al mayor, intuyendo el profundo odio que debió de albergar en su corazón. Odio e impotencia por tener acceso a una cadena de pruebas y, sin embargo, no poder hacer nada. Había mirado directo al corazón oscuro de la corrupción, en la que Putnis o Murniers, o tal vez los dos, se reunían con los delincuentes, y negociaban lo que ni siquiera había logrado la mafia, una actividad criminal controlada por el Estado. Él había visto demasiadas cosas y por eso lo asesinaron. Lo único que quedaba de él en algún lugar era su testamento, su investigación y su colección de pruebas.

Wallander se enderezó en la cama.

Comprendió que había pasado por alto el legado del mayor. La suposición que él mismo había hecho no se les habría pasado por alto ni a Putnis ni a Murniers. Naturalmente, habrían llegado a la misma conclusión que él, y estarían tan deseosos como él de encontrar las pruebas que el mayor Liepa había escondido.

Una vez más sintió que le invadía el miedo: comprendió que no habría nada tan sencillo en ese país como hacer desaparecer a un inspector de la policía sueca. Se podría amañar un accidente, redactar un informe criminal como si se tratara de un juego de palabras y enviar un ataúd de zinc a Suecia junto con una nota de condolencia.

¿Sospechaban acaso que sabía demasiado?

¿O la repentina decisión de que se marchara cuanto antes a casa era señal de que se sentían seguros porque no sabía nada?

«No puedo fiarme de nadie», pensó Wallander. «Aquí estoy completamente solo y tengo que hacer como Baiba Liepa, decidir en quién confiar y asumir el riesgo de tomar una decisión equivocada. Me siento del todo desamparado, y a mi alrededor están al acecho ojos y oídos que no dudarán en mandarme por el mismo camino que al mayor.»

Sería muy arriesgado reunirse otra vez con Baiba Liepa.

Se levantó de la cama, se puso delante de la ventana y miró por los tejados. Estaba oscuro, eran cerca de las siete, y sabía que tenía que decidirse ya.

«Soy un cobarde», pensó. «No me parezco en nada al policía intrépido que desprecia la muerte y afronta los riesgos. Preferiría investigar crímenes menos sangrientos y resolver alguna estafa en cualquier rincón tranquilo de Suecia.»

Luego pensó en Baiba Liepa, en su miedo y en su rebeldía, y supo que nunca se perdonaría a sí mismo si cedía. Poco después de las ocho se puso el traje y bajó al local de variedades.

Un nuevo hombre de gris estaba sentado en el vestíbulo con un periódico, pero Wallander ni siquiera se molestó en saludarle con la mano. Aunque era bastante temprano, el oscuro local ya estaba abarrotado de gente. A tientas, se abrió paso entre las mesas, desde donde algunas mujeres le sonrieron seductoramente, hasta que al fin encontró una mesa libre. Había decidido no probar el alcohol, porque quería tener las ideas claras, pero cuando el camarero se acercó a la mesa, le pidió un whisky. El escenario para la orquesta estaba vacío; una estridente música descendía desde unos altavoces colgados del techo pintado de negro. Trató de distinguir a alguien en aquel país de ocaso lleno de humo, pero todo eran sombras y voces entremezcladas con la espantosa música.

Inese surgió de la nada y desempeñó su papel con una seguridad asombrosa. No quedaba ni rastro de la mujer tímida que había conocido días antes. Iba muy maquillada y vestía una provocativa minifalda. Wallander, que no se había preparado en absoluto para participar en aquel juego, estiró la mano para saludarla, a lo que ella no hizo ningún caso, y se inclinó sobre él y le besó.

–Aún no nos vamos –musitó–. Pídeme algo, sonríe, demuestra que te alegras de verme.

Ella bebía whisky y fumaba nerviosa, mientras que Wallander intentaba parecer un hombre de mediana edad halagado por haber atraído a una muchacha. Intentó atravesar el estruendo de los altavoces, y le explicó el largo viaje por la ciudad con el sargento como cicerone. Notó que ella se había sentado de forma estratégica para poder ver la puerta de entrada. Cuando Wallander le dijo que se marchaba al día siguiente, se sobresaltó. Se preguntó hasta qué punto estaría involucrada, si también ella era uno de «los amigos» de los que le había hablado Baiba Liepa, los amigos que formaban parte de la garantía de que el futuro del país no fuera echado a los lobos.

«Tampoco puedo confiar en ella», pensó Wallander. «Podría estar sirviendo a dos bandos a la vez, por obligación, por necesidad o desesperación.»

–Paga –ordenó–. Pronto nos iremos.

Wallander vio que se encendían las luces del escenario y unos músicos, vestidos con chaquetas de seda de color rosa, empezaban a afinar sus instrumentos. Pagó al camarero mientras ella le sonreía, fingiendo susurrar palabras de amor a su oído.

–Junto a los lavabos hay una puerta trasera que está cerrada con llave –explicó–. Dale unos golpes, y alguien te abrirá. Saldrás a un garaje. Allí hay un Moskvitch blanco con un guardabarros amarillo sobre la rueda delantera derecha. El coche está sin cerrar. Siéntate en el asiento de atrás. Yo llegaré enseguida. Y ahora, sonríeme, susúrrame algo al oído y bésame, y luego vete.

Hizo lo que le había dicho, y se levantó. Junto a los la-

222

vabos llamó a la puerta de acero, y al momento se oyó un clic en la cerradura. La gente entraba y salía de los lavabos y nadie notó que desapareció por la puerta del garaje.

«En este país parece que todo consiste en entradas y salidas secretas, y nada se hace a las claras», pensó.

El garaje era estrecho, olía a grasa y gasolina, y estaba mal iluminado. Wallander vio un camión al que le faltaba una rueda, unas bicicletas y el Moskvitch blanco. El hombre que le había abierto la puerta desapareció en el acto. Wallander tocó la puerta del coche, que estaba abierta. Se acomodó en el asiento trasero y esperó. Poco después llegó Inese con prisas. Puso el coche en marcha, las puertas del garaje se abrieron, salió del hotel y torció a la izquierda, alejándose de las calles anchas que rodeaban la manzana, cuyo punto neurálgico era el hotel Latvia. Vio que estaba pendiente del espejo retrovisor por si algún coche les seguía y dio innumerables rodeos según un mapa invisible que pronto le hizo perder la orientación. Al cabo de veinte minutos de repetidos cambios de calles, parecía estar segura de que nadie les seguía. Le pidió un cigarrillo a Wallander. Pasaron por un largo puente de hierro y desaparecieron en la aglomeración de sucias fábricas y zonas residenciales de aspecto cuartelario. Wallander no reconoció la casa cuando ella frenó y apagó el motor.

–Date prisa –dijo–. Tenemos poco tiempo.

Baiba Liepa los hizo pasar e intercambió unas rápidas palabras con Inese. Se preguntó si le habría informado de que se marchaba de Riga al día siguiente, pero lo único que hizo ella fue cogerle la chaqueta y ponerla sobre una silla. Inese se había ido, y de nuevo estaban los dos solos en la silenciosa habitación. Wallander no sabía cómo empezar, ni qué decir, y optó por lo que Rydberg tantas veces le había aconsejado: ¡Di la verdad, eso nunca va a empeorar las cosas, así que di la verdad!

Cuando le contó que Upitis había confesado ser el asesino de su marido, ella se acurrucó en el sofá como si le sobreviniese un gran dolor.

–No es verdad –susurró.

–Me han traducido su confesión –dijo Wallander–. Dice haber tenido dos cómplices.

–¡No es verdad! –gritó, y era como si un río empezara a desbordarse.

Inese apareció junto a una puerta que con toda probabilidad llevaba a la cocina, miró a Wallander y él no supo qué hacer. Se acercó al sofá y abrazó a Baiba Liepa, que temblaba por el llanto. Wallander pensó que quizá lloraba porque Upitis había cometido una traición tan terrible que sobrepasaba toda capacidad de comprensión, o bien porque estaban ahogando la verdad tras una falsa confesión forzada. Lloraba furiosa, y se agarraba a él como en un estado de conmoción.

Más adelante pensaría que en ese preciso momento traspasó definitivamente la frontera invisible y empezó a reconocer su amor por Baiba Liepa. Comprendió que el amor que experimentaba nacía de la necesidad que sentía ella por él, y se preguntó si alguna vez en la vida había sentido algo semejante.

Inese entró con dos tazas de té, acarició la cabeza de Baiba Liepa con suavidad y poco después ésta dejó de llorar. Estaba pálida.

Wallander explicó lo acontecido y que regresaba a Suecia. Le informó de toda la historia que había ensamblado, y se sorprendió de poder explicarla con tanta convicción. Para finalizar le habló del secreto que debía de existir escondido en alguna parte; ella asintió con la cabeza en señal de haber comprendido a lo que se refería.

–Sí –afirmó ella–. Tiene que haber escondido algo. Debió de hacer anotaciones. Un legado no puede consistir sólo en pensamientos.

–Pero ¿no sabes dónde?

–Nunca me dijo nada.

–¿Hay alguien que pueda saberlo?

–Nadie, sólo confiaba en mí.

–¿No vive su padre en Ventspils?

Ella le miró asombrada.

–Lo he investigado –explicó él–. Pensé que era una posibilidad.

–Quería mucho a su padre –respondió–, pero jamás le habría confiado unos documentos secretos.

–¿Dónde pudo haberlos escondido o depositado?

–En nuestra casa no; habría sido demasiado peligroso. La policía habría demolido el edificio si hubiera sospechado que estaban allí.

–Piensa un poco –insistió Wallander–. Retrocede en el tiempo, reflexiona. ¿Dónde pudo haberlos escondido?

Ella negó con la cabeza.

–No lo sé –contestó.

–Debió de imaginarse que sucedería lo que acabó pasando. Debió de dar por sentado que tú entenderías las señales que había dejado. Estarán donde sólo tú puedes imaginarlo.

De repente ella le cogió la mano.

–Tienes que ayudarme –le suplicó–; no puedes marcharte.

–No puedo quedarme –respondió–. Los coroneles no entenderán que no regrese a Suecia. ¿Y cómo puedo permanecer aquí sin que lo sepan ellos?

–Puedes volver –insistió sin dejar su mano–. Tienes una chica aquí. Puedes venir como turista.

«Pero es a ti a quien quiero, y no a Inese, mi amante ficticia», pensó.

–Tienes una chica aquí –repitió.

Asintió con la cabeza. Claro que tenía una chica en Riga, pero no era Inese.

No respondió y ella no le exigió que lo hiciera. Parecía convencida de que él volvería. Inese entró en la habitación. A Baiba Liepa se le había pasado la conmoción que había sufrido al saber que Upitis había confesado algo que no era verdad.

–En nuestro país te expones a la muerte si hablas demasiado, si callas o si dices cosas equivocadas, o si hablas con las personas con las que no debes –dijo–. Upitis es fuerte. Sabe que no le vamos a abandonar. Sabe que nosotros sabemos que su confesión es falsa. Por ésa y muchas otras cosas, venceremos al fin.

–¿Venceréis?

–Sólo exigimos la verdad –contestó–. Exigimos lo decente, lo simple. La libertad de vivir en la libertad que elijamos.

–Todo esto es demasiado abstracto para mí –repuso Wallander–. Quiero saber quién asesinó al mayor Liepa y por qué dos cadáveres arribaron en un bote salvavidas a la costa sueca.

–Regresa y te enseñaré mi país –insistió Baiba Liepa–. No sólo yo, sino también Inese.

–No sé –dudó Wallander.

Baiba Liepa le miró.

–No creo que seas de la clase de hombres que abandonan –dijo–. De ser así, Karlis se habría equivocado, y él nunca se equivocaba.

–No puede ser –repitió Wallander–. Si vuelvo, los coroneles lo sabrían de inmediato. Necesitaría otra identidad, otro pasaporte.

–Se puede arreglar –contestó Baiba Liepa con entusiasmo–. Mientras me digas que vendrás.

–Soy policía –dijo Wallander–. No puedo arriesgarlo todo viajando por el mundo con unos documentos de identidad falsos.

En el mismo instante se arrepintió de sus palabras. Miró fijamente a los ojos de Baiba Liepa, y vio en ellos reflejada la cara del difunto mayor.

–Sí –dijo lentamente–. Volveré.

La noche avanzaba: eran más de las doce. Wallander intentó ayudarla a encontrar algún indicio de dónde podían estar escondidas las pruebas. Aunque su concentración era inquebrantable, no encontraron ninguna pista. La conversación se fue apagando poco a poco.

Wallander pensó que en alguna parte, en la oscuridad, los perros estaban vigilándole, los perros de unos coroneles que nunca bajaban la guardia. Con una sensación de creciente irrealidad comprendió que se estaba introduciendo en una conspiración que tenía como meta hacerle volver a Riga y a una investigación judicial que tenía que realizarse en secreto. Sería un no policía en un país que no conocía en absoluto, y sería ese no policía quien buscara la verdad de un crimen que para mucha gente ya era un caso cerrado. Comprendió la locura de esa empresa, pero no podía dejar de contemplar el rostro de Baiba Liepa, y su voz era tan convincente que no pudo resistirse.

Eran casi las dos de la noche cuando Inese dijo que tenían que marcharse. Le dejó a solas con Baiba Liepa, y se despidieron en silencio.

–Tenemos amigos en Suecia –dijo–. Se pondrán en contacto contigo. Organizaremos tu regreso por mediación de ellos.

Tras decir esto, Baiba se inclinó y, en un impulso, le besó en la mejilla.

Inese le llevó de vuelta al hotel. Cuando llegaron al puente, le señaló el espejo retrovisor.

–Nos están siguiendo. Debemos poner cara de enamorados y simular que nos cuesta separarnos delante del hotel.

–Haré lo que pueda –contestó Wallander–. Quizá tenga que hacerte subir a mi habitación.

Ella rió.

–Soy una chica decente –respondió–; aun así, cuando vuelvas tendremos que hacerlo.

Cuando abandonó el vehículo, Wallander permaneció un rato fuera con cara de desesperación al verla partir.

Al día siguiente regresó a casa con Aeroflot vía Helsinki.

Los dos coroneles le acompañaron por la terminal y se despidieron cordialmente de él.

«Uno de ellos asesinó al mayor», pensó Wallander.

«¿O quizá fueron los dos? ¿Cómo puede averiguar un inspector de Ystad lo que ocurrió en realidad?»

Era tarde cuando abrió la puerta de su apartamento de la calle de Mariagatan.

Para entonces, todo se le difuminaba como en una nebulosa, y pensó que nunca más volvería a ver a Baiba Liepa. Ella lloraría a su difunto marido sin saber jamás lo que le había ocurrido en realidad.

Dio un trago al whisky que había comprado en el avión.

Antes de acostarse se pasó un largo rato escuchando a Maria Callas.

Se sintió cansado y preocupado.

Se preguntaba qué iba a ocurrir a continuación.

14

A los seis días de su regreso, había una carta esperándole.

La encontró en el suelo delante de la puerta de su casa tras un día largo y complicado en la comisaría. Durante toda la tarde había caído una densa aguanieve, y antes de abrir la puerta pasó un buen rato en la escalera sacudiéndose los pies para quitarse la nieve de encima.

Más tarde pensó que, inconscientemente, no quería que se pusieran en contacto con él. En su interior, sabía que lo harían, pero quería retrasarlo tanto como fuera posible, ya que no se sentía preparado.

Había un sobre marrón en el felpudo. Primero pensó que era correo comercial, ya que había un nombre impreso en la parte delantera, así que lo dejó en la mesita del recibidor y se olvidó de él. Tras cenar un guiso que se había preparado con un pescado que llevaba demasiado tiempo en el congelador, se acordó de la carta y fue en su busca. FLORES LIPPMAN, decía el sobre, lo que le extrañó porque aún no era época para que un centro de jardinería enviara sus ofertas. Por un instante pensó en tirar la carta a la basura sin abrirla, pero tenía el vicio de ojear cualquier tipo de propaganda que cayera en sus manos antes de deshacerse de ella. Sabía que era una manía debida a su profesión: podía haber algo escondido entre los folletos abigarrados. A menudo se veía a sí mismo con la manía de girar todas las piedras que se hallaban en su camino, siempre tenía que averiguar lo que se escondía debajo.

Al abrir el sobre de un tirón y ver que contenía una carta manuscrita, comprendió que finalmente se habían puesto en contacto con él.

Dejó la carta sobre la mesa de la cocina y se preparó una taza de café. Sentía la necesidad de darse un respiro antes de leer lo que le decían, y sabía que era por Baiba Liepa.

Cuando bajaba del avión en Arlanda la semana anterior, se sintió vagamente triste, pero al mismo tiempo aliviado por no estar ya en un país donde en todo momento le vigilaban; tal era el sentimiento, que en un arrebato de espontaneidad quiso conversar con la controladora de pasaportes al introducir el suyo por debajo del cristal. «Me alegro de estar en casa», le dijo, pero ella se limitó a dirigirle una furtiva mirada de asco y le devolvió el pasaporte sin abrirlo siquiera.

«Esto es Suecia», pensó. «En la superficie todo es limpio y bonito, y nuestros aeropuertos están construidos para que la suciedad y las sombras no puedan adherirse a ningún sitio. Aquí todo es transparente, todo es como dice ser. Nuestra religión y nuestra mezquina esperanza nacional es el bienestar, un bienestar inscrito en la Constitución, que proclama al mundo que en Suecia es un crimen morir de hambre. Los suecos no hablamos con desconocidos si no es absolutamente imprescindible, porque lo desconocido puede hacernos daño, ensuciar nuestros rincones y apagar las luces de neón. Jamás construimos imperio alguno, por lo que nunca tuvimos que ver cómo sucumbía, pero nos convencimos de haber creado el mejor de los mundos, aunque fuera pequeño: nos habían confiado la vigilancia de la entrada al paraíso, y ahora que la fiesta se ha acabado, nos vengamos teniendo la policía de aduanas más antipática del mundo.»

La pesadumbre sustituyó casi de inmediato a la sensación de alivio que acababa de experimentar. En el mundo de Kurt Wallander, en ese paraíso ya en parte desmantelado, no había cabida para Baiba Liepa. No podía imaginársela aquí, con toda esa claridad, con todas las luces de neón funcionando sin fundirse, a pesar de ser tan ilusorias. Y sin embargo, ya empezaba a añorarla; mientras arrastraba la maleta por el largo pasillo similar al de una cárcel hacia la nueva terminal de tráfico nacional, en la que debía esperar su vuelo a Malmö, empezó a soñar con volver a Riga, la ciudad en que los perros invisibles le habían vigilado. El avión para Malmö salía con retraso, por lo que le entregaron un vale para cambiarlo por un bocadillo. Estuvo un buen rato sentado viendo despegar y aterrizar los aviones entre torbellinos de nieve polvo. A su alrededor, hombres con trajes hechos a medida hablaban sin cesar por sus teléfonos móviles y, para su asombro, oyó cómo un obeso viajante comercial de bombas centrífugas le leía por el teléfono irreal el cuento de Hansel y Gretel a su hijo. Luego Wallander llamó a su hija, y para su sorpresa la encontró en casa. Sintió una gran alegría al oír su voz, y por un momento pensó en quedarse en Estocolmo unos días, pero ella dio a entender que tenía mucho que hacer, por lo que él no se atrevió a proponérselo. En lugar de eso pensó en Baiba, en su miedo y en su rebeldía, y se preguntó si en realidad se atrevía a creer que el inspector sueco no la defraudaría. Pero ¿qué podía hacer? Si volvía, los perros enseguida encontrarían su rastro y nunca podría deshacerse de ellos.

Cuando llegó a altas horas de la noche a Sturup, nadie estaba esperándole. Tomó un taxi hasta Ystad y estuvo charlando del tiempo con el chófer, que por cierto conducía muy por encima de la velocidad permitida. Cuando no tuvo más que decir sobre la niebla y la nieve polvo que se arremolinaba a la luz de los faros, le embargó el olor a Baiba Liepa y la profunda angustia de que no volvería a verla nunca más.

Al día siguiente, fue a Löderup a visitar a su padre. La

231

mujer de los servicios sociales le había cortado el cabello, y Wallander pensó que hacía muchos años que no tenía tan buen aspecto. Le llevaba una botella de coñac y su padre, al ver la marca, asintió contento con la cabeza.

Para su propio asombro, le contó lo de Baiba.

Charlaron sentados en el viejo establo que su padre había convertido en estudio. En el caballete había un lienzo por acabar. El paisaje era el mismo de siempre, pero Wallander vio que esta vez sería uno de los ejemplares con urogallo en el extremo izquierdo. Cuando llegó con el coñac, su padre estaba ocupado en pintar el pico del urogallo, pero, aun así, dejó los pinceles y se limpió las manos en un trapo que olía a aguarrás. Wallander empezó a contarle su viaje a Riga y de pronto, sin saber por qué, pasó a referirle su encuentro con Baiba Liepa. No mencionó que era la viuda de un policía asesinado, sino su nombre, que la había conocido y que la echaba de menos.

–¿Tiene hijos? –preguntó el padre.

Wallander negó con la cabeza.

–¿Puede tenerlos?

–Supongo que sí. ¿Cómo voy a saberlo?

–Sabrás su edad, ¿no?

–Es más joven que yo. Unos treinta y tres años.

–Por tanto, puede tener hijos.

–¿Por qué lo preguntas?

–Porque creo que es lo que necesitas.

–Ya tengo una hija, Linda.

–No basta. Los hombres necesitan tener al menos dos hijos para saber de qué va la vida. Tráetela a Suecia y cásate con ella.

–No es tan fácil.

–¡Cómo complicas las cosas por ser policía!

«Ya está», pensó Wallander. «Siempre la misma cantinela. No se puede conversar con él sin que encuentre un motivo para atacarme por haber ingresado en el cuerpo de policía.»

–¿Puedes guardar un secreto? –preguntó.

El padre le miró con recelo.

–¿A quién quieres que se lo cuente? –respondió.

–Tal vez deje de trabajar en la policía –dijo Wallander–. Quizá me busque otro trabajo, de guarda de seguridad en la fábrica de caucho de Trelleborg, pero no es seguro.

El padre le miró sorprendido antes de contestar.

–Nunca es tarde para recobrar el sentido común. De lo único que te arrepentirás será de lo mucho que has tardado en decidirte.

–He dicho que tal vez, papá, no que sea seguro.

Pero el padre había dejado de escucharle, había vuelto al caballete y al pico del urogallo. Wallander se sentó en un viejo trineo de silla y le contempló un rato en silencio. Luego se fue a casa. Pensó que no tenía a nadie con quien hablar. A los cuarenta y tres años echaba de menos a una persona de confianza a su lado. Cuando murió Rydberg, se quedó más solo de lo que hubiera podido imaginar. Lo único que tenía era Linda. Con Mona, la madre de Linda, que se había separado de él, ya no tenían mucho en común. Se había convertido en una desconocida, y no sabía casi nada de la vida que llevaba en Malmö.

Cuando pasó la salida de Kåseberga se le ocurrió hacerle una visita a Göran Boman, de la policía de Kristianstadt. Quizás a él podría comentarle todo lo que le había sucedido.

Pero finalmente no fue a Kristianstad, sino que volvió a la comisaría. Tras informar a Björk, respondió a las preguntass de Martinson y los demás colegas mientras tomaban café en el comedor, pero pronto comprendió que en realidad a nadie le interesaba lo que tenía que contarles. Envió la solicitud a la fábrica de caucho de Trelleborg y cambió los muebles de sitio de su despacho en un vano intento de hacer renacer sus ganas de trabajar. Björk, que al parecer se dio cuenta de su actitud ausente, quiso animarle, y en un inoportuno intento de buena voluntad, le pidió que se encargara de dar una charla ante el Rotary Club de la ciudad. Aceptó el encargo y durante una comida en el hotel Continental, dio una frustrada charla sobre los recursos técnicos modernos empleados en el trabajo policial. Olvidó aquel discurso nada más pronunciarlo.

Una mañana, al despertarse, se creyó enfermo.

Acudió al médico de la policía y le hicieron un chequeo minucioso. El médico le encontró bien, pero le sugirió que vigilara el peso. Llegó de Riga un miércoles y el sábado se fue a Åhus a cenar y bailar. Tras unos cuantos bailes, le invitaron a unirse a una mesa en la que había una fisioterapeuta de Kristianstadt llamada Ellen, pero incesantemente se le aparecía la cara de Baiba Liepa, le seguía como una sombra, por lo que se retiró temprano a casa. Tomó el camino de la costa y se detuvo ante el desierto campo donde todos los veranos se celebraban las ferias de Kivik, el mismo campo por donde había corrido como un loco el año anterior, pistola en mano, persiguiendo a un asesino. Ahora el campo estaba cubierto por una fina capa de nieve, la luna llena iluminaba el mar, y veía la cara de Baiba Liepa ante él, incapaz de apartarla de sus pensamientos. Continuó hasta Ystad y bebió hasta emborracharse en su apartamento; puso la música tan alta que los vecinos empezaron a golpear las paredes.

La mañana del domingo tenía palpitaciones, y se pasó el día entero esperando no sabía qué.

El lunes llegó la carta. Se sentó a la mesa de la cocina y leyó la pulcra letra. La carta estaba firmada por alguien que decía llamarse Joseph Lippman:

«Eres amigo de nuestro país. Desde Riga nos han llegado informes de tus grandes aportaciones. Dentro de poco tendrás noticias nuestras con más detalles acerca de tu regreso.

»Joseph Lippman».

Wallander se preguntó en qué consistían sus grandes aportaciones y quiénes eran los «nosotros» que enviarían más noticias.

El escueto texto y el mensaje formulado como una orden le irritaron. ¿Acaso no tenía él ni voz ni voto? No estaba decidido en absoluto a integrarse en el servicio secreto de unas personas invisibles, ya que su tormento y sus dudas eran más grandes que su determinación y su voluntad. Lo cierto es que quería volver a ver a Baiba Liepa, pero no se fiaba de sus propias razones, y se veía más bien como un adolescente aquejado de mal de amores.

Pero el martes por la mañana, al despertarse, una determinación había cobrado forma dentro de él. Se dirigió a la comisaría, participó en una reunión sindical sin sentido y fue a ver a Björk.

–Quisiera saber si puedo tomarme unos días de las vacaciones que me quedan –empezó.

Björk le observó con una mezcla de envidia y profunda comprensión.

–Me gustaría poder decir lo mismo –respondió–. Acabo de leer un largo memorando del grupo de homicidios. Me imagino a mis colegas de todo el país haciendo lo mismo, inclinados sobre sus escritorios. Lo he releído y lo único que he sacado en claro es que no entiendo la finalidad del memorando. Se espera de nosotros que nos pronunciemos sobre unos escritos anteriores en relación con la gran reorganización, pero no sé a cuál de esos escritos se refiere este memorando.

–Tómate unos días libres –le propuso Wallander.

Björk apartó irritado un papel de su vista.

–Imposible –respondió–. Sólo estaré libre cuando me jubile, si es que vivo para entonces, aunque sin duda sería estúpido morir en el cargo. ¿Dices que quieres unas vacaciones?

–Pensaba ir a esquiar a los Alpes una semana, lo que, además, facilitará en algo la planificación de San Juan. Puedo trabajar entonces y tomar las vacaciones a finales de julio.

Björk asintió con la cabeza.

–¿Y has podido encontrar plaza en algún vuelo chárter? Pensaba que todo estaba al completo en esta época del año.

–No.

Björk levantó las cejas asombrado.

–¿Un viaje improvisado?

–Iré en coche a los Alpes; no me gustan los viajes organizados.

–¿Y a quién le gustan?

De repente Björk le miró con la expresión severa que usaba al considerar que hacía falta recordar quién era el jefe.

–¿Qué investigaciones tienes en marcha ahora mismo?

–Poca cosa; el caso de malos tratos de Svarte es lo más urgente, pero puede encargarse otro.

–¿Y cuándo quieres partir? ¿Hoy?

–El jueves me va bien.

–¿Cuántos días libres piensas tomarte?

–He calculado que todavía me quedan diez días.

Björk asintió con la cabeza y tomó nota.

–Creo que haces bien en tomarte unos días de descanso –dijo–. Últimamente tienes mala cara.

–Es lo menos que se puede decir –contestó Wallander, y salió del despacho.

El resto del día trabajó en la investigación del caso de malos tratos, hizo numerosas llamadas y tuvo tiempo, además, de contestar a un escrito de la caja de ahorros acerca de una duda en su nómina. Mientras trabajaba estuvo esperando que sucediera algo. Buscó en el listín telefónico de Estocolmo y encontró varias personas con el apellido Lippman, pero en las páginas amarillas no había nada llamado Flores Lippman.

Poco después de las cinco, ordenó su escritorio y se fue a casa. Dio un rodeo y se detuvo ante una tienda de muebles recién inaugurada, y entró a echar un vistazo a un sillón de cuero que le había gustado para su apartamento, pero el precio le disuadió. En una tienda de la calle de Hamngatan, compró unas patatas y un trozo de panceta. La joven dependienta le reconoció y le sonrió con amabilidad al pagar. Él recordó que hacía unos cuantos años había dedicado un día entero a buscar a un hombre que había atracado la tienda. Se fue a casa, preparó la cena y se sentó delante de la televisión.

Eran ya más de las nueve cuando se pusieron en contacto con él.

El teléfono sonó y un hombre que hablaba sueco con acento extranjero le pidió que fuera a la pizzería que estaba delante del hotel Continental. Wallander, que ya estaba harto de tanto secreto, pidió al hombre que se identificara.

–Tengo muchos motivos para ser desconfiado –aclaró–. Quiero saber adónde me dirijo.

–Mi nombre es Joseph Lippman. Le envié una carta.

–Sí, pero ¿quién es usted?

–Tengo una pequeña empresa.

–¿Un centro de jardinería?

–Podría llamarse así.

–¿Qué quiere usted de mí?

–Creo que se lo expresé con bastante claridad en la carta.

Wallander decidió zanjar la conversación, ya que de todos modos no recibía las respuestas que quería, y notó que se estaba enfadando. Le cansaba verse rodeado siempre de caras invisibles que le hablaban y le exigían que mostrara interés y estuviera preparado para cooperar. ¿Quién podía asegurarle que este tal Lippman no tenía nada que ver con los dos coroneles letones?

Aparcó el coche y fue caminando por la calle de Regementsgatan hasta el centro. Llegó a la pizzería a las nueve y media. Había comensales en una decena de mesas, pero no vio a ningún hombre solitario que encajara con la descripción de Lippman. Como un destello, le vino a la memoria lo que Rydberg le dijo en una ocasión: «Siempre hay que decidir si es conveniente ser el primero o el último en llegar al lugar de encuentro». Lo había olvidado, pero en este caso no sabía si tenía importancia o no. Se sentó a una mesa en un rincón, pidió una cerveza y esperó.

Joseph Lippman llegó a las diez menos tres minutos. Para entonces, Wallander se preguntaba si le habían llamado con la intención de hacerle salir del apartamento, pero cuando aquel hombre atravesó el umbral de la puerta, supo enseguida que se trataba de Joseph Lippman. Tenía unos sesenta años y llevaba un abrigo demasiado grande para él. Se movía con cuidado por entre las mesas como si tuviese miedo a caerse o pisar una mina. Sonrió a Wallander, se quitó el abrigo y se sentó frente a él. Estaba alerta y miraba con sigilo por el local. En una de las mesas vecinas, dos hombres intercambiaban comentarios acalorados sobre alguien que al parecer se caracterizaba por una incapacidad sin límites.

Wallander pensó que Joseph Lippman era judío, al menos su aspecto lo era. Las mejillas eran grises por la fuerte barba, y sus ojos, pardos tras las gafas sin montura. Pero ¿acaso Wallander sabía cómo era el aspecto de un judío? No.

La camarera se acercó a la mesa y Lippman pidió una taza de té. Su cortesía era tan acusada que Wallander intuía estar frente a un hombre que había sufrido muchas vejaciones en la vida.

–Le agradezco mucho que haya venido –dijo Lippman. Hablaba tan bajo que Wallander tuvo que inclinarse sobre la mesa para poder oírle.

–No me dio más opción –respondió–. Primero una carta, después una llamada. ¿Por qué no empieza por decirme quién es usted?

Lippman movió la cabeza en señal de rechazo.

–Quien yo sea carece de importancia. El que importa es usted, señor Wallander.

–No –respondió éste, y notó que empezaba a irritarse de nuevo–. Comprenderá que no pienso escucharle si ni siquiera está dispuesto a confiarme quién es usted.

La camarera volvió con el té de Lippman, y la respuesta se quedó suspendida en el aire hasta que estuvieron solos de nuevo.

–Mi papel es simplemente el de coordinador y mensajero. ¿A quién le importa el nombre de un mensajero? A nadie. Después de esta entrevista, yo desaparezco. Lo más probable es que no volvamos a vernos nunca más. No se trata de una cuestión de confianza, sino de decisiones prácticas, y la seguridad es siempre una cuestión práctica. Según mi opinión, la confianza también lo es.

–Entonces podremos concluir enseguida –replicó Wallander.

–Tengo noticias para usted de Baiba Liepa –respondió Lippman con rapidez–. ¿No quiere oírlas siquiera?

Wallander se relajó en su silla. Contemplaba al hombre que estaba sentado frente a él, extrañamente desmadejado, como si su salud fuese tan frágil que pudiese quebrarse en cualquier momento.

–No quiero oír nada hasta saber quién es usted –insistió–. Tan simple como eso.

Lippman se quitó las gafas y vertió con cuidado un poco de leche en el té.

–Si no lo hago, es sólo por consideración hacia usted, señor Wallander –aclaró Lippman–. En los tiempos que vivimos, cuanto menos se sepa, mucho mejor.

–Estuve hace poco en Riga –dijo Wallander–, y sé lo

que significa estar siempre vigilado y controlado, pero ahora estamos en Suecia, y no en Letonia.

—Quizá tenga usted razón —admitió pensativo—. Tal vez sea un anciano que ya no sabe discernir cómo está cambiando el mundo.

—Los centros de jardinería —dijo Wallander para ayudarle a continuar— tampoco han tenido siempre el mismo aspecto, ¿verdad?

—Llegué a Suecia en 1941 —empezó Lippman removiendo el té lentamente con la cucharilla—. En aquella época, era un joven que albergaba el sueño inmaduro de ser un gran artista. En una madrugada gélida divisamos la costa de Gotland y comprendimos que estábamos a salvo, a pesar de que el barco tenía una vía de agua y que varios de los que huían conmigo estaban muy enfermos. Estábamos desnutridos y teníamos tuberculosis. Pero todavía recuerdo esa gélida madrugada de principios de marzo, y decidí que algún día pintaría un cuadro con el motivo de la costa sueca, como metáfora de la libertad: la puerta del paraíso, congelada y fría, y unas rocas negras entre la niebla. Pero nunca pinté ese motivo y me hice jardinero. Y ahora vivo de dar consejos sobre plantas para diversas empresas suecas. Últimamente he advertido que los que trabajan en las nuevas empresas informáticas tienen gran necesidad de esconder sus máquinas detrás de las plantas. Nunca pintaré la imagen del paraíso, tendré que contentarme con haberlo visto. El paraíso tiene tantas puertas como el infierno, y nosotros tenemos que aprender a discernirlas; de lo contrario, estamos perdidos.

—¿Y sabía discernirlas el mayor Liepa?

Lippman no reaccionó de ningún modo al sacar a relucir el nombre del mayor en la conversación.

—El mayor Liepa sabía cómo eran las puertas —dijo despacio—, pero no murió por eso, sino porque había visto quién salía y entraba por ellas: personas que temen la luz, puesto que la luz les hace visibles a ojos de personas como el mayor Liepa.

Wallander tuvo la impresión de que Lippman era un hombre profundamente creyente. Hablaba como un sacerdote ante una congregación invisible.

–Toda mi vida he vivido en el exilio –continuó–. Los primeros diez años, hasta mediados de los cincuenta, creía que podría volver un día a mi patria. Luego vinieron los largos años sesenta y setenta, y fue cuando perdí la esperanza por completo. Sólo los letones muy ancianos que vivían en el exilio, sólo los muy ancianos y los muy jóvenes y los muy locos creían que el mundo cambiaría y que llegaría el día en que podríamos volver al país perdido. Creían en el momento crucial dramático, mientras que yo me esperaba un alargado fin de la tragedia, que ya se podía dar por concluida. Pero de pronto las cosas empezaron a cambiar: empezamos a recibir informes extraños de nuestra vieja patria, informes que rebosaban de optimismo. Vimos sacudirse a la gigantesca Unión Soviética, como si la fiebre latente por fin empezase a brotar. ¿Era posible que lo que nunca nos atrevimos a soñar se hiciera realidad a pesar de todo? Aún no lo sabemos. Somos conscientes de que se nos puede escapar la libertad una vez más. La Unión Soviética está debilitada, pero puede que sea una situación pasajera. Tenemos poco tiempo a nuestra disposición. Eso lo sabía el mayor Liepa y eso era lo que le empujaba a seguir adelante.

–¿Tenemos? –dijo Wallander–. ¿Quiénes?

–Todos los letones de Suecia pertenecen a alguna organización –aclaró Lippman–. Siempre nos hemos asociado en diferentes organizaciones como sustituto de la patria perdida. Hemos intentado ayudar a las personas a preservar su cultura; hemos construido tablas de salvación, hemos instituido fundaciones, hemos recibido las llamadas de auxilio e intentado responderlas, hemos luchado incesantemente para no ser olvidados. Nuestras organizaciones en el exilio han sido una especie de sustituto de las ciudades y los pueblos que nos vimos obligados a abandonar.

La puerta de cristal de la pizzería se abrió y entró un hombre solo. Lippman reaccionó de inmediato. Wallander reconoció al hombre. Se llamaba Elmberg, y era el encargado de una de las gasolineras de la ciudad.

–No pasa nada –dijo–. Ese hombre no ha matado una mosca en su vida. Además, dudo de que jamás se haya preocupado por la existencia del Estado letón. Es el encargado de una gasolinera.

–Baiba Liepa le envía un grito de socorro –dijo Lippman–. Le pide que vaya; necesita su ayuda.

Sacó un sobre del bolsillo interior.

–De Baiba Liepa –afirmó–. Para usted.

Wallander cogió el sobre, que estaba sin cerrar, y sacó la fina hoja con cuidado. El mensaje era breve y estaba escrito a lápiz. Le dio la impresión de que lo había escrito con mucha prisa:

«Hay un testamento y un guardián. Pero me temo que yo sola no pueda encontrar el lugar exacto. Confía en los mensajeros, tal y como un día confiaste en mi marido.

»Baiba».

–Le asistiremos en todo lo que necesite para ir a Riga –explicó Lippman cuando Wallander apartó la carta.

–No podrá volverme invisible, ¿verdad?

–¿Invisible?

–Si voy a Riga tendré que cambiar de identidad. ¿Cómo lo hará? ¿Cómo podrá garantizar mi seguridad?

–Tendrá que confiar en nosotros, señor Wallander. Pero no nos queda mucho tiempo.

Wallander comprendió que Joseph Lippman también estaba preocupado. Intentó convencerse de que nada de lo que estaba ocurriendo a su alrededor era real, pero sabía que no era cierto. También pensó que ése era el aspecto del mundo. Baiba Liepa le había enviado uno de los miles de gritos de socorro que cruzan los continentes sin cesar. Iba dirigido a él y tenía que contestar.

–He pedido vacaciones a partir del jueves –continuó–. Oficialmente me voy a los Alpes a esquiar. Puedo estar fuera una semana larga.

Lippman apartó la taza de té. El rasgo débil y triste de su cara de repente se volvió firme y decidido.

–Es una idea estupenda –respondió–. Muchos policías suecos viajan cada año a los Alpes para probar suerte en las pistas. ¿Qué camino tomará?

–Vía Sassnitz. En coche a través de la antigua Alemania oriental.

–¿Cómo se llama su hotel?

–No tengo ni idea. Jamás he estado en los Alpes.

–Pero ¿sabe esquiar?

–Sí.

Lippman se quedó ensimismado. Wallander hizo señas a la camarera y pidió una taza de café. Lippman negó ausente con la cabeza cuando Wallander preguntó si quería más té.

Al final se quitó las gafas y las limpió con la manga del abrigo.

–Es una idea excelente viajar hasta los Alpes –repitió–. Necesito un poco de tiempo para organizarlo todo. Mañana por la noche, le informarán del transbordador que debe tomar en Trelleborg. Sobre todo, no deje de colocar los esquís en la baca del coche. Haga las maletas como si realmente se dirigiese a los Alpes.

–¿Ha pensado la manera de entrar en Letonia?

–En el transbordador se enterará de todo lo que le haga falta saber. Se pondrán en contacto con usted. Tiene que confiar en nosotros.

–No garantizo que vaya a aceptar sus planes.

–En nuestro mundo no existen las garantías, señor Wallander. Lo único que puedo garantizarle es que vamos a intentar superarnos a nosotros mismos. ¿Qué le parece si pagamos y nos vamos?

Se separaron delante de la pizzería. Soplaba de nuevo un viento fuerte y racheado. Joseph Lippman se despidió apresuradamente y desapareció en dirección a la estación de ferrocarril. Wallander fue andando hasta su casa por la desierta ciudad sin poder dejar de pensar en lo que había escrito Baiba Liepa.

«Los perros van tras ella», pensó. «Tiene miedo. Están persiguiéndola. Los dos coroneles han entendido por fin que el mayor tuvo que haber dejado un testamento.»

De pronto comprendió que el tiempo apremiaba.

No había tiempo para el temor o la reflexión.

Tenía que responder a aquel grito de socorro.

Al día siguiente se preparó para el viaje.

Poco después de las siete de la tarde, una mujer llamó diciendo que tenía una reserva en el transbordador que saldría de Trelleborg a las cinco y media de la mañana siguiente. Ante la sorpresa de Wallander, se presentó como representante de Viajes Lippman.

Se acostó a medianoche.

Antes de dormirse pensó que todo el asunto era una locura.

Estaba dispuesto a involucrarse por propia voluntad en algo que estaba destinado al fracaso. Al mismo tiempo sabía que el grito de socorro de Baiba Liepa era real, que no era un sueño, y él tenía la obligación de darle una respuesta.

A la mañana siguiente, muy temprano, condujo su coche a bordo del transbordador en el puerto de Trelleborg. Uno de los policías de aduanas, que acababa de entrar en su turno de servicio, le saludó con la mano y le preguntó adónde se dirigía.

—A los Alpes —contestó Wallander.

244

—Suena agradable.

—Hay que salir de vez en cuando.

—A todos nos hace falta.

—No aguantaba ni un día más.

—Podrás olvidarte unos días de que eres policía.

—Sí.

Wallander sabía con toda seguridad que no sería así. Estaba camino de la misión más difícil de su vida, una misión que ni siquiera existía.

El amanecer era gris. Subió a cubierta cuando el transbordador salía del muelle. Tiritando, vio cómo se extendía lentamente el mar al tiempo que el barco se alejaba de tierra.

Poco a poco la costa sueca fue desapareciendo en el horizonte.

Estaba comiendo en la cafetería, cuando un hombre que decía llamarse Preuss se puso en contacto con él. El tal Preuss llevaba en sus bolsillos tanto las instrucciones escritas por Joseph Lippman como la nueva identidad que Wallander usaría a partir de entonces. Preuss era un hombre de unos cincuenta años, tenía la cara subida de color y esquivaba la mirada.

—Demos un paseo por cubierta —sugirió Preuss.

La niebla era densa sobre el mar Báltico el día que Wallander volvía a Riga.

15

La frontera era invisible.

Pero estaba dentro de él, como un alambre espinoso debajo del esternón.

Kurt Wallander tenía miedo. Más adelante recordaría los últimos pasos que dio en tierra lituana hacia la frontera letona como un andar de paralítico hacia un país desde el que podría gritar las palabras de Dante: ¡Abandonad toda esperanza los que entréis aquí! De aquí no regresa nadie, al menos no un inspector sueco vivo.

Era una noche estrellada. Preuss, que le había acompañado durante todo el trayecto desde que se puso en contacto con él en el transbordador de Trelleborg, tampoco parecía impasible ante lo que les esperaba. Wallander oía su respiración, rápida e irregular, en la oscuridad.

–Tenemos que esperar –susurró Preuss en un incomprensible alemán–. *Warten, warten.*

Durante los primeros días, a Wallander le había enfurecido que el guía que le habían asignado no hablara ni una palabra de inglés. Se preguntó por qué Joseph Lippman daba por sentado que un inspector de la policía de Suecia que apenas chapurreaba el inglés, debía hablar el alemán a la perfección. Wallander había estado a punto de cancelar una empresa que cada vez se parecía más al triunfo de unos locos fanáticos sobre su propio sentido común. Pensó que los letones que llevaban demasiado tiempo exiliados habían perdido el contacto con la realidad. Amargados o exageradamente optimistas o locos sin más, intentaban socorrer aho-ra a sus compatriotas, que de repente veían la posibilidad de un renacimiento glorioso. Ese tal Preuss, ese pequeño hombre enjuto con la cara llena de cicatrices, ¿cómo podía infundirle ánimos, y menos aún seguridad, para que él vol-viera a Letonia como una persona invisible? De hecho, ¿qué sabía de Preuss, el hombre que apareció a su lado en la ca-fetería del transbordador? Que quizás era un ciudadano le-tón que tal vez vivía en el exilio y que tal vez vivía de lo que ganaba como comerciante de monedas en la ciudad alemana de Kiel, si era cierto lo que le había dicho. Pero ¿qué más? Nada en absoluto.

Algo le impulsó a seguir adelante, y Preuss permaneció sentado a su lado en el asiento delantero del coche dur-miendo, mientras Wallander se apresuraba en dirección este según las indicaciones que su acompañante le daba regular-mente señalando el mapa de carreteras. Viajaron hacia el este a través de la antigua Alemania oriental, y llegaron a la frontera polaca pasada la tarde del primer día. Delante de una granja en ruinas, a unos cinco kilómetros de la estación fronteriza polaca, Wallander introdujo el coche en un grane-ro medio derruido. El hombre que les recibió hablaba inglés y también era un letón que vivía lejos de su tierra; garanti-zó a Wallander que custodiaría el coche hasta que regresase. Después esperaron que anocheciera para adentrarse en el bosque de abetos, que cruzaron a trompicones hasta llegar a la frontera: habían conseguido atravesar la primera línea invisible camino de Riga. En una pequeña ciudad, insignifi-cante y olvidada cuyo nombre no recordaba, un hombre resfriado llamado Janick les estaba esperando con un ca-mión oxidado, e iniciaron un viaje de traqueteos y saltos a través de la campiña polaca. El conductor no tardó en con-tagiar a Wallander su resfriado, y éste empezó a echar de menos una buena cena y un buen baño, pero en ningún si-tio les ofrecieron otra cosa que chuletas de cerdo frías y unas incómodas camas plegables en viviendas gélidas. El viaje prosiguió muy despacio, ya que prácticamente se desplazaron de noche o justo antes de que amaneciera. El resto del tiempo discurría en una larga espera. Wallander hizo un esfuerzo por entender todas las precauciones que adoptaba Preuss, pero era incapaz de ver la posible amenaza que representaba Polonia, y Preuss no supo darle ninguna explicación plausible. La primera noche divisó las luces de Varsovia a lo lejos y la segunda, Janick atropelló a un ciervo en la carretera. Wallander intentaba comprender cómo estaba organizada aquella red de ayuda letona y qué función tenía aparte de escoltar a algún desorientado policía sueco e introducirlo ilegalmente en Letonia. Pero Preuss no le entendía, y Janick, cuando no estornudaba repartiendo una buena carga de bacilos, canturreaba sin cesar una canción inglesa de los tiempos de la guerra. Cuando por fin alcanzaron la frontera lituana, Wallander ya odiaba el estribillo de *We'll meet again*, y pensó que podía encontrarse tanto en el interior de Rusia como en alguna parte de Polonia. ¿Y por qué no en Checoslovaquia o en Bulgaria? Había perdido por completo la orientación, apenas sabía en qué dirección podía quedar Suecia, y a cada kilómetro que el camión avanzaba hacia lo desconocido la empresa le parecía más insensata. Atravesaron Lituania en distintos autobuses, todos sin suspensión; por fin, a los cuatro días de conocer a Preuss, comenzaron a acercarse a la frontera letona, muy adentrados en un bosque que olía a resina.

–*Warten* –repitió Preuss. Wallander se sentó obedientemente a esperar encima de un tocón. Tenía frío y se encontraba mal.

«Llegaré a Riga moqueando», pensó desesperado. «De todas las sandeces que he cometido en mi vida, ésta es la más disparatada, y no merece ningún respeto, sino una estruendosa carcajada sarcástica. Aquí, sobre un tocón del bosque lituano, se sienta un policía de mediana edad que ha perdido por completo el juicio y el sentido común.»

Sin embargo, no había retorno posible. Sabía que nunca podría encontrar el camino de vuelta por sí solo. Dependía por completo del maldito Preuss, al que el loco de Lippman le había atado al cuello como compañero de viaje; y el camino llevaba hacia delante, lejos de la razón, hacia Riga.

En el transbordador, más o menos cuando la costa sueca desaparecía simbólicamente de la vista, Preuss se puso en contacto con él cuando estaba en la cafetería tomando un café. Salieron a cubierta, donde soplaba un viento gélido. Preuss llevaba una carta de Lippman en la que se le comunicaba, para su asombro, su nueva identidad. Ya no sería el «señor Eckers», ahora se suponía que su nombre era «Hegel», Gottfried Hegel, un alemán comerciante de partituras y libros de arte. Para su sorpresa, Preuss le entregó, como si fuera la cosa más natural del mundo, un pasaporte alemán con su fotografía pegada y sellada, y recordó que Linda se la había tomado unos años antes. Cómo se había hecho con ella Joseph Lippman era un misterio insoportable para él. Pero ahora era el señor Hegel y por los gestos insistentes de Preuss, entendió que hasta nueva orden debía entregarle su pasaporte sueco. Se lo entregó y acto seguido pensó que estaba loco de remate por haberlo hecho.

Ya llevaba cuatro días rebelándose contra su nueva identidad. Preuss estaba acurrucado encima de una raíz y Wallander podía vislumbrar su cara en la oscuridad. Le pareció que Preuss oteaba sin cesar hacia el este. Habían pasado pocos minutos de la medianoche, cuando Wallander creyó que caería irremediablemente enfermo de pulmonía si permanecía sentado más tiempo en el tocón helado.

De pronto Preuss alzó la mano y señaló con fervor al este. Habían colgado un quinqué en una rama para que Wallander pudiera ver a Preuss. Se levantó y entornó los ojos en la dirección que Preuss le señalaba. Al cabo de unos segundos vio una tenue luz intermitente, como si una bicicleta con la dinamo irregular se acercara hacia ellos. Preuss bajó de un salto del tocón y apagó el quinqué.

–*Gehen* –susurró–. *Schnell, nun. Gehen!*

Las ramas le golpeaban con fuerza en la cara. «Estoy traspasando la última frontera», pensó. «Pero el alambre espinoso lo llevo en el estómago.»

Salieron a una linde cortada, como si se tratara de una calle. Preuss detuvo a Wallander para escuchar atentamente. Luego cruzaron la linde hasta que pudieron introducirse de nuevo en el espeso bosque. Al cabo de diez minutos más o menos llegaron a un sucio sendero en un paúl, donde les esperaba un coche. Wallander atisbó la débil luz de un cigarrillo, y alguien salió y se acercó con una linterna. Más tarde se dio cuenta de que era Inese la que estaba ante él.

Durante mucho tiempo recordaría la alegría liberadora que sintió al verla, el reencuentro con alguien conocido. A la débil luz de la linterna le sonrió pero no se le ocurrió nada que decirle. Preuss extendió la mano para despedirse, y antes de que Wallander tuviera tiempo de decirle adiós, las sombras ya lo habían engullido.

–Nos espera un largo viaje hasta Riga –dijo Inese–. Tenemos que irnos.

Llegaron a Riga al amanecer. De cuando en cuando se detenían junto a la carretera para que Inese descansara. Además, una de las ruedas traseras pinchó, y Wallander la cambió después de muchos esfuerzos. Se ofreció para conducir, pero ella se limitó a rechazar con la cabeza sin darle ninguna explicación.

Enseguida comprendió que algo había sucedido. Había en el semblante de Inese algo duro y resuelto que no se debía sólo al cansancio y la concentración de conducir por las carreteras sinuosas. Como no estaba seguro de que ella realmente tuviese fuerzas para contestar a sus preguntas, permaneció callado. Aun así, le informó de que Baiba Liepa estaba esperándole y de que Upitis continuaba encarcelado. Los periódicos se habían hecho eco de su confesión, de que había sido uno de los tres asesinos del mayor Liepa. Wallander no sabía cuál era el motivo del temor de Inese.

–Esta vez me llamo Gottfried Hegel –dijo cuando llevaban dos horas de viaje y se detuvieron para repostar gasolina de un bidón que sacó del maletero.

–Lo sé –contestó Inese–. No es un nombre muy bonito.

–Dime por qué estoy aquí, Inese. ¿Qué creéis que puedo hacer para ayudaros?

En lugar de responderle, ella le preguntó si tenía hambre y le extendió una botella de cerveza y dos bocadillos de embutido que llevaba en una bolsa de papel. Después continuaron el viaje. Se adormiló, pero como temía que ella se durmiera, se despertó sobresaltado.

Llegaron a las afueras de Riga poco antes del amanecer. Wallander se acordó de que era 21 de marzo, el día del aniversario de su hermana. En un intento de conjurar su nueva identidad decidió que Gottfried Hegel tenía una gran cantidad de hermanos, de los cuales la hermana más pequeña se llamaba Kristina. Se imaginó a la esposa de Hegel como una marimacho con bigote incipiente, y la vivienda de Schwabingen como una casa de ladrillos rojos con un jardín bien cuidado, pero insípido, en la parte trasera. Joseph Lippman le había provisto de una historia muy escueta como base para el pasaporte que Preuss le entregó, por lo que pensó que un interrogador experto tardaría menos de un minuto en desenmascarar a Gottfried Hegel, declarar falso el pasaporte y exigir su verdadera identidad.

–¿Adónde nos dirigimos? –preguntó.

–Ya casi estamos –contestó evasivamente.

–¿Cómo podré ayudaros si no me explicáis nada en absoluto? –insistió–. ¿Qué es lo que no me quieres decir? ¿Qué es lo que ha ocurrido?

–Estoy cansada –respondió–, pero estamos muy contentos de que hayas vuelto. Baiba está feliz. Llorará de alegría cuando te vea.

–¿Por qué no contestas a mis preguntas? ¿Qué es lo que ha ocurrido? Ya veo que estás asustada.

–Estas últimas semanas se ha complicado todo, pero será mejor que te lo cuente Baiba. Hay tantas cosas que tampoco sé yo...

Condujeron por un interminable suburbio. Las siluetas de las fábricas se recortaban como animales prehistóricos contra la luz amarillenta de la calle. Atravesaron la niebla que flotaba a lo largo de las abandonadas calles, y Wallander pensó que de ese modo había imaginado siempre la Europa oriental, la que se había llamado socialista y se había proclamado triunfalmente como la alternativa al paraíso.

Detuvo el coche frente a un almacén alargado y apagó el motor.

Señaló un bajo portal de hierro situado en una de las fachadas laterales del edificio.

–Ve ahí –dijo–. Llama a la puerta y te abrirán. Ahora tengo que irme.

–¿Nos veremos otra vez?

–No lo sé; Baiba lo decidirá.

–No vas a olvidarte de que eres mi amante, ¿verdad?

Ella sonrió al contestar:

–Tal vez me gustase ser la amante del señor Eckers –admitió–, pero no sé si me agrada tanto serlo del señor Hegel. Soy una chica decente que no cambia de hombre así como así.

Cuando Wallander salió del coche ella se marchó de inmediato. Estuvo pensando seriamente si buscar una parada de autobuses para ir a Riga, desde donde se dirigiría al consulado o a la embajada suecos para que le ayudaran a volver a casa. No se atrevía ni a pensar en cómo reaccionaría el funcionario del Estado sueco que escuchara su historia, por más auténtica que fuera. Sólo le quedaba desear que los funcionarios de la embajada tuvieran alguna solución para casos de enajenación mental aguda como el suyo.

Sin embargo, se daba cuenta de que ya era demasiado tarde, que tenía que concluir lo que había empezado, así que cruzó la grava y llamó a la puerta.

Abrió un hombre barbudo al que Wallander no había visto jamás. El hombre, que era bizco, le saludó con una sonrisa amable, miró por encima del hombro de Wallander por si alguien le había seguido, le hizo pasar con un suave empujoncito y cerró la puerta a sus espaldas.

Para su sorpresa, Wallander entró en un almacén de juguetes. Por doquier había altos anaqueles de madera repletos de muñecas. Era como si hubiese entrado en unas catacumbas subterráneas donde los sonrientes rostros de las muñecas fuesen cráneos malignos. Pensó que todo aquello era una pesadilla, que en realidad se encontraba en su dormitorio de Ystad, y que nada a su alrededor era real. Sólo hacía falta respirar tranquilamente y esperar un despertar liberador. Sin embargo, no había ningún despertar donde refugiarse; de entre las sombras salieron tres hombres y una mujer; reconoció a uno de ellos como el chófer, que, callado, estuvo esperando en la penumbra la noche que Wallander habló con Upitis en la cabaña del bosque.

—Señor Wallander —empezó el hombre que le había abierto la puerta—, le agradecemos mucho que haya venido a ayudarnos.

—He venido porque Baiba Liepa me lo ha pedido —respondió Wallander—. No tengo otro motivo. Es a ella a quien quiero ver.

—En este momento no es posible —replicó la mujer en un perfecto inglés—. A Baiba la están siguiendo día y noche, pero creemos haber dado con un modo de ponerles en contacto.

El hombre se acercó con una silla que cojeaba. Alguien le dio una taza de té. La luz del local era tan tenue que a Wallander le costaba distinguir los rostros de las personas.

El hombre bizco parecía ser el líder o el portavoz del comité de bienvenida. Comenzó a hablar acuclillado ante Wallander:

–Nuestra situación es muy difícil –afirmó–. Nos están vigilando a todos, ya que la policía sospecha que el mayor Liepa ocultó unos documentos que podrían comprometerles.

–¿Ha encontrado Baiba Liepa los papeles de su marido?

–Aún no.

–¿Sabe dónde están? ¿Tiene idea de dónde pudo esconderlos?

–No, pero está convencida de que usted va a poder ayudarla.

–¿Cómo voy a poder hacerlo?

–Usted es amigo nuestro, señor Wallander. Usted es un policía acostumbrado a resolver misterios.

«Están locos», pensó Wallander indignado. «Viven en un mundo irreal en el que han perdido el juicio.» Se veía como el clavo ardiendo al que se aferraban, un clavo que había adoptado unas proporciones casi míticas. Comprendió de repente lo que la opresión y el temor hacían con la gente: las esperanzas depositadas en un salvador desconocido que acudía en su auxilio llegaban a extremos excesivos.

El mayor Liepa no era así, nunca había confiado más que en sí mismo y en los amigos y confidentes de su entorno. Para él, la realidad era el principio y el fin de las injusticias que caracterizaban a la nación letona. Era creyente, pero no había permitido que le ofuscase ningún Dios. Con la muerte del mayor, les faltaba su punto de referencia, y ahora el policía Kurt Wallander debía entrar en escena y representar la obra.

–Tengo que ver a Baiba Liepa cuanto antes –repitió–. Es lo único que me importa.

–Lo hará durante el día de hoy –respondió el hombre.

Wallander se sintió muy cansado. Quería tomar un baño y luego meterse en la cama para dormir. No se fiaba de su buen juicio cuando estaba muerto de cansancio y temía cometer errores desastrosos.

El hombre bizco permanecía aún en cuclillas delante de él. De repente, Wallander vio que llevaba un revólver en la cintura.

–¿Qué ocurrirá cuando encuentren los papeles del mayor Liepa? –preguntó.

–Intentaremos publicarlos –respondió el hombre–, sobre todo usted tendrá que procurar sacarlos del país y hacer que se publiquen en Suecia. Será un acontecimiento revolucionario, un acontecimiento histórico. Por fin, el mundo comprenderá lo que ha sucedido y aún está sucediendo en nuestro martirizado país.

Sintió la necesidad de protestar, de encarrilar a esa gente al camino del mayor Liepa, pero en su mente cansada no encontraba la palabra inglesa de «salvador»; le asombraba encontrarse en un almacén de juguetes en Riga sin saber qué hacer.

Todo ocurrió muy deprisa.

La puerta del almacén se abrió de golpe, Wallander se levantó de la silla y vio a Inese correr y gritar entre los anaqueles. No tenía ni la más remota idea de lo que sucedía. Luego siguió una fuerte explosión y se lanzó detrás de un anaquel lleno de cabezas de muñeca.

Luces y fuertes detonaciones cruzaron el almacén, pero hasta que no vio que el hombre bizco sacaba su revólver y disparaba contra un blanco desconocido, no comprendió que estaban en pleno tiroteo. Gateó por detrás de los anaqueles, en algún sitio entre el humo y la confusión había caído un estante lleno de figuras de arlequín, luego alcanzó una pared, pero no pudo llegar más lejos. El repiqueteo de las armas era insoportable, oyó gritar a alguien y al girarse vio que Inese había caído por encima de la silla en la que él mismo había estado sentado hacía un momento. Yacía muerta con la cara ensangrentada como si le hubieran disparado en un ojo. También pudo ver que el hombre que le había abierto la puerta agitaba un brazo por encima de la cabeza; le habían alcanzado, pero Wallander no pudo distinguir si estaba muerto o sólo herido. Tenía que salir cuanto antes, pero se hallaba arrinconado cuando los primeros hombres uniformados asaltaron el almacén cargados con metralletas. En una repentina inspiración, tiró de un anaquel lleno de *babushcas*, las muñecas rusas, que cayeron por encima de su cabeza hasta dejarle enterrado. Estaba convencido de que le descubrirían y dispararían sobre él, y que su pasaporte falso no le serviría de nada. Inese estaba muerta, el almacén cercado y aquellos locos soñadores no habían tenido siquiera una oportunidad para defenderse.

El fuego cesó tan rápido como había empezado. El silencio que vino después era agobiante; se quedó inmóvil e intentó no respirar. Oyó voces, las de unos soldados o policías que hablaban, y de pronto reconoció la voz del sargento Zids. Pudo vislumbrar los hombres uniformados a través de la montaña de muñecas. Todos los amigos del mayor habían muerto y los estaban sacando de aquel local en camillas grises. Después el sargento Zids salió de las sombras y ordenó a sus hombres que examinaran el almacén. Wallander cerró los ojos pensando que pronto habría acabado todo. Se preguntó si su hija llegaría a enterarse algún día de lo que le había sucedido a su padre, desaparecido durante unas vacaciones en los Alpes, o, por el contrario, su desaparición llegaría a convertirse en un enigma tristemente célebre en los anales de la policía sueca.

Pero ninguno de los soldados apartó de una patada las muñecas de su cara. El eco de las botas se fue alejando poco a poco, la voz irritada del sargento dejó de incitar a su gente, y luego sólo quedó el silencio y el olor amargo a munición quemada. Wallander no supo cuánto tiempo permaneció inmóvil. El frío suelo de cemento al final le caló tan hondo que comenzó a temblar tanto que las muñequitas rusas entrechocaban unas con otras. Se irguió con cuidado y notó que tenía un pie dormido, o tal vez estaba helado. El suelo estaba manchado de sangre y había agujeros de bala por doquier; se obligó a respirar hondo varias veces para no vomitar.

«Saben que estoy aquí», pensó. «Las órdenes del sargento Zids a sus soldados iban por mí. A lo mejor piensan que no he llegado aún, que han atacado demasiado pronto.»

Se obligó a sí mismo a reflexionar, a pesar de que no podía quitarse de su mente la imagen inerte de Inese. Tenía que salir de esa casa de muertos, darse cuenta de que estaba solo y de que no podía hacer otra cosa que buscar el consulado sueco para pedir ayuda. Temblaba de miedo. El corazón le latía tan fuerte que pensó que estaba a punto de sufrir un infarto mortal. Pensaba todo el rato en Inese, y por fin los ojos se le anegaron en lágrimas. Lo único que deseaba era salir de allí cuanto antes. Nunca supo cuánto tiempo tardó en reaccionar con control.

La puerta estaba cerrada y estaba convencido de que el almacén estaría bajo vigilancia. No podía salir a plena luz del día. Había una ventana cubierta de suciedad detrás de uno de los anaqueles caídos. Con cuidado, se abrió paso a través de los juguetes pisoteados y miró hacia fuera. Lo primero que vio fueron dos jeeps frente al almacén. Cuatro soldados vigilaban atentamente el edificio con las armas empuñadas. Wallander se apartó de la ventana y miró a su alrededor. Tenía sed, y pensó que en alguna parte debía de haber agua ya que antes le habían ofrecido una taza de té. Mientras buscaba el grifo pensó desesperadamente qué iba a hacer. Era un hombre perseguido por unos cazadores brutales. Pensar en establecer contacto con Baiba Liepa equivalía a preparar el terreno para su propia ejecución. No le cabía la menor duda de que los dos coroneles, o al menos uno de ellos, harían cualquier cosa para evitar que las investigaciones del mayor llegasen a conocerse en Letonia o en el extranjero. Habían matado a Inese a sangre fría, la tímida y reservada Inese, como a un perro indeseado. Tal vez fue su propio chófer, el amable sargento Zids, quien disparó la bala que atravesó su ojo.

Su temor se confundía con un profundo odio. Si hubiese tenido un arma en la mano, no hubiese dudado en usarla. Por primera vez en su vida estaba dispuesto a matar sin tener que justificar legítima defensa.

«Hay un tiempo para vivir y otro para estar muerto», pensó. Aquél era el conjuro que había formulado la vez que un borracho, en el parque de Pildammensparken de Malmö le clavó un cuchillo en el pecho, cerca del corazón. De pronto esa frase cobraba un significado mucho más amplio.

Anduvo errante por aquel local y al final halló un lavabo sucio, donde goteaba un grifo. Se enjuagó la cara y sació la sed. Luego se dirigió a un rincón apartado del almacén, desenroscó una bombilla que estaba encendida en el techo y se sentó a esperar a que se hiciera de noche.

Para controlar el miedo intentó concentrarse en un plan de huida. Tenía que llegar al centro de la ciudad de algún modo y buscar el consulado sueco. Tenía que estar preparado para que cada agente, cada boina negra con que topara conociera sus señas y tuviera órdenes estrictas de permanecer alerta. Sin la ayuda de la delegación sueca estaba perdido. Descartaba la posibilidad de escapar. Además, tenía que contar con que el edificio de la delegación estaría bajo vigilancia.

«Los coroneles creen que conozco el secreto del mayor», pensó. «Si no, no hubieran reaccionado como lo han hecho. Digo los coroneles porque aún no sé quién está detrás de todo lo sucedido.»

Se adormiló unas horas y se despertó repentinamente al oír el frenazo de un coche delante del almacén. De cuando en cuando se asomaba a la ventana sucia. Los soldados seguían alerta. Wallander pasó el resto del día con un constante malestar. Aquella maldad era más fuerte que él. Registró el almacén en busca de una salida. La puerta principal quedaba totalmente descartada. Tras un buen rato, cerca del suelo, encontró una trampilla, que con toda seguridad era de ventilación. Puso la oreja contra la fría pared para oír si había soldados en ese lado del almacén, pero no pudo determinar si estaban allí o no. No sabía qué haría después, en caso de que lograse escapar del almacén. Intentó descansar todo lo que pudo, pero no logró conciliar el sueño. El cuerpo abatido de Inese, con el rostro ensangrentado, no le dejaba en paz.

Oscureció y el frío se intensificó.

Poco antes de las siete creyó que ya era hora de intentar salir. Abrió la oxidada trampilla con cuidado, convencido de que de un momento a otro se encenderían los focos, alguien vociferaría unas órdenes y una traca de metralletas dispararía contra el muro. Al fin logró soltar la trampilla y la entreabrió. Una mortecina luz proveniente de una fábrica adyacente iluminaba el patio arenoso. Intentó acostumbrar la vista a la oscuridad. No vio ningún soldado por ninguna parte. A unos diez metros del edificio había unos viejos camiones aparcados en la zona del almacén. Su primer propósito fue intentar llegar ileso hasta allí. Respiró hondo, se agachó y corrió todo lo que pudo hacia los coches desguazados. Cuando llegó al primer camión, tropezó con un neumático deshechado y se golpeó la rodilla contra un parachoques. El dolor era muy intenso y tuvo miedo de que el ruido atrajera a los soldados, pero no ocurrió nada. La rodilla le dolía terriblemente y notó que la sangre le manaba y le corría pierna abajo.

¿Cómo seguiría adelante? Intentó imaginarse el consulado o la embajada suecos; no sabía qué clase de rango diplomático tenía la representación sueca en Letonia. Se dio cuenta de que no podía ni quería darse por vencido. Era preciso encontrar a Baiba Liepa, no lanzar una bengala de socorro para sí mismo. Tenía fuerzas para pensar en otras cosas tras salir del horror vivido en el almacén, la casa mortuoria de Inese y del hombre bizco. Había llegado hasta allí por Baiba Liepa, tenía que encontrarla aunque le costara la vida.

Se alejó por entre las sombras. Siguió una verja que rodeaba una fábrica y al final llegó a una calle mal iluminada. Todavía no sabía dónde se encontraba. A lo lejos oyó el estruendo parecido al de una autopista con mucho tráfico, y decidió ir en esa dirección. De cuando en cuando se cruzaba con gente, y agradeció a Joseph Lippman que le exigiera ponerse la ropa que Preuss le había traído en una maleta rota. Durante más de media hora caminó en dirección al lugar de donde provenía el ruido de tráfico. En dos ocasiones se escondió a la vista de unos coches patrulla, mientras intentaba pensar qué iba a hacer. Finalmente comprendió que sólo podía recurrir a una persona, lo que comportaría un gran riesgo, pero no tenía otra elección. Tenía que pasar otra noche escondido en un lugar que todavía no había encontrado. La tarde era fría y necesitaba encontrar algo de comida para resistir la noche que le esperaba.

Supo que jamás llegaría andando a Riga. Le dolía la rodilla y estaba mareado por el cansancio. Sólo podía hacer una cosa: robar un coche. La idea le asustó, pero sabía que era la única posibilidad. Al instante recordó haber visto un Lada aparcado en la calle que acababa de cruzar. No estaba frente a una vivienda sino que parecía abandonado. Dio la vuelta y regresó por donde había venido mientras hacía un esfuerzo por recordar cómo abrían las cerraduras y hacían el puente los ladrones de coches suecos. Pero ¿qué sabía él de un Lada? Quizá ni siquiera se pondría en marcha con aquel sistema.

El coche era gris y tenía el parachoques abollado. Wallander permaneció en la sombra contemplando el Lada y los alrededores. Sólo veía edificios de fábricas con las luces apagadas. Se acercó a la verja medio derruida junto al muelle de carga delante de las ruinas de lo que antes había sido una fábrica. Con los dedos rígidos por el frío logró sacar un trozo del alambre de unos treinta centímetros de largo, le hizo un lazo en una punta y se apresuró hacia el coche.

Fue más fácil de lo que había imaginado manipular el alambre por la ventanilla del coche y levantar el cierre. Se metió aprisa en el coche y buscó el contacto y los cables. Se maldijo por no llevar cerillas, el sudor le resbalaba por dentro de la camisa y pronto empezó a tiritar de frío. Al final, por desesperación, tiró de todo el manojo de cables que había detrás del contacto, arrancó el soporte de la cerradura y conectó los cables sueltos. Como había una marcha puesta, el coche dio un salto cuando por fin logró conectar. Puso el coche en punto muerto y volvió a conectar los cables. El coche se puso en marcha, buscó sin éxito el freno de mano, tiró de todos los botones para encender las luces y puso la primera.

«Qué pesadilla», pensó. «Soy un inspector de la policía sueca, y no un loco con un pasaporte falso que se dedica a robar coches en la capital letona.» Se dirigió por donde antes había pasado; buscó la posición de las diferentes marchas mientras se preguntaba por qué el coche apestaba tanto a pescado.

Al cabo de un rato, llegó a la autovía. En la entrada casi se le caló el coche, pero logró mantener encendido el motor. Cuando vio las luces de Riga decidió buscar el barrio del hotel Latvia e ir a uno de los pequeños restaurantes que había visto en su anterior visita. De nuevo agradeció a Joseph Lippman que hubiera dispuesto que Preuss le diera una suma de dinero letón. No sabía cuánto llevaba, pero esperaba que le llegase para poder cenar. Condujo a lo largo del puente que cruza el río y giró a la izquierda por el paseo. El tráfico no era muy intenso, pero quedó atrapado detrás de un tranvía; un taxista, que tuvo que frenar bruscamente detrás de él, le increpó con furia.

Se puso muy nervioso porque no encontraba las marchas; sólo pudo adelantar al tranvía torciendo por una calle que era de dirección única, lo que descubrió demasiado tarde. Un autobús le venía de frente, la calle era muy estrecha y por mucho que tanteó en la palanca de cambios no encontró la marcha atrás. Estaba a punto de dejarlo todo, abandonar el coche en medio de la calle y huir, cuando por fin encontró la posición correcta e hizo marcha atrás para dar paso al autobús. Giró por una de las calles paralelas que daban al hotel Latvia y aparcó el coche. Estaba empapado de sudor. Pensó de nuevo que contraería una pulmonía si no tomaba pronto un baño caliente y se ponía ropa seca.

El reloj de una iglesia señalaba las nueve menos cuarto. Cruzó la calle y entró en una cervecería que recordaba de su primera visita a Riga. Tuvo suerte y encontró una mesa libre en aquel local lleno de humo. Los hombres que discutían y se inclinaban sobre sus cervezas parecían no notar su presencia. No se veían hombres uniformados por ninguna parte; ahora podría estrenarse en su papel de Gottfried Hegel, viajante de partituras y libros de arte. Cuando Preuss y él estaban en Alemania, había advertido que menú se decía en alemán *Speisekarte*, y eso fue lo que pidió. El texto, sin embargo, estaba escrito en letón, por lo que señaló al azar una de las líneas. Le sirvieron un plato de estofado y tomó una cerveza. Por unos momentos su mente quedó en blanco.

Después de cenar, se encontró mejor. Pidió una taza de café y su mente empezó a funcionar de nuevo. De pronto se le ocurrió dónde pasar la noche; aplicaría sus conocimientos sobre el país: todo se puede comprar. En su visita anterior, había visto unas pensiones y hostales decadentes cerca del hotel Latvia. Iría allí, usaría el pasaporte alemán, dejaría unos billetes de cien coronas suecas en el mostrador de la recepción y con ello pagaría para poder estar en paz y no tener que contestar preguntas incómodas. Corría el riesgo de que los coroneles hubiesen ordenado una extrema vigilancia en todos los hoteles de Riga, pero tenía que arriesgarse, y calculó que la identidad alemana le protegería por lo menos esa noche, hasta que por la mañana revisasen las hojas de inscripción de los hoteles. Además, con un poco de suerte, quizá topara con un recepcionista al que no le gustase demasiado pasar información a la policía.

Se tomó el café, y pensó en los dos coroneles, y en el sargento Zids, quien tal vez había matado a Inese. En algún lugar de esa terrible oscuridad, le esperaba Baiba Liepa. «Baiba llorará de alegría cuando te vea.» Fueron casi las últimas palabras que Inese había pronunciado en su corta vida.

Miró el reloj de encima del mostrador: casi las diez y media. Pagó la cuenta y vio que tenía de sobra para pagar la habitación del hotel.

Salió de la cervecería y se detuvo delante del hotel Hermes, situado a poca distancia de allí. La puerta estaba abierta y subió unas crujientes escaleras hasta la segunda planta. Se abrió una cortina y una anciana encorvada le miró entornando los ojos tras unas gafas de cristales gruesos. Sonrió con toda la amabilidad de la que fue capaz, dijo *Zimmer* y puso el pasaporte encima del mostrador. La mujer asintió con la cabeza, respondió en letón y le entregó una tarjeta para que la rellenase. Como se dio cuenta de que no se preocupó en mirar el pasaporte, cambió de plan y se registró bajo un nombre falso. Con las prisas no se le ocurrió otro nombre que Preuss, se bautizó con el nombre de pila de Martin, puso la edad de treinta y siete, y Hamburgo como lugar de origen. La anciana le sonrió con amabilidad, le entregó la llave y señaló un pasillo detrás de ella. «No puede estar fingiendo», pensó. «Podré dormir aquí toda la noche mientras la ira de los dos coroneles no se desate y organicen redadas en todos los hoteles de Riga por la noche. No creo que tarden en descubrir que Martin Preuss es Kurt Wallander, pero para entonces ya estaré lejos de aquí.» Abrió con la llave la puerta de la habitación y lleno de júbilo vio que había una bañera; apenas pudo dar crédito cuando comprobó además que poco a poco el agua iba calentándose. Se desnudó y se metió en ella. El calor que le recorría el cuerpo le adormiló.

El agua estaba fría cuando se despertó. Se levantó, se secó y se metió en la cama. Escuchó el traqueteo de un tranvía por la calle. Miró fijamente en la oscuridad y notó cómo le volvía el miedo.

Pensó que tenía que continuar con lo que había planeado. Si perdía el control de sus nervios, los perros que le perseguían pronto le alcanzarían, y para entonces estaría perdido.

Sabía lo que debía hacer.

Al día siguiente iría en busca de la única persona en Riga que quizá podía ayudarle a ponerse en contacto con Baiba Liepa.

No sabía su nombre.

Pero sabía que tenía los labios pintados de color rojo.

16

Inese regresó poco antes del amanecer.

Vino a su encuentro en una pesadilla en la que los dos coroneles aguardaban en un segundo plano sin que pudiese descubrirlos. En el sueño ella aún vivía; él intentaba advertirla, pero no le oía, y cuando comprendió que no podía ayudarla, fue arrebatado del sueño y abrió los ojos en la habitación del hotel Hermes.

El reloj de pulsera, que había dejado sobre la mesilla de noche, señalaba las seis y cuatro minutos. Un tranvía traqueteaba abajo en la calle. Se desperezó en la cama, y por primera vez desde que saliera de Suecia, se sintió relajado.

Permaneció un rato en la cama; revivió con una fuerza sobrecogedora los acontecimientos del día anterior. La terrible matanza se le aparecía como irreal en su despejada mente. Aquella masacre indiscriminada era incomprensible. La muerte de Inese le sumía en un profundo estado de desesperación. No soportaba la idea de que no había podido hacer nada por salvarla a ella, ni al hombre bizco ni a los demás que le esperaban, pero de los que ni siquiera tuvo tiempo de conocer el nombre.

La angustia le hizo saltar de la cama. Poco antes de las seis y media salió de la habitación, se dirigió a la recepción y pagó. La anciana de sonrisa amable e incomprensibles frases letonas recibió el dinero, y tras hacer un cálculo rápido, se dio cuenta de que le quedaba aún bastante para dormir unas cuantas noches en un hotel si era necesario.

La mañana era fría. Se subió el cuello de la chaqueta y decidió desayunar antes de llevar a cabo su plan. Después de vagar por las calles durante veinte minutos, encontró un café abierto. Entró en el local semivacío, pidió un café y unos bocadillos, y se sentó en un rincón que le hacía invisible desde la puerta. A las siete y media ya no podía esperar más, pasara lo que pasase. Nuevamente le asaltó la idea de que haber regresado a Letonia era una locura.

Al cabo de media hora, estaba delante del hotel Latvia, en el mismo lugar donde el sargento Zids solía esperarle con el coche. Dudó unos instantes. ¿Era demasiado temprano? ¿Habría llegado ya la mujer de los labios pintados? Cruzó las puertas giratorias, miró de reojo la recepción, donde unos huéspedes madrugadores estaban pagando la factura, pasó por delante del sofá, donde sus sombras se habían ocultado detrás de diferentes periódicos, y vio que la mujer se encontraba en su sitio detrás del mostrador. Estaba a punto de abrir e iba colocando los periódicos. «¿Qué pasará si no me reconoce?», pensó. «Quizá sólo sea una intermediaria que no sabe nada del alcance de sus recados.»

En ese instante ella le vio cerca de las altas columnas del vestíbulo. Wallander se dio cuenta de que le reconocía, que sabía quién era y que no se asustaba de volver a verle. Se acercó al mostrador, le tendió la mano y en voz alta y en inglés dijo que quería comprar unas postales. Para darle tiempo de acostumbrarse a su repentina aparición, continuó conversando. ¿No tenía postales de la antigua Riga? Cuando vio que no había nadie cerca y consideró que había charlado lo suficiente, se inclinó sobre el mostrador como si le estuviese pidiendo que le explicara algún detalle de una de las postales.

–Sé que me ha reconocido –empezó–. En una ocasión me dio una entrada para un concierto en el que me reuní con Baiba Liepa. Tiene que ayudarme a verla de nuevo. No puedo acudir a nadie más que a usted. Es muy importante que vea a Baiba. Tiene que saber que es muy peligroso ya que están vigilándola. No sé si sabe lo que ocurrió ayer. Señale algo en el folleto, finja que está explicándome algo, y contésteme mientras.

Empezó a temblarle el labio inferior y se le anegaron los ojos en lágrimas. Como no podía exponerse a que empezase a llorar y llamar así la atención, dijo que estaba interesado en las postales de toda Letonia, no solamente de Riga. Un buen amigo le había dicho que en el hotel Latvia siempre había una buena muestra de ellas.

Cuando ella consiguió dominarse, Wallander le preguntó si alguien la había advertido de que él estaba en Letonia. Ella negó con la cabeza.

—No tengo adónde ir —prosiguió—. Necesito un lugar donde ocultarme mientras me ayuda a encontrar a Baiba.

Ni siquiera sabía su nombre, sólo que sus labios eran demasiado rojos. ¿Tenía algún derecho a pedirle eso? ¿No debería abandonarlo todo y dirigirse a la embajada sueca? ¿Dónde se hallaba la frontera entre lo razonable y decente en un país donde se disparaba indiscriminadamente sobre personas inocentes?

—No sé si puedo organizar un encuentro con Baiba —susurró—. No sé si es posible, pero trataré de esconderle en mi casa. Soy demasiado insignificante para que la policía se interese por mí. Vuelva dentro de una hora y espéreme en la parada de autobuses al otro lado de la calle, y ahora váyase.

Se levantó y le dio las gracias como si fuera un cliente satisfecho por el trato recibido, se introdujo el folleto en el bolsillo y salió del hotel. Durante la hora siguiente se dejó engullir por la muchedumbre en unos grandes almacenes y compró un gorro en un intento dudoso de cambiar su apariencia. Pasada la hora, estaba en la parada. La vio salir del hotel y cuando se puso a su lado fingió que era un desconocido. Subieron al autobús que llegó pasados unos minutos y se sentó unos cuantos asientos detrás de ella. El autobús circuló por el centro de Riga durante más de media hora antes de seguir la ruta hacia uno de los suburbios. Intentó fijarse en el camino, pero lo único que reconoció fue el gran parque Kirov. Pasaron por un barrio desolado. Cuando ella pulsó el botón para bajar, él estaba desprevenido y estuvo a punto de perderla. Cruzaron un parque infantil, donde unos niños se encaramaban sobre unos andamios oxidados. Wallander pisó un gato muerto que yacía hinchado en el suelo, y luego la siguió por un lúgubre pasillo. Salieron a un mirador abierto donde el viento frío les golpeaba en la cara. Se volvió hacia él.

–Este sitio es muy pequeño –le explicó–. Mi anciano padre vive conmigo. Diré que es usted un amigo sin casa. Nuestro país está lleno de gente sin hogar, por lo que es muy normal que nos ayudemos los unos a los otros. Más tarde llegarán mis dos hijas de la escuela. Les dejaré una nota explicando que es un amigo y que le preparen el té. Esto es todo lo que puedo ofrecerle. Tengo que regresar al hotel enseguida.

El apartamento consistía en dos habitaciones pequeñas, una cocina que más bien parecía empotrada en un armario, y un cuarto de baño minúsculo. Recortado en una cama descansaba un anciano.

–Ni siquiera sé cómo se llama –dijo Wallander cuando ella le tendió una percha.

–Vera –respondió–. Y usted Wallander.

Pronunció su apellido como si fuera su nombre de pila, y pensó que ni él mismo sabía qué nombre usar. El anciano se sentó en la cama, y cuando quiso levantarse apoyado en el bastón para dar la bienvenida al desconocido sin hogar, Wallander protestó. No era necesario, no quería molestar. Vera sacó pan y embutido de la pequeña cocina, y él protestó de nuevo; lo que necesitaba era un escondite, no una mesa con comida. Se sintió avergonzado por haberle exigido que le auxiliase, por su apartamento de la calle de

Mariagatan, tres veces mayor que el espacio vital del que ella disponía. Le enseñó la otra habitación, donde una cama grande ocupaba casi todo el espacio.

–Cierre la puerta si quiere que no le molesten –sugirió–. Aquí puede descansar. Intentaré salir del hotel cuanto antes.

–No quiero que corra peligro –respondió.

–Siempre se tiene que hacer lo que uno cree necesario –aclaró–. Me alegro de que haya acudido a mí.

Después se marchó. Wallander se dejó caer sobre el borde de la cama.

Había llegado hasta allí.

Ahora sólo le quedaba esperar a Baiba Liepa.

Vera regresó del hotel poco antes de las cinco. Para entonces, Wallander ya había tomado el té con sus dos hijas: Sabine, de doce años, y Ieva, dos años mayor. Había aprendido unas palabras en letón, ellas se habían reído a hurtadillas de su intento frustrado de cantarles una canción infantil sueca con mímica, y el padre de Vera había cantado con voz quebrada una vieja tonada de soldados. Por unos instantes, Wallander se olvidó de su misión y de Inese, del balazo en el ojo y de la brutal matanza. Descubrió que existía una vida más allá de la de los coroneles, y era ese mundo el que había defendido el mayor Liepa con su autoimpuesta misión. Era por gente como Sabine, Ieva y el anciano padre de Vera por lo que se reunían en cabañas escondidas o en almacenes.

Cuando Vera regresó, abrazó a sus hijas y luego se encerró en la habitación con Wallander. Se sentaron en la cama, él le tocó el brazo en señal de gratitud, pero ella malinterpretó el gesto y se apartó, la situación pareció incomodarla. Wallander comprendió que no valía la pena intentar explicarse, y preguntó si había podido ponerse en contacto con Baiba.

–Baiba llora por sus amigos –respondió–. Ante todo llora por Inese. Les había advertido que la policía había doblado la vigilancia y les había suplicado que tuvieran cuidado. Pero de todos modos, ocurrió lo que había temido. Baiba llora, pero también siente rabia, igual que yo. Quiere verle esta noche, Wallander, y tenemos un plan para hacerlo, pero antes de contárselo, tenemos que cenar. Si no comemos, es que ya hemos perdido toda esperanza.

Se apiñaron en torno a una mesa empotrada en la pared de la habitación donde dormía el padre. Wallander pensó que era como si Vera y su familia viviesen en una caravana. Había que organizarlo todo con minuciosidad para que todos cupiesen, y se preguntó cómo era posible vivir tan estrechos. Recordó la noche que visitó el chalet del coronel Putnis en las afueras de Riga. Para conservar sus privilegios, uno de los coroneles había mandado a sus subordinados a perseguir indiscriminadamente al mayor y a Inese. Ahora veía la gran diferencia entre sus mundos; cada contacto entre estas personas estaba manchado de sangre.

Cenaron una sopa de verduras que Vera preparó en la diminuta cocina. Las dos niñas sacaron pan negro y cerveza. Aunque Wallander notaba la tensión que Vera desprendía, conservaba la calma ante su familia, y pensó que no tenía ningún derecho a exponerla a correr riesgo alguno. No podría soportar que le ocurriese algo.

Después de cenar, las niñas quitaron la mesa y fregaron los platos, mientras el abuelo volvía a la cama a descansar.

–¿Cómo se llama su padre? –preguntó Wallander.

–Tiene un nombre muy común –respondió Vera–. Se llama Anton. Tiene setenta y seis años y problemas en la vejiga. Ha trabajado toda su vida de encargado en una imprenta, y dicen que los viejos tipógrafos pueden sufrir un tipo de intoxicación de plomo, lo que les vuelve despistados y ausentes. A veces está como en otro mundo, quizás haya contraído la enfermedad.

Se sentaron de nuevo en la cama con la cortina de la puerta corrida, mientras las niñas cuchicheaban y reían a hurtadillas en la cocina. Wallander sabía que había llegado la hora.

–¿Se acuerda de la iglesia donde conoció a Baiba por primera vez? –preguntó–. La iglesia de Santa Gertrudis.

Wallander asintió con la cabeza.

–¿Cree que podrá encontrarla?

–Desde aquí, no.

–¿Y desde el hotel Latvia? ¿Desde el centro de la ciudad?

–Sí.

–No podré acompañarle hasta el centro porque es demasiado peligroso, aunque no creo que nadie sospeche que está en mi casa. Tendrá que subir usted solo al autobús hasta el centro. No baje en la parada de delante del hotel, baje antes o después. Busque la iglesia y espere hasta las diez. ¿Se acuerda de la puerta trasera por donde salieron de la iglesia?

Wallander asintió con la cabeza. Creía recordar, aunque no estaba del todo seguro.

–Entre por allí cuando esté seguro de que nadie le ve, y espere allí. Si Baiba puede, acudirá a la cita.

–¿Cómo ha podido encontrarla?

–La he llamado por teléfono.

Wallander la miró incrédulo.

–¡Pero el teléfono debe de estar pinchado!

–Claro que lo está. La he llamado con la excusa de que el libro que había pedido ya había llegado. Es la contraseña para que vaya a la librería y pregunte por un determinado libro, en el que le he dejado una carta explicándole que usted ya había llegado y que estaba en mi casa. Después he pasado por la tienda en la que una de las vecinas de Baiba suele hacer la compra, y allí había una carta de Baiba diciendo que intentaría llegar a la iglesia esta noche.

–¿Y si no puede?

–Entonces no podré ayudarle más. Y tampoco puede regresar aquí.

Wallander comprendió que tenía razón. Era la única oportunidad que tenía de volver a ver a Baiba Liepa. Si fracasaba, tendría que recurrir a la embajada sueca y solicitar ayuda para salir del país.

–¿Sabe dónde está la embajada sueca en Riga?

La mujer tardó un poco antes de contestar.

–No sé si Suecia tiene embajada –respondió.

–¿Y un consulado?

–No sé dónde está, pero debe de salir en el listín telefónico. Apunte las palabras letonas para «embajada sueca» y «consulado sueco». Tiene que haber un listín en algún restaurante. Apunte también cómo se dice en letón «listín telefónico». –Escribió lo que le decía en una hoja que arrancó de una libreta de las niñas y luego ella le enseñó a pronunciar bien las palabras.

Dos horas después, se despidió de Vera y de su familia, y se marchó. Ella le ofreció una camisa vieja y una bufanda de su padre para cambiar aún más su indumentaria. No sabía si volvería a verlos más, y ya comenzaba a echarlos de menos.

Cuando se dirigía a la parada de autobuses vio ante sí al gato muerto, lo que le pareció un mal presagio. Vera le dio unas monedas para pagar el billete.

Cuando subió al autobús, sintió la repentina sensación de que le vigilaban. Como por la noche muy poca gente se dirigía al centro de la ciudad, se sentó en la última fila para tener todas las espaldas delante de él. De cuando en cuando echaba una mirada por el sucio cristal trasero del autobús, pero no vio ningún coche que les siguiese.

De todos modos, su intuición le preocupó. La impresión de que le habían encontrado y de que le estaban siguiendo no le dejaba en paz. Intentó decidir lo que iba a

274

hacer: le quedaban unos quince minutos para tomar una decisión. ¿Dónde iba a bajarse? ¿Cómo podía deshacerse de sus posibles perseguidores? Su misión le parecía imposible, pero de repente se le ocurrió una idea lo bastante lúcida como para tener éxito. Daba por sentado que no le vigilaban sólo a él, que igual de importante sería para ellos seguirle hasta el encuentro con Baiba Liepa, para luego esperar el momento de hacerse con el testamento del mayor.

Descartó las instrucciones que Vera le había dado para poder seguir su propio plan, y se bajó delante del hotel Latvia. Entró en el hotel y sin mirar atrás se dirigió a la recepción para preguntar si había una habitación libre para una o dos noches. Habló en un inglés claro y alto, y cuando el recepcionista le contestó que sí, entregó su pasaporte alemán y se registró como Gottfried Hegel. Hizo saber que el equipaje llegaría más tarde y luego dijo lo más alto que pudo, sin que pareciese que dejaba una pista falsa adrede, que quería que le despertasen poco antes de la medianoche, puesto que esperaba una llamada importante y no quería que le pillara durmiendo. En el mejor de los casos, el plan urdido le daría una ventaja de cuatro horas. Como no llevaba equipaje, recogió la llave él mismo y se dirigió al ascensor. Le dieron una habitación en la cuarta planta, y entonces supo que no podía dudar y tenía que actuar de inmediato. Intentó recordar la distribución de las escaleras con relación a los largos pasillos, y cuando salió del ascensor de la cuarta planta supo enseguida adónde ir. Siguió las escaleras oscuras con la esperanza de que no hubiesen tenido tiempo de poner vigilancia en todo el hotel. Llegó hasta el sótano y encontró la puerta que daba acceso a la parte trasera del hotel. Por un instante temió no poder abrirla sin llave, pero tuvo suerte; la llave estaba en la cerradura por la parte interior. Salió a la callejuela oscura, permaneció inmóvil un rato y miró a su alrededor: la calle estaba desierta y no se oían pasos apresurados por ningún sitio. Echó a correr muy pegado a las paredes, dobló numerosas calles y no se detuvo hasta hallarse a tres manzanas del hotel. Jadeaba. Se ocultó en un portal para recobrar el aliento y ver si alguien le perseguía. Trató de imaginarse cómo Baiba Liepa, a su vez, en otro extremo de la ciudad, intentaba deshacerse de las perversas sombras que uno de los coroneles había enviado, y supo que lo lograría, ya que había tenido el mejor de los profesores: su esposo.

Poco antes de las nueve y media, encontró la iglesia de Santa Gertrudis. Los grandes ventanales estaban a oscuras y esperó en un patio. Desde algún lugar, oyó voces enzarzadas en una discusión, una retahíla de palabras acaloradas que acabó en jaleo, gritos y absoluto silencio. Movió los pies para entrar en calor e intentó recordar la fecha del día. Muy de vez en cuando pasaba algún coche por la calle, y se preparó mentalmente para que uno de esos coches se detuviese y fuese a por él en su escondite tras los cubos de basura.

Volvió a tener el presentimiento de que le habían descubierto y pensó que el intento de liberarse, fingiendo registrarse en el hotel Latvia, había sido en vano. ¿Habría cometido un grave error presuponiendo que la mujer de los labios rojos no trabajaba para los dos coroneles? Quizás estaban esperándole entre las sombras del cementerio, aguardando el momento en que se descubriese el legado del mayor. Se obligó a apartar de su cabeza tales pensamientos. La única posibilidad era huir en busca de la delegación sueca, pero sabía que no podía hacerlo.

El reloj de la iglesia dio diez campanadas. Salió del patio, contempló la calle con atención y luego se apresuró en dirección a la pequeña verja de hierro. Aunque la abrió con sumo cuidado, se oyó un débil chirrido. Unas cuantas farolas iluminaban el muro del cementerio. Permaneció un rato inmóvil, escuchando. Todo estaba en silencio. Con sumo cuidado siguió el sendero hacia la capilla lateral por donde había salido en compañía de Baiba Liepa. De nuevo tuvo la impresión de que le observaban, de que las sombras se hallaban delante de él, pero como no podía hacer otra cosa avanzó hasta el muro de la iglesia y esperó.

Baiba Liepa apareció a su lado sin hacer el menor ruido, como si hubiese salido de las sombras. Se sobresaltó al verla. Susurró algo ininteligible. Luego lo condujo con rapidez por la puerta entreabierta de la capilla, y comprendió que había estado esperándole dentro de la iglesia. Cerró la puerta con la enorme llave y se dirigió a la barandilla del altar. La oscuridad era absoluta dentro de la iglesia. Le llevó de la mano como si fuese ciego, y no entendió cómo podía orientarse sin ver nada. Detrás de la sacristía había un cuarto sin ventanas, donde encima de una mesa alumbraba un quinqué. Allí había estado esperándole. Su gorro de piel estaba encima de una silla y para su asombro y emoción, había colocado una fotografía del mayor junto al quinqué. También había un termo, unas manzanas y un trozo de pan. Era como si le hubiese invitado a la última cena. No pudo menos de preguntarse cuánto tardarían los coroneles en alcanzarlos. Le intrigó cuál sería su relación con la iglesia y si a diferencia de su difunto marido, creía en algún dios. Sabía tan poco de ella como de su marido.

Una vez dentro de la habitación de detrás de la sacristía, ella le abrazó con fuerza. Lloraba, y el dolor y la rabia eran tan intensos que notó las manos como garras de hierro alrededor de su espalda.

–Han matado a Inese –susurró–. Los han matado a todos. Creí que tú también estabas muerto. Creí que todo había acabado cuando Vera se puso en contacto conmigo.

–Fue espantoso –dijo Wallander–, pero no pensemos ahora en ello.

Le miró asombrada.

–Siempre tenemos que pensar en ello –replicó–. Si lo olvidamos, olvidaremos que somos personas.

–No digo que lo olvidemos –aclaró–. Quiero decir que tenemos que continuar. La tristeza nos paralizaría.

Se dejó caer sobre la silla, y Wallander vio que estaba demacrada por el cansancio y el dolor. Se preguntó cuánto tiempo podría resistir.

La noche que pasaron en la iglesia fue un punto de inflexión en la existencia de Kurt Wallander. Hasta entonces había dedicado muy poco tiempo a reflexionar sobre su vida desde una vertiente existencial; sólo en momentos dramáticos le atenazaba la fugacidad de la vida, cuando veía a personas asesinadas, niños muertos en accidentes de tráfico, o personas desesperadas que se habían suicidado; le daba escalofríos la brevedad de la vida, y el larguísimo tiempo que se estaba muerto. Pero tenía la suerte de poder apartar tales pensamientos de su cabeza. Para él, la vida consistía en algo práctico y no se fiaba de su talento para enriquecer su existencia con recetas filosóficas. Tampoco se había preocupado por la época que por casualidad le había tocado vivir. Nacías cuando nacías y morías cuando morías, más allá de eso no había contemplado las fronteras de la existencia. Sin embargo, aquella noche, junto a Baiba Liepa en la gélida iglesia tuvo que mirar con más profundidad que nunca dentro de sí mismo. Se dio cuenta de que el mundo casi no se asemejaba en nada a Suecia, y que sus propios problemas parecían insignificantes en comparación con la despiadada vida que marcaba a Baiba Liepa. Era como si, por primera vez, esa noche pudiera comprender la carnicería que acabó con Inese y los otros; lo irreal se convirtió en real. Los coroneles existían, el sargento Zids disparaba balas asesinas con armas reales, armas que reventaban los corazones y en un instante podían crear un universo desierto. Pensó en la insoportable tortura que debía de suponer vivir en un permanente estado de temor. «La era del miedo», pensó. «Ésta es mi época, y no lo he entendido hasta ahora, cuando ya estoy en la mitad de mi vida.»

Ella le aseguró que en el interior de la iglesia estaban seguros, si es que podían estar seguros en alguna parte. El sacerdote había sido íntimo amigo de Karlis Liepa y no dudó en poner un escondite a disposición de Baiba cuando solicitó su ayuda. Wallander le habló sobre su premonición de que le habían encontrado y de que le esperaban en las sombras.

–¿Para qué iban a esperar? –objetó Baiba–. Para esa clase de tipos no hay espera que valga cuando tienen la intención de atrapar y castigar a los que les amenazan.

Wallander pensó que a lo mejor estaba en lo cierto. Insistió en la importancia de los papeles, era esa prueba póstuma la que temían sus perseguidores, y no a la viuda y menos aún a un inofensivo inspector de la policía sueca que había emprendido su particular *vendetta* secreta.

Se le ocurrió de pronto otra idea, pero era tan asombrosa que prefirió no comentársela a Baiba de momento: comprendió que podía existir un tercer motivo para que las sombras permaneciesen al acecho sin dejarse ver, para detenerlos luego y llevarlos al cuartel general de la policía. Durante la larga noche que pasaron en la iglesia esa posibilidad le parecía cada vez más probable, pero no le dijo nada a Baiba para no exponerla a más presiones que las absolutamente necesarias.

Entendía que su aflicción se debía a que no sabía dónde había ocultado su marido los papeles y a la pérdida de Inese y de sus otros amigos. Había sopesado a fondo todas las posibilidades y en vano trató de pensar como su marido. Había arrancado los azulejos del cuarto de baño y la tapicería de los muebles, pero sólo encontró polvo y huesos de ratones muertos.

Wallander intentaba ayudarla. Estaban sentados a la mesa y ella sirvió té en las tazas. La luz del quinqué convirtió las tristes bóvedas de la iglesia en un cuarto cálido y confortable. Hubiera preferido abrazarla y compartir su pena, y volvió a considerar la posibilidad de llevársela a

Suecia, pero por ahora, con Inese y los demás amigos asesinados, ella no podía planteárselo. Preferiría morir que dejar de luchar por el legado de su marido.

Estuvo sopesando la tercera posibilidad, la respuesta a por qué las sombras no intervenían de momento. Si era como se imaginaba cada vez con más convicción, no tenían sólo un enemigo acechando en las sombras, sino también un enemigo del enemigo que les vigilaba. «El cóndor y el frailecillo», pensó. «Todavía no sé qué coronel lleva cada plumaje. Tal vez el frailecillo conozca al cóndor y quiera proteger a las supuestas víctimas.»

La noche en la iglesia fue como un viaje a un continente extraño, en el que debían buscar algo que ignoraban. ¿Un paquete envuelto en papel marrón? ¿Un maletín? Wallander estaba convencido de que el mayor era demasiado inteligente como para saber que un escondite muy oculto no tenía valor. Tenía que saber más sobre Baiba para conocer el mundo de su esposo. Le preguntó cosas que no deseaba saber, pero ella le exigió que no tuviera contemplaciones.

Puso un cerco a su vida en los detalles más íntimos. Cuando creían haber encontrado una pista, resultaba que Baiba ya había examinado esa posibilidad sin éxito.

A las tres y media estuvo a punto de darse por vencido. Con la mirada cansada contempló la extenuada cara de Baiba.

–¿Qué más hay? –preguntó tanto a ella como a sí mismo–. ¿Dónde más podemos buscar? En algún lugar, dentro de algún recinto tiene que haber un escondrijo. Un espacio permanente, hermético, ignífugo. ¿Qué nos queda por indagar?

Se obligó a proseguir.

–¿Vuestra casa tiene sótano? –le preguntó.

Ella negó con la cabeza.

–Hemos hablado ya del desván. Hemos puesto patas arriba el apartamento, la casa de verano de tu hermana, la casa de su padre en Ventspils. Piensa, Baiba, tiene que haber otra posibilidad.

Notó que ella estaba a punto de derrumbarse.

–No –respondió–. No hay otro lugar.

–No es preciso que sea el interior de una casa. Me has contado que a veces os ibais a la costa. ¿Os sentabais en unas determinadas rocas? ¿Dónde colocabais la tienda?

–Ya te lo he contado. Karlis nunca escondería nada allí.

–¿Levantabais la tienda siempre en el mismo lugar? ¿Ocho veranos seguidos? ¿Alguna vez elegisteis un sitio diferente?

–A los dos nos gustaba sentir la alegría del reencuentro con algún lugar conocido.

Ella quería avanzar pero Wallander le hacía retroceder todo el tiempo. Era de la opinión de que el mayor jamás habría elegido un escondite casual. El sitio tenía que estar relacionado con su historia en común.

Empezó desde el principio otra vez. El aceite del quinqué estaba acabándose, y Baiba buscó unas velas que fijó echando unas gotas de cera en una servilleta de papel. Después volvieron a recorrer la vida en común del mayor y ella. A Wallander le pareció que Baiba iba a desmayarse por el agotamiento. Se preguntó cuándo habría dormido por última vez, e intentó animarla con un optimismo que no sentía. Retomó la investigación de su apartamento. ¿Podría haber descuidado algún detalle? Una casa tiene innumerables recovecos.

Recorrieron mentalmente una habitación tras otra, y al final ella se sentía tan cansada que empezó a gritar:

–¡No existe! Teníamos una casa y, salvo los veranos, permanecíamos siempre allí. Durante el día yo estaba en la universidad y Karlis iba al cuartel general de la policía. No hay documento alguno. Karlis debió de pensar que era inmortal.

Wallander se dio cuenta de que dirigía su rabia a su difunto marido. Su grito de socorro le recordó un suceso del año anterior, cuando en Suecia asesinaron brutalmente a un refugiado somalí, y Martinson intentaba calmar a la desesperada viuda.

«Vivimos en una era de viudas», pensó. «Los habitáculos de las viudas son nuestros hogares...»

Interrumpió su pensamiento, y Baiba se percató de que se le había ocurrido una idea.

–¿Qué ocurre? –susurró.

–Espera –respondió–. Tengo que pensar.

¿Sería posible? Dio vueltas a la idea e intentó rechazarla como si se tratara de una minucia, pero no podía apartarla de su cabeza.

–Voy a preguntarte algo que quiero me respondas sin pensar –dijo despacio–. Quiero que me contestes en el acto. Si reflexionas, tal vez no sirva de nada.

Baiba le miró tensa a la luz parpadeante de la vela.

–¿Puede ser que Karlis eligiese el más improbable de todos los escondites? –preguntó–. ¿El cuartel general de la policía?

Vio un reflejo brillante en sus ojos.

–Sí –contestó deprisa–. Podría ser.

–¿Por qué?

–Karlis era así, iba con su carácter.

–¿Dónde?

–No lo sé.

–Imposible en su propio despacho. ¿Hablaba alguna vez del cuartel?

–Lo detestaba como si fuera una cárcel, porque en realidad era una cárcel.

–Ahora piensa, Baiba. ¿Hablaba de alguna sala en especial? ¿Una que significase algo diferente? ¿Qué la detestase más que las otras? ¿O que le gustaba más?

–Las dependencias de los interrogatorios le ponían enfermo.

–Allí no se puede ocultar nada.

–Odiaba los despachos de los coroneles.

–Allí tampoco pudo haberlo escondido.

Baiba entrecerró los ojos por el esfuerzo.

Cuando salió de sus pensamientos y abrió por fin los ojos, tenía la respuesta.

–Karlis hablaba a menudo de lo que llamaba el cuarto de la maldad –le explicó–. Decía que en ese cuarto se escondían todos los documentos que hablaban de las injusticias que habían afectado a nuestro país. Seguro que escondió su testamento allí, en medio de los recuerdos de todos los que han sufrido tanto y durante tanto tiempo. Tuvo que guardar los papeles en alguna parte del archivo del cuartel general de la policía.

Wallander contempló el rostro de Baiba, en el que de repente se había desvanecido el cansancio.

–Sí –dijo–, creo que tienes razón. Eligió un escondite dentro de otro. Como una caja china. Pero ¿cómo marcó los papeles para que sólo tú los encontraras?

Se puso a reír y a llorar a la vez.

–Lo sé –sollozó–. Ahora entiendo su razonamiento. Cuando nos conocimos, me solía hacer trucos de cartas. De joven no sólo quiso ser ornitólogo, también pensó en ser mago. Cuando le pedía que me enseñara los trucos, él se negaba. Era como un juego entre nosotros. Me enseñó un solo truco, el más fácil de todos: se divide la baraja en dos partes, todas las cartas negras en una pila y las rojas en otra. Luego se pide a alguien que coja una carta, la recuerde y la vuelva a meter en el mazo. Extendiendo las cartas, una carta roja queda entre las negras o una negra entre las rojas. A menudo decía que en aquel mundo tan gris, yo iluminaba su vida. Por eso siempre buscábamos una flor roja entre las azules o las amarillas, una casa verde entre las blancas. Era un juego secreto entre nosotros. Debió de pensar en ello al esconder su testamento. Supongo que el archivo estará lleno de carpetas de distintos colores y en alguna parte habrá una carpeta que se distinga o por el color o por el tamaño.

–Supongo que el archivo de la policía será enorme –comentó Wallander.

–A veces, cuando se iba de viaje, solía dejar la baraja encima de mi almohada con una carta roja metida entre las negras –continuó Baiba–. En el archivo habrá una carpeta sobre mí, y puede que ahí haya escondido la carta desconocida.

Eran las cinco y media. Todavía no habían llegado a la meta, pero creían saber dónde se encontraba ésta.

Wallander tendió una mano y rozó el brazo de Baiba.

–Quisiera que vinieras conmigo a Suecia –le dijo en sueco.

Ella le miró sin entender nada.

–Digo que tenemos que descansar –explicó–. Tenemos que salir de aquí antes de que amanezca. No sabemos adónde ir, ni tampoco cómo realizar el truco de magia más grande de todos: entrar en los archivos de la policía, por lo que tenemos que descansar.

Había una manta en un armario enrollada debajo de una vieja mitra. Baiba la extendió en el suelo, y se tumbaron abrazados para mantener el calor, como si fuese la cosa más natural del mundo.

–Duerme –le susurró–. Yo sólo necesito descansar. Me mantendré despierto, y cuando tengamos que irnos te despertaré.

Esperó un rato.

No le respondió.

Ya se había dormido.

17

Salieron de la iglesia poco antes de las siete.

Wallander tuvo que sostener a Baiba porque ésta desfallecía de cansancio. Todavía era de noche cuando abandonaron el recinto. Mientras ella dormía junto a él en el suelo, Wallander había permanecido despierto, trazando un plan de actuación, sabía que tenía que preparar un plan. Baiba sería de poca ayuda, ya no había retorno, y ambos eran unos proscritos. A partir de ahora él sería su salvador y mientras reflexionaba en la oscuridad, se dio cuenta de que su capacidad de invención estaba agotada, que no se le ocurría ningún plan.

Aun así, la idea de la tercera posibilidad le obligaba a seguir adelante, si bien comprendió que correrían un gran riesgo si confiaba ciegamente en ella; podía estar equivocado, y de ser así jamás escaparían al asesino del mayor. Sin embargo, a las siete decidieron salir de allí, pues era consciente de que no había otra opción.

La mañana era fría. Se detuvieron en la penumbra delante del portal. Baiba se apoyaba en su brazo. Wallander oyó un ruido casi imperceptible en la oscuridad, como si alguien hubiese cambiado de posición y sin querer hubiese rascado con el pie la gravilla helada. «Ya vienen», pensó. «Están soltando los perros.» Pero no ocurrió nada, todo permanecía en calma, y arrastró a Baiba hasta el muro del cementerio. Cuando salieron a la calle, estaba seguro de que los perseguidores se hallaban muy cerca, porque le pareció vislumbrar el movimiento de una silueta en un portal y oyó el chirrido de la verja que se abría otra vez detrás de ellos. «No son muy hábiles los perros de la jauría de uno de los coroneles», pensó con ironía. «O quizá quieren que sepamos que siguen nuestro rastro.»

Baiba se despabiló cuando les dio el aire fresco. Se detuvieron en una esquina. Wallander sabía que tenía que inventarse algo.

–¿Conoces a alguien que pueda prestarnos un coche? –preguntó.

Ella reflexionó antes de negar con la cabeza.

El miedo le irritó. ¿Por qué era todo tan sumamente complicado en ese país? ¿Cómo podía ayudarla cuando todo carecía de normalidad? No estaba acostumbrado a ese sistema.

De pronto se acordó del coche que había robado el día anterior. La posibilidad era remota, pero no tenía nada que perder yendo a comprobar si todavía estaba donde lo había dejado. Empujó a Baiba para que entrara en un café abierto, creyendo que eso confundiría a la jauría de perseguidores; éstos tendrían que separarse convencidos de que él y Baiba tenían en su poder las pruebas que el mayor había dejado. Esa idea le puso eufórico. Se abría una posibilidad que no había considerado hasta entonces: echar falsos cebos a los perseguidores. Se apresuró calle abajo. Lo primero era averiguar si el coche todavía seguía allí.

En efecto, estaba donde lo había dejado. Sin pensárselo, se sentó al volante, y notó de nuevo el olor a pescado, conectó los cables eléctricos y esta vez se acordó de poner el punto muerto. Se detuvo delante del café y dejó el motor en marcha mientras entraba a recoger a Baiba, que estaba tomando una taza de té. Él también tenía hambre, pero se dominó.

Baiba ya había pagado y salieron hasta el coche.

–¿De dónde lo has sacado? –preguntó.

–Ya te lo explicaré en otro momento –respondió–. Has de explicarme cómo se sale de Riga.

–¿Adónde vamos?

–No lo sé. Para empezar, iremos al campo.

El tráfico era más denso, y a Wallander le costaba controlar el motor. Llegaron hasta los suburbios más alejados de la ciudad, desde donde se extendía una llanura con granjas aquí y allá a ambos lados de la carretera.

–¿Adónde va esta carretera? –preguntó Wallander.

–A Estonia. Termina en Tallin.

–No creo que vayamos tan lejos.

El indicador de gasolina empezó a relampaguear, y pararon en una gasolinera. Un señor mayor y tuerto le llenó el depósito, y cuando Wallander fue a pagar, no tenía bastante dinero, por lo que Baiba tuvo que poner lo que faltaba; luego continuaron adelante. Cuando pararon, Wallander aprovechó para echar una ojeada a la carretera. Primero les adelantó un coche negro de marca desconocida, y luego otro. Al salir de la gasolinera, vio por el espejo retrovisor otro coche aparcado en la cuneta detrás de ellos. «Así que son tres», pensó. «Como mínimo tres coches.»

Llegaron a una ciudad cuyo nombre Wallander no acabó de oír bien. Detuvo el coche junto a una plaza, donde un grupo de gente se apiñaba alrededor de un puesto de venta de pescado.

Se sentía muy cansado. Si no dormía un poco, su mente no resistiría más. Al otro lado de la plaza vio el letrero de un hotel y no dudó un instante.

–Tengo que dormir un poco –le dijo a Baiba–. ¿Cuánto dinero tienes? ¿Hay bastante para una habitación?

Asintió con la cabeza. Salieron del coche, cruzaron la plaza y se registraron en el hotel. Baiba dijo algo en letón, que hizo que la recepcionista se ruborizara; no hizo falta que rellenasen los formularios de inscripción.

–¿Qué le has dicho? –preguntó Wallander cuando entraron en una habitación con vistas a un patio interior.

–La verdad –respondió–. Que no estamos casados y que sólo nos quedaremos unas horas.

–Se ha ruborizado, ¿verdad?

–Yo también lo habría hecho.

Por un instante la tensión menguó: Wallander se echó a reír y Baiba enrojeció. Se puso serio de nuevo.

–No sé si te das cuenta de que ésta es la empresa más disparatada en la que jamás he participado –aclaró–. Tampoco sé si sabes que tengo tanto miedo como tú. A diferencia de tu marido, he trabajado toda mi vida en una ciudad no más grande que ésta en la que estamos ahora. No tengo ninguna experiencia con organizaciones criminales ni masacres. De cuando en cuando, por supuesto, me he visto en la necesidad de solucionar algún caso de asesinato, pero por lo general me dedico a perseguir ladrones borrachos y rescatar animales perdidos.

Baiba se sentó junto a él en el borde de la cama.

–Karlis me dijo que eres un buen policía –afirmó–, que habías cometido un error por descuido, pero aun así te consideraba un policía muy eficiente.

Wallander recordó con disgusto lo del bote salvavidas.

–Nuestros países son tan distintos... –dijo–. Karlis y yo teníamos puntos de vista muy diferentes. Él, con toda probabilidad, habría sido capaz de prestar un buen servicio también en Suecia, pero yo nunca podría ser un buen policía en Letonia.

–Ahora lo eres –afirmó.

–No –objetó–. Estoy aquí porque me lo pediste, o por ser Karlis quien era. En realidad no sé qué hago aquí en Letonia. Sólo estoy seguro de una cosa, y es que quiero que vengas conmigo a Suecia cuando todo esto haya acabado.

Le miró sorprendida.

–¿Por qué? –preguntó.

Comprendió que no podía darle ninguna explicación, ya que ni él mismo sabía cuáles eran sus sentimientos.

–Nada –respondió–. Olvídalo. Tengo que dormir un poco para poder pensar luego con más lucidez. Tú también necesitas descansar. Será mejor que avises a la recepción de que nos llamen dentro de tres horas.

–La chica se sonrojará de nuevo –dijo Baiba tras levantarse de la cama.

Wallander se acurrucó debajo de la colcha. Cuando Baiba regresó estaba casi dormido.

Cuando despertó al cabo de tres horas tuvo la impresión de que solamente había dormido unos pocos minutos. Baiba continuaba dormida. Wallander se dio una ducha de agua fría para quitarse de encima el cansancio. Mientras se vestía pensó que lo mejor sería que ella continuara durmiendo hasta que estuviera seguro de cuáles iban a ser los siguientes pasos. En un trozo de papel higiénico le escribió una nota en la que le pedía que le esperara hasta que volviese, que no tardaría mucho rato.

La chica de la recepción le sonrió tímidamente y Wallander tuvo la impresión de que su mirada tenía un punto de lujuria. Cuando se dirigió a ella en inglés, la chica demostró tener algunos conocimientos del idioma. Wallander le preguntó dónde podía comer algo, y ella le señaló la puerta de un pequeño comedor. Se sentó a una mesa desde la que podía observar la plaza. Los puestos de pescado seguían muy concurridos y la gente iba muy abrigada. El coche continuaba en el mismo lugar donde lo habían dejado.

En el lado opuesto de la plaza vio uno de los coches negros que les había adelantado antes, cuando se detuvieron para repostar. Deseó que los perros pasasen frío mientras les esperaban en los coches.

La chica de la recepción también hacía de camarera y le trajo unos bocadillos y una jarra de café. De cuando en cuando echaba un vistazo a la plaza, mientras urdía un plan mentalmente. La idea que le vino le parecía tan increíble que hasta tenía probabilidades de éxito.

Después de comer se sintió mejor. Cuando regresó a la habitación, Baiba ya estaba despierta.

Se sentó en el borde de la cama y empezó a explicarle lo que había pensado.

–Karlis debía de tener algún amigo íntimo entre sus colegas –afirmó.

–No solíamos reunirnos con otros policías –respondió–. Teníamos otros amigos.

–Trata de recordar –suplicó–. Tiene que haber alguien con quien tomase café en alguna ocasión. No es preciso que fuese un amigo, basta con que recuerdes a alguien que no fuese su enemigo.

Baiba se quedó pensativa. Todo su plan dependía de que el mayor hubiese tenido a alguien que, aunque no fuese un amigo íntimo, no desconfiara de él.

–A veces hablaba de un tal Mikelis –dijo–, un joven sargento que no era como los demás, pero no sé nada de él.

–Seguro que te acuerdas de algo. ¿Por qué hablaba de él?

Empujó las almohadas contra la pared, y Wallander vio que hacía un esfuerzo por recordar.

–Karlis solía decir que le asustaba la indiferencia de sus colegas –empezó–, las frías reacciones ante todo el sufrimiento del país. Mikelis era la excepción. Creo que una vez, junto con Karlis, metió en prisión preventiva a un hombre sin recursos y con familia numerosa. Después le dijo a Karlis que esa acción le había parecido deleznable. Quizás habló de él en otra ocasión, pero no lo recuerdo.

–¿Cuándo ocurrió eso?

–No hace mucho.

–Intenta ser más exacta. ¿Hace un año? ¿Más?

–Menos. Menos de un año.

–Mikelis debía de trabajar en la brigada criminal si trabajaba con Karlis.

–No lo sé.

–Tiene que ser así. Llama a Mikelis y dile que necesitas verle.

Le miró asustada.

–Hará que me detengan.

–No le digas que eres Baiba Liepa, tan sólo dile que tienes algo que puede ayudarle en su carrera, pero exígele que la llamada permanezca en el anonimato.

–No es fácil engañar a los policías de nuestro país.

–Tienes que parecer convincente; no puedes rendirte ahora.

–Pero ¿qué le digo?

–No lo sé. Ayúdame a pensar algo. ¿Cuál puede ser la tentación más grande para un policía letón?

–El dinero.

–¿Divisa extranjera?

–Mucha gente de aquí vendería a su propia madre por un puñado de dólares americanos.

–Dile que conoces a alguien que tiene sumas importantes de dólares americanos.

–Me preguntará de dónde proceden.

Wallander se acordó de un suceso reciente en Suecia.

–Llama a Mikelis y dile lo siguiente: conoces a dos letones que han cometido un robo en un banco de Estocolmo donde han conseguido una gran suma de dinero extranjero, sobre todo dólares americanos. Han atracado una oficina de cambio en la estación central de Estocolmo y la policía sueca no les ha atrapado. Ahora están aquí en Letonia con todas esas divisas.

–Preguntará quién soy y cómo lo sé.

–Hazle creer que eres la amante de uno de los atracadores, pero que te ha abandonado por otra. Quieres vengarte de él, pero tienes miedo y no te atreves a dar el nombre.

–Me cuesta tanto mentir...

Wallander se enfureció.

–Pues tendrás que aprender. Ese Mikelis es nuestra única posibilidad de entrar en el archivo. Tengo un plan y tal vez podamos llevarlo a cabo. Si no tienes otra propuesta, tendrás que aceptar la mía.

Se levantó de la cama.

–Ahora volveremos a Riga. En el coche te explicaré el plan.

–¿Mikelis va a buscar los papeles de Karlis?

–Mikelis no –contestó muy serio–, lo haré yo. Él tan sólo me introducirá en el cuartel general de la policía.

Regresaron a Riga. Baiba llamó desde una estafeta de correos y la mentira surtió efecto.

Después se dirigieron al mercado de la ciudad. Baiba le dijo a Wallander que la esperara junto a la inmensa lonja del pescado. Él la vio desaparecer entre la muchedumbre, y pensó que nunca más volvería a verla. Ella se encontró con Mikelis entre los puestos de carne, pasearon por los mostradores mientras conversaban. Baiba le confesó que los supuestos atracadores no existían ni tampoco los dólares americanos. Cuando regresaban a Riga, Wallander le había dado instrucciones de no titubear, de ir directa al grano, de contar toda la historia. No tenían otra posibilidad, costara lo que costase.

«O te detiene de inmediato», le había dicho, «o hará lo que queremos. Si titubeas, quizá piense que se trata de una conspiración urdida por alguno de sus superiores que duda de su lealtad. Tienes que probarle que eres la viuda de Karlis en caso de que no te reconozca. Tienes que hacer y decir exactamente lo que te he dicho.»

Baiba regresó al cabo de una hora larga al lugar donde Wallander la esperaba. Se dio cuenta de que lo había conseguido.

Su semblante era de júbilo y alivio, y reparó de nuevo en su belleza.

En voz baja le contó que Mikelis se había asustado mucho, se jugaba su puesto de policía, incluso la vida, pero al mismo tiempo advirtió que se sentía aliviado.

–Es de los nuestros –afirmó–. Karlis no se equivocó.

Faltaban muchas horas para que Wallander pudiese poner en práctica el plan, y para matar el tiempo pasearon por la ciudad, eligieron dos puntos de reunión alternativos y continuaron hasta la universidad donde Baiba daba clases. En una desolada sala de biología que olía a éter, Wallander se quedó dormido con la cabeza apoyada en una vitrina que contenía el esqueleto de una gaviota. Baiba se acurrucó en el ancho hueco de la ventana, desde donde contempló el parque. Una espera larga y sin palabras era todo lo que existía.

Se despidieron delante de la sala de biología poco después de las ocho. Convencieron al conserje, que controlaba que todas las luces estuviesen apagadas, para que dejara unos instantes sin luz la puerta trasera de la universidad.

Cuando la luz se apagó, Wallander se deslizó rápidamente por la puerta, corrió a través del oscuro parque en la dirección que Baiba le había indicado, y cuando se detuvo para recobrar el aliento estaba convencido de que la jauría se había quedado esperando delante de la universidad.

En el momento en que las campanas de la iglesia que se alzaba detrás del cuartel general de la policía dieron las nueve, Wallander entró por las puertas iluminadas de la parte abierta al público. Baiba le había dado una detallada descripción del aspecto de Mikelis, y lo único que sorprendió a Wallander cuando lo vio fue su juventud. Mikelis le esperaba detrás de un mostrador. «A saber cómo habrá justificado su presencia», pensó Wallander. Se dirigió hacia él y empezó a representar su papel. Protestó en voz alta y en inglés por que le hubieran robado en plena calle, a él, un inocente turista. Los ladrones le habían despojado de todo el dinero y, lo más sagrado de todo, su pasaporte.

Desesperado, se dio cuenta de que había cometido un grave error: no le había preguntado a Baiba si Mikelis hablaba inglés. «¿Qué pasará si sólo habla letón?», pensó consternado. «Tendrá que llamar a alguien que sepa inglés, y estaremos perdidos.»

Para su alivio, Mikelis hablaba un poco de inglés, mejor incluso que el mayor; cuando uno de los policías que estaban de guardia acudió al mostrador para ayudarle a deshacerse del pesado inglés, lo rechazó con brusquedad. Mikelis se llevó a Wallander a una sala adyacente. Los demás policías mostraron un poco de curiosidad, pero nada que fuera preocupante.

La sala estaba vacía y fría. Wallander se sentó en una silla mientras Mikelis le miraba son semblante serio.

–A las diez hay cambio de turno –dijo Mikelis–. Para entonces, habré rellenado la denuncia del atraco. Además, haré que una patrulla detenga a unos sospechosos cuyas señas inventaremos. Tenemos exactamente una hora.

Mikelis confirmó que, como Wallander ya había imaginado, el archivo era inmenso. No había ni la más remota posibilidad de revisar ni una mínima parte de las estanterías y registros de las dependencias construidas dentro de la roca debajo de la comisaría. Todo fracasaría si la intuición de Baiba era errónea: que Karlis había escondido el testamento junto a la carpeta que llevaba su nombre en la cubierta.

Mikelis le dibujó un plano a Wallander. De camino al archivo pasaría por tres puertas cerradas. Mikelis le proporcionaría las llaves. Abajo, delante de la última puerta, habría un guardia. Mikelis le alejaría de allí con cualquier mentira, exactamente a las diez y media. Una hora más tarde, a las once y media, Mikelis bajaría a los sótanos con otro pretexto y se llevaría al guardia. Wallander saldría del archivo y a partir de ese momento tendría que arreglárselas como pudiese. Debería resolver la situación por sí solo si se encontraba con algún policía de servicio por los pasillos.

Wallander se preguntó si podía confiar en Mikelis, al tiempo que admitía que no tenía otra opción. Debía confiar en él, no había otra salida. Sabía lo que Baiba le había contado al joven sargento en el mercado siguiendo sus instrucciones, pero no tenía ni idea de lo que había añadido de su propia cosecha; fuera lo que fuese, bastó para convencer a Mikelis de que ayudara a Wallander a entrar en el archivo. Hiciese lo que hiciese, era un extraño en aquel terreno de juego.

Al cabo de media hora, Mikelis salió de la sala para enviar una patrulla para tratar de detener a los atracadores de Stevens, el turista inglés. El nombre fue idea de Wallander, pero no sabía cómo se le había ocurrido. Mikelis trazó unas señas que podrían encajar con gran parte de la población de Riga, incluyendo al propio Mikelis. Se suponía que el atraco había tenido lugar junto a la Explanada, pero el señor Stevens estaba demasiado exaltado como para acompañarlos en el coche patrulla y señalar el lugar del delito. Cuando regresó Mikelis repasaron el plano del camino al archivo. Wallander se estremeció ante la idea de que tendría que pasar por el pasillo de los coroneles, el mismo donde había tenido su despacho. «Aunque estén sentados en el despacho», pensó, «no podré saber quién de los dos ordenó a Zids que matara a Inese y a sus amigos. ¿Putnis o Murniers? ¿Quién de ellos nos está acosando con los perros?»

Cuando llegó la hora del cambio de guardia, a Wallander se le revolvió el estómago por la tensión. Necesitaba ir al servicio, pero no podía perder tiempo. Mikelis entreabrió la puerta y le dijo que se pusiera en marcha. Había memorizado el plano y era consciente de que no podía equivocarse y llegar tarde cuando Mikelis avisara al guardia con una falsa llamada telefónica.

El cuartel general de la policía estaba desierto. Se apresuró todo lo que pudo por los largos pasillos, preparado para que una puerta se abriese y un arma le apuntase en cualquier momento. Contó las escaleras mientras oía el eco de unos pasos lejanos; nuevamente le asaltó la idea de que se hallaba en lo más intrincado de un laberinto, donde sería muy fácil desaparecer para siempre. Empezó a bajar las escaleras mientras se preguntaba a qué profundidad se encontraba el archivo. Tenía que estar muy cerca del lugar donde se hallaba el guardia. Consultó el reloj y vio que la llamada de Mikelis llegaría dentro de unos minutos. Permaneció inmóvil, atento a la escucha. El silencio le angustiaba. ¿Se habría equivocado de camino?

De pronto un timbrazo estridente rompió el silencio, y Wallander respiró aliviado. Oyó unos pasos en el pasillo contiguo, y cuando éstos se alejaron, se apresuró a seguir adelante, llegó a la puerta del archivo, y la abrió con las dos llaves que Mikelis le había dado.

Le habían informado sobre la distribución de los interruptores. Buscó a tientas por la pared hasta encontrarlos. Mikelis le había dicho que la puerta cerraba a la perfección y que no dejaba traspasar la luz.

Le pareció encontrarse en un gran hangar subterráneo. Jamás hubiera imaginado que el archivo fuese tan grande. Por un instante se quedó pasmado ante las innumerables filas de armarios y estanterías con carpetas. «La habitación de la maldad», pensó. «¿En qué pensaría el mayor cuando entró allí dispuesto a esconder una bomba para que estallara tarde o temprano?»

Volvió a mirar el reloj y se enfadó consigo mismo por perder el tiempo con vagos pensamientos y por la necesidad de ir al lavabo. «Tiene que haber un lavabo en algún sitio», pensó febril. «Sólo me pregunto si tendré tiempo de encontrarlo.»

Echó a andar en la dirección que Mikelis le había indicado. Había advertido a Wallander de lo fácil que era equivocarse entre tantas estanterías y registros idénticos. Maldijo el hecho de que gran parte de su atención tuviera que dedicarse al estado de su estómago, al tiempo que temía lo que ocurriría si no encontraba un baño enseguida.

Se detuvo bruscamente y miró a su alrededor. Se había equivocado. ¿Había ido demasiado lejos?, ¿o bien había cambiado de dirección en algún lugar, apartándose de las indicaciones de Mikelis? Volvió sobre sus pasos. No sabía dónde estaba, y le entró un pánico repentino. Vio en el reloj que le quedaban cuarenta y dos minutos, ya tenía que haber encontrado el departamento correcto del archivo. Volvió a maldecir. ¿Se habría equivocado Mikelis? ¿Por qué no lo encontraba? Se dio cuenta de que tenía que volver a empezar desde el principio, y echó a correr por entre las estanterías hasta el punto de partida. Con las prisas, dio un puntapié a una papelera de metal que rebotó contra un archivador. «El guardia», pensó. «Seguro que lo ha escuchado.» Permaneció inmóvil y aguzó el oído, pero no oyó ningún chirrido de llaves. No podía aguantarse por más tiempo, así que se bajó los pantalones, se agachó sobre la papelera y vació las tripas. Con una sensación de rabia por aquella servidumbre fisiológica, se acercó una carpeta, arrancó unas cuantas hojas de algún interrogatorio y se limpió. Después emprendió el camino, consciente de que tenía que encontrar el sitio exacto para no echarlo todo a perder. Suplicó mentalmente a Rydberg que guiara sus pasos, contó las divisiones laterales y secciones de las estanterías, hasta que al final comprendió que había llegado. Había tardado demasiado, le quedaba menos de media hora para hallar el testamento del mayor, y dudó que tuviese tiempo suficiente. Empezó a buscar. Mikelis no había podido explicarle con detalle el sistema del archivo. Wallander tuvo que buscar por su propia cuenta. Enseguida comprendió que el archivo no estaba organizado según un orden alfabético. Había secciones, subsecciones y, probablemente, más divisiones aún. «He aquí a los desleales», pensó. «A toda esta gente la han vigilado y aterrorizado, la han denunciado y convertido en candidata al puesto de enemigo público número uno. Hay tantos nombres que jamás encontraré la carpeta de Baiba.»

Intentó descifrar el sistema nervioso del archivo, deducir el sitio más lógico donde pudiera hallarse el testamento, como la carta desparejada de Svarte Petter;* pero el tiempo corría y no veía rastro de él. Desesperado, empezó desde el principio otra vez, sacó las carpetas que se destacaban por sus colores mientras se animaba todo el rato a no perder la calma.

Sólo podía permanecer en aquel archivo otros diez minutos, y aún no había encontrado la carpeta de Baiba. Sintió la angustia de haber llegado tan lejos para tener que admitir luego el fracaso. No podía continuar con la búsqueda sistemática, sino repasar por encima las estanterías y esperar que el instinto le guiase. Sabía, sin embargo, que no existía en el mundo ningún archivo organizado según un plan intuitivo, y pensó que todo había fracasado. El mayor había sido demasiado inteligente para Kurt Wallander, de la policía de Ystad.

«¿Dónde?», pensó. «¿Dónde? Si este archivo es como una baraja de cartas, ¿dónde está la carta diferente? ¿En los lados o en medio?»

Se decidió por el medio, pasó la mano por una fila de carpetas con el lomo marrón, y de repente vio una de color azul. Extrajo las dos carpetas marrones que precedían y seguían a la de color azul: en una figuraba el nombre de Leonard Blooms, en la otra, el de Baiba Kalns. Dudó unos instantes. Luego pensó que Kalns debía de ser el apellido de

---

* Juego infantil formado por veinticinco cartas con ilustraciones que deben emparejarse mediante relaciones temáticas hasta formar doce parejas. Una de las cartas, Svarte Petter («Pedro el Negro) queda desparejada. *(N. de las T.)*.

soltera de Baiba, la carpeta que le interesaba no tenía ni nombre ni número de registro. No podía revisarla allí, el tiempo se había agotado y se apresuró hacia la salida, apagó la luz y abrió la puerta con la llave. El guardia no estaba en su puesto de vigilancia, pero según el plan trazado por Mikelis regresaría en cualquier momento. Wallander corría por el pasillo cuando, efectivamente, oyó los pasos del guardia. El camino estaba cortado y Wallander tuvo que olvidarse del plano y buscar otra salida por su cuenta. Permaneció inmóvil mientras el guardia pasaba por el pasillo contiguo. Cuando los pasos se desvanecieron, pensó que lo primero que tenía que hacer era empezar a salir del subterráneo. Encontró unas escaleras y recordó las plantas que había bajado. Cuando estuvo a ras de suelo, no reconoció nada en absoluto. Echó a andar al azar por un pasillo desierto.

Le sorprendió un hombre que estaba fumando. Debió de oír cómo se acercaba, porque apagó el cigarrillo con el talón al tiempo que se preguntaba quién estaba de servicio tan tarde. Cuando Wallander dobló la esquina, el hombre, que llevaba la chaqueta del uniforme desabrochada y tendría unos cuarenta años, se hallaba a unos pocos metros de él. Cuando vio a Wallander con la carpeta azul en la mano comprendió que aquel hombre no debería estar en la comisaría. Sacó la pistola y le gritó algo en letón que Wallander no entendió, pero levantó las manos por encima de la cabeza. El hombre siguió gritándole mientras se acercaba sin dejar de apuntarle con la pistola al pecho; por fin, Wallander comprendió que el oficial de policía quería que se arrodillara. Obedeció la orden con las manos alzadas en un gesto patético. No había escapatoria, le habían atrapado y pronto llegaría uno de los coroneles, que se quedaría con el testamento del mayor escondido en la carpeta azul.

El hombre que le apuntaba con la pistola continuaba preguntándole a gritos. Wallander, que cada vez tenía más miedo a que le disparase en el pasillo, le contestó en inglés:

–It's a mistake –dijo con una voz aguda–. *It's a mistake, I am a policeman too.*

Por supuesto que no era ningún error. El oficial le ordenó que se alzara y mantuviera las manos en alto, y le instó a que echara a andar. De cuando en cuando le golpeaba con la pistola en la espalda.

Cuando llegaron a un ascensor, surgió la ocasión, si bien Wallander ya se había dado por vencido, consciente de que no tenía escapatoria: no podía oponer resistencia ya que el oficial no dudaría en matarle. Pero cuando llegaron al ascensor y el oficial se volvió a medias para encenderse un cigarrillo, Wallander vio que aquélla era su única oportunidad de escapar. Tiró la carpeta azul a los pies del oficial al tiempo que le golpeaba con todas sus fuerzas en la nuca. Sintió un fuerte crujido en los nudillos y un dolor intenso. El oficial se desplomó y la pistola rebotó ruidosamente contra el suelo de piedra. No sabía si el hombre estaba muerto o sólo inconsciente, pero tenía la mano agarrotada por el dolor. Recogió la carpeta, se metió la pistola en el bolsillo y desestimó usar el ascensor. Tenía que orientarse por lo que veía a través de una ventana que daba a un patio oscuro. Tras unos instantes, descubrió que se encontraba en el lado opuesto del pasillo de los coroneles. El hombre que yacía en el suelo empezó a gemir y Wallander supo que no podía golpearlo de nuevo hasta dejarlo inconsciente. Comenzó a seguir el pasillo hacia la izquierda con la esperanza de encontrar pronto una salida.

Estuvo de suerte de nuevo, porque llegó a uno de los comedores de la comisaría y logró abrir la puerta mal cerrada de la entrada de mercancías de la cocina. Salió a la calle; le dolía la mano y empezaba a hinchársele.

Había quedado con Baiba a las doce y media. Esperó a la sombra de la antigua iglesia, que ahora era el planetario del parque de la Explanada. Estaba rodeado de altos tilos estáticos. Pero Baiba no aparecía. El dolor de la mano era casi insoportable. A la una y cuarto tuvo que admitir que algo había sucedido, que ella no iba a venir. Le invadió una gran angustia, no podía apartar de su cabeza la cara ensangrentada de Inese, e intentaba imaginar lo que podía haber ocurrido. ¿Acaso los perros y sus amos habían descubierto que Wallander había podido salir de la universidad sin ser visto a pesar de todo? De ser así, ¿qué habían hecho con Baiba? No se atrevió a llegar más lejos con sus pensamientos. Salió del parque sin saber adónde ir. El dolor le hacía avanzar por las vacías calles oscuras. La sirena de un *jeep* militar le hizo meterse de cabeza en un portal. Un poco más tarde tuvo que buscar otra vez protección en las sombras, cuando un coche patrulla pasó a lo largo de la calle por la que caminaba. Se había colocado la carpeta con los papeles del mayor por debajo de la camisa, cuyos cantos le rozaban las costillas. Se preguntó dónde pasaría la noche. La temperatura había descendido y temblaba de frío. El lugar de encuentro alternativo que Baiba y él habían convenido era la cuarta planta de los grandes almacenes. Puesto que se habían citado para las diez de la mañana siguiente, le quedaban más de siete horas de espera: era imposible que las pasara en la calle. El dolor era tan intenso que asumió que tendría que ir a un hospital para que le vieran la mano, ya que estaba convencido de que se había roto algún hueso, pero no se atrevía. No podía ser, y menos con el testamento en su poder. Por un momento se le ocurrió acercarse a la delegación sueca, si es que existía, pero esa posibilidad tampoco le tranquilizaba. Un inspector de la policía sueca que se encontraba ilegalmente en un país extranjero sería enviado a su país de inmediato y bajo vigilancia. Por si acaso, no quería correr el riesgo.

Angustiado, decidió acercarse al coche que le había prestado servicios durante dos días, pero cuando llegó al lugar donde lo había aparcado, el vehículo ya no estaba allí. Por un momento pensó que el dolor de la mano le sumía en un estado de confusión. ¿Realmente habían dejado allí el coche?, enseguida se convenció de que sí, y pensó que lo habrían despedazado como a un animal en un matadero. El coronel que iba tras sus pasos se habría asegurado de que las pruebas del mayor no estuviesen ocultas dentro del coche.

¿Dónde iba a pasar la noche? Le invadió una sensación de impotencia ante su situación: se encontraba en un territorio enemigo, a merced de una jauría dirigida por alguien que no dudaría en matarle y arrojarle en una dársena helada o enterrarlo en cualquier bosque lejano. La nostalgia que sentía era primitiva y evidente, una nostalgia cuyo origen era aquel bote salvavidas a la deriva con los dos cadáveres que ahora le parecía tan lejano y confuso como si jamás hubiese existido en realidad.

A falta de una solución mejor, regresó por las oscuras calles hasta el hotel donde se había hospedado una noche. Sin embargo, la puerta exterior estaba cerrada y no se encendieron las luces en el piso superior cuando llamó al timbre. Se sentía aturdido por el dolor de la mano y empezaba a temer perder el conocimiento si no entraba pronto en calor. Siguió hasta el próximo hotel, pero las insistentes llamadas al timbre fueron en vano. En el tercer hotel, más decadente y sucio que los anteriores, la puerta exterior estaba abierta, y entró en la recepción, donde un hombre dormía con la cabeza apoyada en una mesa con una botella de aguardiente medio vacía a los pies. Wallander sacudió al hombre, agitó el pasaporte que Preuss le había dado y recibió una llave. Señaló la botella de aguardiente, puso un billete de cien coronas suecas en el mostrador y se la llevó.

La habitación era pequeña y olía a rancio y a humo. Se dejó caer en el borde de la cama, bebió unos sorbos de la botella y sintió cómo le volvía lentamente el calor. Se quitó luego la chaqueta y llenó el lavabo con agua fría, donde introdujo la mano hinchada y dolorida. Poco a poco se le fue calmando el dolor y se dispuso a pasarse toda la noche sentado junto al lavabo. De cuando en cuando bebía un sorbo de la botella y, angustiado, se preguntaba qué le habría sucedido a Baiba.

Sacó la carpeta azul que llevaba escondida debajo de la camisa y la abrió con la mano libre. Contenía una cincuentena de hojas mecanografiadas, aparte de unas fotocopias borrosas, pero no había fotografías como él esperaba. Como el testamento del mayor estaba escrito en letón Wallander no entendió nada. A partir de la página número nueve vio que los nombres de Murniers y Putnis aparecían con regularidad, unas veces los dos en la misma frase y otras por separado. No podía descifrar lo que significaba, si señalaba a los dos coroneles o si el dedo acusador del mayor sólo apuntaba a uno de ellos. Abandonó su intento de interpretar el contenido secreto, colocó la carpeta en el suelo, llenó el lavabo con agua fría y apoyó la cabeza contra el borde de la mesa. Hacia las cuatro se adormiló, pero diez minutos después se despertó de un sobresalto. La mano volvía a dolerle, el agua fría no le aliviaba. Tomó el último sorbo del aguardiente que quedaba, se ató una toalla mojada alrededor de la mano y se echó encima de la cama.

Wallander no sabía lo que haría si Baiba no aparecía al día siguiente en los grandes almacenes.

Dentro de él crecía la sensación de haber sido derrotado.

Pasó la noche en vela hasta el amanecer.

El tiempo había cambiado de nuevo.

18

Cuando se despertó, advirtió el peligro de forma instintiva. Eran casi las siete de la mañana. Permaneció inmóvil y escuchó en la oscuridad. Comprendió que el peligro no provenía de fuera o de la habitación, sino que estaba dentro de él: la advertencia de que, como aún no había levantado todas las piedras, no había descubierto lo que se escondía debajo de ellas.

La mano ya no le dolía tanto. Con cuidado intentó mover los dedos, sin atreverse a mirarlos. El dolor reapareció. No aguantaría muchas horas más sin que le examinara un médico.

Wallander estaba muy cansado. Unas horas antes, cuando se adormecía, creyó que le habían derrotado. El poder de los coroneles era demasiado grande, y su propia capacidad de manejar la situación se veía cada vez más reducida. Al despertar, hubo de reconocer que sucumbía también por el cansancio. Ya no se fiaba de su buen juicio, debido a las pocas horas que dormía.

Quiso analizar la sensación de amenaza con que se había despertado. ¿Qué era lo que se le había pasado por alto? En sus pensamientos e intentos por esclarecer las conexiones, ¿dónde se había equivocado? ¿Los había seguido hasta el final? ¿Qué era lo que todavía no veía? No podía ignorar su instinto: en el estado tan confuso en el que se hallaba, era su única orientación.

¿Qué era lo que todavía no veía? Se sentó con cuidado

en la cama sin poder contestar la pregunta. Contempló por primera vez la mano hinchada con disgusto y llenó el lavabo con agua fría. Primero hundió la cara y luego la mano herida. Al cabo de unos minutos se acercó a la ventana y subió la cortina. El olor a col hervida era muy penetrante. La madrugada húmeda caía sobre la ciudad y sus innumerables torres de iglesias. Permaneció en la ventana observando a la gente que se apresuraba por las aceras, incapaz de contestar a la pregunta de qué era lo que no alcanzaba a ver.

Salió de la habitación, pagó y se dejó engullir por la ciudad.

Atravesaba uno de los parques de la ciudad, no recordaba cuál, cuando cayó en la cuenta de que Riga era una ciudad con muchos perros. No se trataba sólo de la jauría de perros invisibles que le perseguían a él, sino también de otros, reales y comunes, con los que la gente paseaba y jugaba. En el parque se detuvo a contemplar a dos perros enzarzados en una violenta pelea. Uno era un pastor alemán, y el otro de una raza mestiza indeterminada. Los dueños intentaban separarlos, pero pronto empezaron a gritarse entre sí. El dueño del pastor alemán era un hombre mayor, mientras que el del perro mestizo era una mujer de unos treinta años. Wallander tuvo la impresión de estar ante un ajuste de cuentas. Las contradicciones de ese país se amontonaban como las peleas caninas. Los animales luchaban como las personas y los desenlaces no estaban claros de antemano.

Llegó a los grandes almacenes a las diez de la mañana, la hora en que abrían. La carpeta azul le quemaba por dentro de la camisa. El instinto le decía que tenía que deshacerse de ella, encontrarle un escondite provisional.

Había observado atentamente todos los movimientos de su alrededor cuando, temprano, había comenzado a deambular por la ciudad; estaba convencido de que los coroneles habían vuelto a cercarle. Además, notó más sombras que antes, y, enojado, pensó que la tormenta se acercaba. Se detuvo a la entrada de los grandes almacenes. Trató de leer un letrero de información mientras contemplaba el mostrador de atención al cliente, donde se podían dejar los bolsos o paquetes en consigna. El mostrador estaba construido en ángulo y se dio cuenta de que lo recordaba de su anterior visita. Se acercó a la caja que sólo comerciaba con divisas extranjeras, entregó un billete de cien coronas suecas y recibió un fajo de billetes letones. Después siguió hasta la planta de discos. Eligió dos elepés con música de Verdi; los discos eran del tamaño de la carpeta. Cuando pagó y le entregaron los discos en una bolsa, vio a una sombra fingir estar interesada en una estantería con música de jazz. Luego regresó al mostrador de atención al cliente. Esperó a que se agolparan más personas, y en el rincón extremo sacó la carpeta y la colocó entre los discos. Todo fue muy rápido a pesar de que sólo podía usar una mano. Entregó la bolsa, le dieron una ficha con un número y se alejó del mostrador. Las sombras estaban esparcidas por distintos lugares de la entrada de los almacenes, pero aun así estaba seguro de que no se habían percatado de que se había deshecho de la carpeta. Por supuesto existía la posibilidad remota de que examinaran la bolsa, ya que habían visto con sus propios ojos que compraba dos discos.

Miró el reloj de pulsera. Faltaban diez minutos para que Baiba llegase al lugar de encuentro alternativo. La angustia no le dejaba, si bien se sentía un poco más seguro sin la carpeta encima. Subió hasta la planta de los muebles. A pesar de que era muy temprano, muchos clientes se agolpaban para contemplar, de manera resignada o ilusionada, los distintos conjuntos de sofás o dormitorios. Wallander se dirigió despacio hasta la sección de los utensilios de cocina. No quería llegar antes, quería estar en el lugar de encuentro a la hora exacta, y para hacer tiempo se detuvo unos minutos en el departamento de artículos para el alumbrado. Se habían citado entre las cocinas y las neveras, todas de fabricación soviética.

Enseguida la vio. Estaba mirando una cocina y observó sin querer que sólo tenía tres fogones. Notó que algo iba mal, que algo había ocurrido con Baiba, cosa que ya había intuido cuando se despertó por la mañana. La angustia iba en aumento y aguzó todos sus sentidos.

En ese instante ella le vio y le sonrió, aunque sus ojos revelaban miedo. Wallander se acercó a ella sin preocuparse de las sombras. Toda su atención se enfocaba en aclarar lo que había ocurrido. Se puso junto a ella y los dos se pusieron a mirar una nevera reluciente.

–¿Qué ha pasado? –preguntó–. Explícame sólo lo importante. No tenemos mucho tiempo.

–No ha ocurrido nada –respondió–. Sencillamente no pude salir de la universidad porque estaba vigilada.

«¿Por qué miente?», pensó nervioso. «¿Por qué miente tan bien?, ¿para que no la pueda descubrir?»

–¿Has conseguido la carpeta? –inquirió.

Dudó en decirle la verdad, pero de repente se sintió harto de tantas mentiras.

–Sí –contestó–. La tengo. Mikelis era de fiar.

Le miró rápidamente.

–Dámela –pidió–. Sé dónde podemos esconderla.

Wallander comprendió que no era Baiba quien hablaba. Era el miedo el que le pedía la carpeta, la amenaza a la que estaba expuesta.

–¿Qué es lo que ha sucedido? –insistió, esta vez más severo, casi furioso.

–Nada –replicó de nuevo.

–No me mientas –dijo sin ocultar el tono de voz más fuerte–. Te daré la carpeta. ¿Qué pasaría si no te la diera?

Wallander vio que estaba a punto de derrumbarse. «No te desmorones aún», pensó desesperado. «Todavía tenemos ventaja, mientras no estén seguros del todo de que realmente tengo los papeles del mayor.»

–Upitis moriría –susurró.

–¿Quién te ha amenazado?

Negó con la cabeza en señal de rechazo.

–Tengo que saberlo –insistió–. No va a cambiar la situación de Upitis si me lo dices.

Le miró aterrorizada. Él la cogió del brazo y la sacudió.

–¿Quién? –repitió–. ¿Quién?

–El sargento Zids.

Le soltó el brazo. La respuesta le enfureció. ¿Es que no sabría nunca cuál de los dos coroneles era el responsable? ¿Dónde estaba el núcleo de la conspiración?

Se dio cuenta de que las sombras se acercaban, de que estaban dispuestas a creer que tenía el testamento del mayor. Sin pensárselo dos veces tiró del brazo de Baiba y empezó a correr hacia las escaleras. «No será Upitis quien muera primero», pensó. «Seremos nosotros si no conseguimos escapar.»

Su repentina huida sorprendió y confundió a la jauría. Aunque Wallander dudase del éxito, sabía que tenían que intentarlo. Arrastró a Baiba escaleras abajo, empujó a un hombre que no se apartó a tiempo y llegaron al departamento de confección. Los vendedores y los clientes contemplaban atónitos la violenta huida. Wallander tropezó con sus propios pies y cayó sobre un soporte lleno de trajes. Al tirar de ellos, se cayó todo. En la caída se había apoyado sobre la mano herida y el dolor le atravesó el brazo como un cuchillo. Uno de los guardias de los almacenes se le acercó corriendo y le agarró del brazo, pero Wallander ya no tenía contemplaciones, y con la mano sana le golpeó en la cara, y arrastró a Baiba hacia la parte del departamento donde esperaba encontrar una escalera o una salida de emergencia. Las sombras se acercaban, los perseguían sin esconderse, y Wallander tiró de todas las puertas sin éxito. Por fin vio una entreabierta y salieron a una escalera interior. Desde abajo oían el eco de pasos que se acercaban hacia ellos, y lo único que pudieron hacer fue subir escaleras arriba.

Tiró de una puerta antiincendios y salieron al tejado cubierto de gravilla. Miró a su alrededor en busca de una posible escapatoria, pero estaban atrapados sin remedio. Desde el tejado, el único camino sería el gran salto hacia la eternidad. Se dio cuenta de que estaba cogido de la mano de Baiba y lo único que les quedaba era esperar. Sabía que el primero de los coroneles que saliese al tejado sería el asesino del mayor. Tras la puerta gris antiincendios se escondía la respuesta; pensó con amargura que ya no importaba si su hipótesis era correcta o no.

Cuando se abrió la puerta y el coronel Putnis salió junto con algunos de sus hombres armados, se sorprendió por haberse equivocado. A pesar de todo, había llegado a la conclusión de que el monstruo que tanto tiempo se había ocultado entre las sombras era el coronel Murniers.

Putnis se les acercó lentamente con semblante muy serio. Wallander notó que las uñas de Baiba le cortaban la mano. «No puede ordenar a sus hombres que nos maten aquí», pensó desesperado. «¿O quizá sí?» Recordaba la brutal matanza de Inese y sus amigos; la angustia era insoportable y notó que estaba temblando.

De pronto se dibujó una sonrisa en la cara de Putnis, y Wallander comprendió que no era la sonrisa malvada de un animal feroz, sino la de un hombre amable.

—Tranquilícese, señor Wallander. Parece que me acusa de ser el responsable de todo este embrollo, y tengo que reconocer que es usted una persona muy difícil de proteger.

La mente de Wallander se quedó en blanco unos instantes. Luego comprendió que a pesar de todo había estado en lo cierto, que no era Putnis sino Murniers el aliado de la maldad que tanto tiempo había buscado. Además, también estaba en lo cierto en que había una tercera posibilidad, que el enemigo tuviese un enemigo. De repente todo estaba claro para él; su sentido común no le había fallado y tendió la mano izquierda para saludar a Putnis.

—Un lugar de encuentro curioso —sonrió Putnis—, pero al

parecer es usted un hombre de sorpresas. Debo admitir que no sé cómo ha entrado en nuestro país sin que se diese cuenta la guardia fronteriza.

–Ni yo mismo lo sé –respondió Wallander–. Es una historia muy larga y muy confusa.

Putnis contempló preocupado la mano herida de Wallander.

–Tendrán que curarla cuanto antes –sugirió.

Wallander asintió con la cabeza y sonrió a Baiba. Ella todavía permanecía tensa, sin entender lo que ocurría.

–Murniers... –dijo Wallander–, por tanto, era él.

Putnis asintió.

–Las sospechas del mayor Liepa eran fundadas.

–Hay muchas cosas que no entiendo –continuó Wallander.

–El coronel Murniers es muy inteligente. Es un hombre perverso, lo que, por desgracia, demuestra que los cerebros brillantes a menudo sienten predilección por instalarse en las cabezas de personas brutales.

–¿Es cierto? –preguntó de repente Baiba–. ¿Fue él quien mató a mi marido?

–No fue exactamente él –admitió Putnis–; más bien fue su fiel sargento.

–Mi chófer –dijo Wallander–, el sargento Zids. El que mató también a Inese y a los demás en el almacén.

Putnis asintió con la cabeza.

–Al coronel Murniers nunca le gustó la nación letona –afirmó Putnis–. Aunque haya desempeñado el papel del policía profesional al margen del ámbito político, en el fondo es un secuaz fanático del viejo orden. Para él, Dios siempre estará en el Kremlin. Ha sido la garantía para que pudiese formarse una alianza perversa con distintos delincuentes. Cuando el mayor Liepa empezó a tomarse libertades, Murniers intentó dejar pistas que me acusasen a mí. He de reconocer que tardé mucho tiempo en sospechar lo que ocurría. Luego decidí seguir haciendo el papel de ignorante.

—De todos modos, no lo entiendo —insistió Wallander—. Debe de haber algo más. El mayor Liepa hablaba de una conspiración, algo que abriría los ojos de Europa ante lo que ocurría en este país.

Putnis asintió pensativo.

—Por supuesto que había algo más —afirmó—. Algo más grave que la corrupción de un policía de alta graduación protegiendo sus privilegios con toda la brutalidad necesaria. Era un complot diabólico, y el mayor Liepa pronto lo entendió así.

Wallander tenía frío. Todavía estaba cogido de la mano de Baiba. Los hombres armados de Putnis se habían apartado y esperaban junto a la puerta antiincendios.

—Todo estaba muy bien calculado —prosiguió Putnis—. A Murniers se le había ocurrido una idea que logró implantar en el Kremlin y entre la cúpula de los círculos rusos de Letonia. Había visto la posibilidad de matar dos pájaros de un tiro.

—Utilizar la nueva Europa sin fronteras para ganar dinero con el tráfico de estupefacientes —dijo Wallander—. Hacia Suecia, entre otros países. Y al mismo tiempo servirse de este contrabando para desacreditar los movimientos nacionales letones. ¿Estoy en lo cierto?

Putnis asintió con la cabeza.

—Me di cuenta desde el principio de que usted era un policía muy sagaz, señor Wallander; muy analítico y muy paciente. En efecto, así lo había calculado Murniers. Se atribuiría el tráfico de estupefacientes a los movimientos para la libertad de Letonia. La opinión pública les retiraría la simpatía de manera drástica, incluso en Suecia. ¿Quién querría apoyar un movimiento político de liberación que agradece el apoyo infestando el país con drogas? Nadie puede negar que Murniers había creado un arma muy peligrosa y refinada que de una vez por todas podría quebrar el movimiento para la liberación en este país.

Wallander reflexionó sobre lo que Putnis había dicho.

–¿Lo entiendes? –le preguntó a Baiba.

Ella asintió lentamente con la cabeza.

–¿Dónde está ahora el sargento Zids? –preguntó.

–En cuanto tenga las pruebas necesarias, Murniers y el sargento Zids serán detenidos –respondió Putnis–. Murniers debe de estar muy preocupado en estos momentos. Creo que no sabía que nosotros hemos vigilado a los hombres que a su vez les vigilaban a ustedes. Podrán reprocharme haberles dejado correr grandes riesgos innecesarios, pero supuse que sería la única posibilidad que usted tendría para encontrar los documentos que debió de dejar el mayor Liepa.

–Ayer, cuando salí de la universidad, el sargento Zids estaba esperándome –informó Baiba–. Me amenazó con matar a Upitis si no le entregaba los papeles.

–Upitis es totalmente inocente –dijo Putnis–. Murniers tomó como rehenes a los dos hijos pequeños de su hermana, y le amenazó con matarlos si no confesaba ser el asesino del mayor Liepa. En realidad no hay límites para Murniers. El país entero respirará aliviado cuando sea desenmascarado. Será condenado a muerte y lo ejecutarán, al igual que al sargento Zids. Se divulgará la investigación del mayor y el complot será revelado, no sólo en un juicio, sino también ante todo el pueblo. Además, causará sensación fuera de nuestras fronteras.

Wallander sintió cómo la sensación de alivio recorría su cuerpo. Todo había acabado.

Putnis sonrió.

–Lo único que nos falta es leer la investigación del mayor Liepa –concluyó–. Después podrá volver a casa de verdad, inspector Wallander. Huelga decir que le agradecemos toda la ayuda que nos ha prestado.

Wallander sacó la ficha con el número que llevaba en el bolsillo.

–La carpeta es azul –dijo–. Está en una bolsa en la consigna. Pero me gustaría quedarme con los discos.

Putnis se echó a reír.

–Es usted muy hábil, señor Wallander. No comete errores innecesarios.

¿Fue el tono de voz que usó lo que le desenmascaró? Wallander no supo de dónde provino la espantosa sospecha. Sin embargo, cuando Putnis se guardó la ficha en el bolsillo del uniforme, comprendió con una claridad aterradora que acababa de cometer el error más grave de toda su carrera. Lo sabía sin saberlo, la intuición se entremezclaba con las ideas, y la boca se le quedó seca.

Putnis continuó sonriendo mientras sacaba una pistola del bolsillo. Se acercaron los soldados, se dispersaron por el tejado y apuntaron sus armas contra Baiba y Wallander. Ella parecía no entender lo que ocurría y Wallander se quedó mudo por la humillación y el miedo. En ese instante la puerta antiincendios se abrió y apareció el sargento Zids. Wallander pensó aturdido que Zids había estado tras la puerta esperando su entrada triunfal. La función ya había acabado y no tenía que esperar entre bastidores.

–Su único error –dijo Putnis con voz inexpresiva–. Todo lo que acabo de explicarle es verdad, salvo que, en realidad, hablaba de mí mismo. Todo lo que he dicho sobre Murniers se refiere a mí. Por tanto tenía usted razón y estaba equivocado al mismo tiempo, inspector Wallander. Si usted fuese marxista como yo, comprendería que de vez en cuando hay que colocar el mundo al revés para poder enderezarlo después.

Putnis retrocedió unos pasos.

–Espero que se hará cargo de que no puede regresar a Suecia –comentó–. A pesar de todo, estará muy cerca del cielo cuando muera, aquí en el tejado, inspector Wallander.

–¡No le haga daño a Baiba! –suplicó Wallander–. ¡A Baiba no!

–Lo siento –respondió Putnis.

Alzó el arma. Wallander vio que pensaba matar a Baiba en primer lugar. No podía hacer nada, sólo morir en aquel tejado del centro de Riga.

En ese instante, se abrió de golpe la puerta antiincendios. Putnis se sobresaltó y se volvió en dirección al ruido inesperado. Encabezando a un gran número de policías armados, el coronel Murniers se lanzó hacia el tejado. Al ver a Putnis pistola en mano, no dudó un momento. Llevaba el arma reglamentaria y disparó tres tiros seguidos en el pecho de Putnis. Wallander se tiró encima de Baiba para protegerla, cuando estalló un terrible tiroteo en el tejado. Los hombres de Murniers y de Putnis intentaban ponerse a cubierto tras las chimeneas y las tuberías de ventilación. Wallander se dio cuenta de que habían quedado en plena línea de fuego e intentó proteger a Baiba tras el cuerpo inerte de Putnis. De pronto vio al sargento Zids agazapado detrás de una de las chimeneas. Sus miradas se cruzaron y después Zids miró a Baiba. Wallander comprendió que pensaba tomarlos como rehenes a ella o a los dos para escapar con vida. Los hombres de Murniers eran superiores en número, y varios de los que acompañaban a Putnis ya habían caído. Wallander vio que la pistola de Putnis estaba al lado del cuerpo sin vida del coronel, pero antes de tener tiempo siquiera de alcanzarla, Zids se abalanzó sobre él. Wallander le propinó un puñetazo con la mano herida, y el intenso dolor le hizo gritar de rabia. Zids se sobresaltó por el golpe, le sangraba la boca, pero el desesperado ataque de Wallander apenas le había alterado. Su cara rezumaba odio cuando levantó la mano para matar al inspector sueco que tantos problemas les había causado a él y a sus superiores. Wallander comprendió que iba a morir y cerró los ojos. Cuando sonó el disparo, sintió que todavía seguía vivo, y abrió los ojos. Baiba estaba arrodillada junto a él, con la pistola de Putnis entre las manos; le había disparado a Zids una bala certera en el entrecejo. Lloraba, pero Wallander pensó que sería de rabia y de alivio, y ya no por el temor y la duda que tanto tiempo había albergado.

El tiroteo se acabó tan pronto como había empezado. Dos de los hombres de Putnis estaban heridos y los demás muertos. Murniers miraba con tristeza a uno de sus propios hombres, muerto por una ráfaga en el pecho. Después se dirigió a ellos.

–Siento mucho que haya tenido que pasar por todo esto –se disculpó–, pero tenía que escuchar lo que decía Putnis.

–Seguramente podrá leerlo en los documentos que dejó el mayor –respondió Wallander.

–¿Cómo podía estar seguro de que existieran? ¿Y menos aún de que usted los encontrara?

–Podía haberlo preguntado –replicó Wallander.

Murniers negó con la cabeza.

–Si me hubiese puesto en contacto con alguno de ustedes, habría entrado en una guerra abierta con Putnis. Él habría huido al extranjero y jamás lo hubiésemos atrapado. De hecho, no tenía otra elección que vigilarles, por lo que seguimos los pasos de los vigilantes de Putnis.

Wallander se sentía tan cansado que no pudo seguir escuchando más. La sangre le latía en la mano herida. Se apoyó en Baiba y se levantó.

Luego se desmayó.

Cuando despertó, yacía en la camilla de un hospital; le habían enyesado la mano y ésta, por fin, había dejado de dolerle. El coronel Murniers estaba en el umbral de la puerta con un cigarrillo en la mano y le miraba con cara sonriente.

–¿Se encuentra un poco mejor? –preguntó–. Los médicos letones son muy hábiles. Su mano era un espectáculo digno de ver. Se llevará como recuerdo las radiografías.

–¿Qué pasó? –inquirió Wallander.

–Se desmayó. A mí me habría pasado lo mismo, de estar en su situación.

Wallander paseó la mirada por la habitación.

–¿Dónde está Baiba Liepa?

–En su apartamento. Estaba muy serena cuando la dejé allí hace unas horas.

Wallander tenía la boca seca. Se sentó con cuidado en el borde de la camilla.

–Café –dijo–. ¿Me pueden servir una taza de café?

Murniers sonrió.

–En mi vida he encontrado a nadie que tome tanto café como usted –rió–. Por supuesto que le darán café. Si se encuentra mejor, le sugiero que vayamos a mi despacho para concluir este asunto. Después supongo que usted y Baiba tendrán mucho de que hablar. Antes le darán un calmante por si le empieza a doler la mano otra vez. El médico que se la enyesó dijo que podía ocurrirle.

Cruzaron la ciudad en el coche de Murniers. Era muy avanzada la tarde y ya anochecía. Cuando entraron por el portal del cuartel general de la policía, Wallander deseó que ésa fuese la última vez. Camino del despacho, el coronel Murniers se detuvo y sacó de una caja fuerte guardada bajo llave la carpeta azul. Un guardia armado custodiaba el gran armario.

–Ha sido muy inteligente por su parte guardarla bajo llave –comentó Wallander.

Murniers le miró sorprendido.

–¿Inteligente? –replicó Murniers–. Necesario, inspector Wallander. Que Putnis no esté no significa que se hayan solucionado todos los problemas. Seguimos en el mismo mundo, inspector Wallander, este país se está resquebrajando por las discrepancias. Y ésas no desaparecen con tres disparos en el pecho a un coronel de la policía.

Wallander reflexionó sobre las palabras de Murniers mientras se dirigían al despacho. Un hombre con una bandeja de café en las manos estaba en posición de firmes delante de la puerta. Wallander recordó la primera visita a ese sombrío despacho como algo muy lejano. ¿Sería capaz de abarcar algún día todo lo que había sucedido desde entonces?

Murniers sacó una botella de una de las cajoneras del escritorio y llenó dos copas.

–Es indecente brindar cuando han muerto tantas personas –empezó–. Sin embargo, considero que nos lo merecemos, principalmente usted, inspector Wallander.

–No he hecho más que cometer errores –objetó Wallander–. He tenido ideas equivocadas y he tardado demasiado en descubrir las conexiones.

–Al contrario –respondió Murniers–. Estoy muy impresionado por su aportación, por no mencionar su valentía.

Wallander negó con la cabeza.

–No soy una persona valiente –admitió–. Me sorprende que todavía esté vivo.

Apuraron las copas y se sentaron a la mesa forrada de fieltro verde. Los papeles del mayor estaban en medio.

–En realidad sólo tengo una pregunta –dijo Wallander–. ¿Upitis...?

Murniers asintió con la cabeza.

–La astucia y la brutalidad de Putnis no tenían límite y necesitaba un chivo expiatorio. Sobre todo buscaba el motivo para expulsarle a usted. Enseguida vi cómo desaprobaba y temía su eficiencia. Hizo secuestrar a dos niños pequeños, inspector Wallander, los dos hijos de la hermana de Upitis. Si éste no se inculpaba de la muerte del mayor Liepa, los niños morirían. Upitis no tenía elección. A menudo me pregunto qué habría hecho yo en su lugar. Ahora le han liberado, por supuesto, y Baiba Liepa sabe que no era un traidor. También hemos encontrado a los dos niños secuestrados.

–Todo empezó con un bote salvavidas que las corrientes arrastraron hasta la costa sueca –afirmó Wallander tras un rato en silencio.

–El coronel Putnis y sus compinches acababan de empezar la gran operación de tráfico de estupefacientes hacia Suecia, entre otros países –respondió Murniers–. Putnis había colocado allí a unos cuantos de sus agentes. Habían elaborado un mapa de distintos grupos de emigrantes letones y empezarían a distribuir la droga, lo que desacreditaría a todo el movimiento de liberación letón. Sin embargo, debió de ocurrir algo a bordo de uno de los navíos que transportaba la droga desde Ventspils. Al parecer, algunos de los hombres del coronel dieron un improvisado golpe palaciego con la intención de hacerse con una gran partida de anfetaminas para su propio provecho. Los descubrieron, los mataron y los arrojaron a un bote salvavidas. En la confusión se les olvidó sacar la droga que había dentro del bote. Según tengo entendido, estuvieron buscando el bote durante más de veinticuatro horas sin resultado alguno. Podemos estar contentos de que llegara a la costa sueca; de lo contrario, es muy probable que el coronel Putnis hubiese logrado su propósito. Por supuesto, fueron los astutos agentes de Putnis los que robaron la droga en su comisaría tras saber que nadie había descubierto el contenido del bote.

–Tiene que haber algo más –insistió Wallander reflexivo–. ¿Por qué decidió Putnis matar al mayor Liepa tras su regreso?

–Putnis estaba desquiciado. No sabía qué podía haber indagado el mayor Liepa en Suecia, no podía correr el riesgo de dejarle con vida si no podía controlar lo que hacía en cada momento. Mientras el mayor Liepa estuviera en Letonia podía vigilarle, o al menos saber con quién se veía. Se puso nervioso, y el sargento Zids recibió la orden de matarle, y lo hizo.

Se sumieron en un largo silencio. Wallander notó que Murniers estaba cansado y preocupado.

–¿Qué ocurrirá ahora? –preguntó Wallander.

–Tendré que revisar a fondo los documentos del mayor Liepa –respondió Murniers–. Luego ya veremos.

La respuesta preocupó a Wallander.

–Se darán a conocer, ¿verdad?

Murniers no contestó, y Wallander comprendió que aquello no era tan incuestionable para el coronel: sus intereses no tenían por qué coincidir con los de Baiba Liepa y sus amigos. Para él tal vez era suficiente con que Putnis hubiera sido desenmascarado. Murniers podría tener una opinión distinta sobre la conveniencia política de publicar aquellos papeles. A Wallander le indignaba la idea de que ocultaran el testamento del mayor.

–Me gustaría tener una copia de la investigación del mayor –dijo.

Murniers descubrió sus intenciones de inmediato.

–No sabía que usted leyese letón –respondió.

–No se puede estar informado de todo –replicó Wallander.

Murniers le miró en silencio durante un rato. Wallander fijó la vista en el coronel sin bajarla. Por última vez medía sus fuerzas con las de Murniers, y era de suma importancia que no se dejara vencer. Se lo debía al pequeño y miope mayor Liepa.

Murniers tomó de repente una decisión. Llamó al timbre que estaba debajo de la mesa y apareció un hombre que entró y recogió la carpeta azul. Veinte minutos después entregaron a Wallander una copia que nunca sería registrada, una copia cuya responsabilidad Murniers siempre negaría; una copia que Wallander obtuvo sin permiso y en contra de todo deber diplomático entre dos naciones amigas, y que luego entregaría a personas no autorizadas para conocer su contenido. Esta conducta evidenciaba una falta de juicio excepcional, digna de todos los reproches.

Así se explicaría la verdad si es que alguna vez salía a relucir, cosa harto improbable. Wallander nunca supo por qué Murniers le cedió la copia. ¿Fue por el mayor? ¿Por el país? ¿O porque pensaba que Wallander merecía ese regalo de despedida?

La conversación terminó, ya no quedaba nada más que decir.

–El pasaporte que tiene ahora es de una vigencia muy dudosa –dijo Murniers–. Sin embargo, haré que regrese a Suecia sin problemas. ¿Cuándo quiere volver a su país?

–Mañana no, mejor pasado mañana –respondió Wallander.

El coronel Murniers le acompañó hasta el coche que le esperaba en el patio. Wallander se acordó de su Peugeot, que se encontraba en un granero de Alemania, junto a la frontera con Polonia.

–Me pregunto cómo me llevaré el coche –murmuró.

Murniers le miró sin entender. Wallander comprendió que jamás sabría qué grado de relación era el que unía a Murniers con las personas que se consideraban la garantía para un futuro mejor en Letonia. Sólo había raspado un poco en la superficie con la que le dejaron ponerse en contacto. Nunca le daría la vuelta a esa piedra. Murniers sencillamente no sabía cómo Wallander había entrado en Letonia.

–Nada, nada –dijo Wallander.

«Ese condenado de Lippman», pensó furioso. «Me pregunto si esas organizaciones letonas del exilio disponen de fondos para compensar a los policías suecos por los coches que nunca volverán a ver.»

Se sintió ofendido, sin saber por qué, y lo atribuyó al enorme cansancio que aún imperaba sobre su mente. No podría confiar en su buen juicio hasta que no hubiese descansado lo suficiente.

Se despidieron ante el coche que iba a llevarle a casa de Baiba Liepa.

–Le acompañaré al aeropuerto –informó Murniers–. Le entregaré dos billetes de avión, uno de Riga a Helsinki, y otro de Helsinki a Estocolmo. Por lo que tengo entendido, no hace falta el pasaporte en los países nórdicos. Nadie sabrá, pues, que ha estado en Riga.

El coche salió del patio de la comisaría. Una ventanilla

cerrada le separaba de la nuca del chófer. En la oscuridad pensó en las palabras de Murniers: nadie sabría que había estado en Riga. De pronto decidió que jamás lo explicaría a nadie, ni siquiera a su padre. Sería su secreto, máxime cuando todo lo ocurrido era demasiado inverosímil e increíble. ¿Quién iba a creerle?

Se reclinó en el asiento y cerró los ojos. Lo importante ahora era el encuentro con Baiba. Ya pensaría en el futuro cuando regresara a Suecia.

Pasó dos noches y un día en el apartamento de Baiba Liepa. El momento propicio nunca llegó, a pesar de que estuviera esperándolo, y no le reveló nada sobre los sentimientos encontrados que sentía por ella. Lo más cerca que estuvo de ella fue la segunda noche, cuando sentados en el sofá miraron las fotos de un álbum. Cuando salió del coche que le llevó del despacho de Murniers a casa de Baiba, ella le recibió de manera reservada, como si fuese un extraño. Se quedó desconcertado sin saber por qué. ¿Qué había esperado? Le preparó la cena, un estofado, cuyo ingrediente principal era una gallina dura; tuvo la impresión de que Baiba Liepa no era una cocinera muy inspirada. «No debo olvidar que es una intelectual», pensó. «Una persona que dedica más energía a soñar con una sociedad mejor que a preparar recetas de cocina. Hacen falta tanto soñadores y pensadores como gente práctica; pero no es fácil que ambos convivan bien juntos.»

Wallander sintió una callada melancolía que no exteriorizó, y tuvo que reconocer que él pertenecía al grupo de las personas culinarias que poblaban la Tierra. No era de los soñadores. Un policía no podía dejar que le afectaran los sueños; él miraba hacia la tierra sucia y no hacia un cielo futuro. Sin embargo, no podía negar que había empezado a quererla, y precisamente eso era el origen de su melancolía.

Con esa tristeza abandonaría la misión más extraña y peligrosa que jamás había vivido y esto le dolía mucho. Casi no reaccionó cuando le contó que encontraría su coche de vuelta en Estocolmo. Y empezó a sentir compasión de sí mismo.

Le preparó la cama en el sofá. Oía su tranquila respiración en el dormitorio. Pese a estar cansado, no podía dormir. Se levantó una y otra vez, caminó por el suelo frío y contempló la desierta calle en la que el mayor había encontrado la muerte. No había rastro de las sombras, estaban enterradas junto a Putnis. Sólo quedaba un gran vacío, triste y doloroso.

El día antes de marcharse fueron a visitar la tumba, sin inscripción alguna, en la que el coronel Putnis hizo enterrar a Inese y a los amigos de Baiba, y lloraron desconsoladamente. Wallander lloró como un niño abandonado, y por primera vez vio el mundo espantoso en el que vivía. Baiba había traído unas rosas heladas que puso encima del montón de tierra.

Wallander le entregó la copia del testamento del mayor, pero ella no quiso leerla mientras él aún estuviera allí.

Nevaba sobre Riga la mañana de su partida.

El propio Murniers le acompañó al aeropuerto. Baiba le abrazó en la puerta, se agarraron como si acabaran de salir de un naufragio, luego él se marchó.

Wallander subió la escalera del avión.

–Buen viaje –le saludó Murniers.

«También él se alegra de perderme de vista», pensó. «No creo que me eche de menos.»

El avión de la compañía Aeroflot hizo un giro a la izquierda sobre Riga. Después el piloto enderezó el curso hacia el golfo de Finlandia.

Kurt Wallander se durmió con la cabeza apoyada en el pecho antes de alcanzar la altura de crucero.

La misma noche del 26 de marzo llegó a Estocolmo.

Los altavoces en la terminal de llegadas lo instaron a dirigirse al mostrador de información.

En un sobre encontró su pasaporte y las llaves del coche, aparcado un poco más allá de la parada de taxis. Para su sorpresa, Wallander vio que estaba recién lavado.

El interior del coche estaba caliente: alguien había estado esperándole dentro.

Condujo hasta Ystad esa misma noche.

Entró en su apartamento de la calle de Mariagatan poco antes de que amaneciera.

Epílogo

Una mañana de principios de mayo, Wallander se encontraba en su despacho; aburrido pero concentrado, rellenaba un boleto de la quiniela a cuando Martinson llamó a la puerta y entró. El tiempo todavía era fresco y la primavera aún no había llegado a Escania. Sin embargo, Wallander tenía la ventana abierta, como si tuviese la necesidad de despejar la mente. Absorto, pensaba en las posibilidades de victoria de los distintos equipos de fútbol, mientras escuchaba el canto de un pinzón encaramado a un árbol. Cuando apareció Martinson en la puerta, Wallander apartó el boleto, se levantó y cerró la ventana. Sabía que Martinson siempre temía resfriarse.

—¿Molesto? —preguntó.

Desde la vuelta de Riga, Wallander se había mostrado negativo y arisco con los colegas, incluso algunos lo habían comentado entre ellos: ¿cómo podía ser que hubiese perdido tanto el equilibrio después de una insignificante herida en una mano durante las vacaciones de esquí en los Alpes? Sin embargo, nadie se lo preguntó abiertamente, y todos pensaron que su tristeza y sus caprichos se le disiparían poco a poco.

Wallander se dio cuenta de que se comportaba mal con sus colegas y no quería dificultar su trabajo con su desgana y melancolía, pero no sabía qué hacer para volver a ser el Wallander de siempre, el decidido pero bonachón inspector del distrito de Ystad. Era como si esa persona ya no existiera, y tampoco estaba seguro de que la echara de menos realmente. No sabía lo que quería hacer con su vida. El supuesto viaje a los Alpes le reveló la falta de autenticidad que llevaba dentro de sí, y comprendió que no se escondía tras las mentiras de forma consciente. No obstante, se preguntaba más que antes si su falta de conocimiento del mundo real no sería una especie de mentira, a pesar de que se justificaba en su gran ignorancia y no lo atribuía a inhibiciones desarrolladas conscientemente.

Cada vez que alguien entraba por la puerta, le atenazaba la mala conciencia. No hacía otra cosa que aparentar normalidad.

–No me molestas –le dijo a Martinson con una amabilidad forzada–. Siéntate.

Martinson se dejó caer en la silla para las visitas, que era muy incómoda y tenía los muelles rotos.

–Quiero contarte una historia extraña –empezó Martinson–. Mejor dicho, tengo dos historias que relatarte. Me parece que nos han visitado unos espectros del pasado.

A Wallander no le gustaba la manera de expresarse de Martinson. La cruda realidad que manejaban no podía expresarse en giros poéticos. Sin embargo, no dijo nada, y aguardó a que prosiguiera.

–¿Te acuerdas del hombre aquel que llamó y nos contó que había un bote que estaba a punto de llegar a la costa sueca? –continuó Martinson–. ¿Un hombre que nunca encontramos y que tampoco volvió a llamar?

–Fueron dos hombres –objetó Wallander.

Martinson asintió con la cabeza.

–Empecemos con el primero de ellos –insistió–. Hace unas semanas, Anette Brolin consideró la posibilidad de detener a ese hombre como sospechoso de una agresión particularmente cruel, pero como no estaba fichado, lo dejó marchar.

Wallander escuchaba con especial interés.

–Se llama Holmgren –prosiguió Martinson–. Por casualidad vi el informe sobre la agresión encima de la mesa de

326

Svedberg. Vi que estaba registrado como el propietario de un pesquero llamado *Byron*, y entonces empezaron a sonar las campanas en mi cabeza, y más aún cuando descubrí que el tal Holmgren había golpeado a uno de sus más íntimos amigos, un tal Jakobson, que solía trabajar como tripulante del barco.

Wallander recordaba la noche en el puerto de Brantevik.

Martinson tenía razón, les habían visitado fantasmas del pasado. Estaba ansioso por oír la continuación.

—Lo más curioso es que Jakobson no quiso denunciar la agresión, a pesar de que había sido grave y sin causa aparente —informó Martinson.

—¿Quién puso la denuncia? —preguntó Wallander sorprendido.

—Holmgren se había abalanzado sobre Jakobson con la manivela de un cabrestante en el puerto de Brantevik. Alguien los vio y llamó a la policía. Jakobson estuvo ingresado en el hospital durante tres semanas. Estaba hecho trizas, pero aun así no quiso denunciar a Holmgren. Svedberg no pudo averiguar lo que se escondía tras la pelea. Sin embargo, me pregunto si no tendría relación con el bote. ¿Te acuerdas de que ninguno de los dos quiso admitir que se habían puesto en contacto con nosotros? Por lo menos, eso era lo que creíamos.

—Me acuerdo perfectamente —respondió Wallander.

—Pensé que tenía que hablar con el tal Holmgren —continuó Martinson—. Por cierto, vivía en la misma calle que tú, en Mariagatan.

—¿Vivía?

—Eso es. Cuando llegué, ya se había marchado, lejos, además. Se había ido a Portugal. En el registro aparecía como emigrante. Había dado una curiosa dirección en las Azores. El *Byron* fue vendido a un pescador danés por una suma irrisoria.

Martinson se calló y Wallander le miró pensativo.

–Es una historia rara, ¿verdad? –preguntó Martinson–. ¿Crees que debemos enviar esta información a la policía de Riga?

–No –contestó Wallander–. No creo que sea necesario, pero gracias por contármelo.

–No he acabado aún –continuó Martinson–. Ahora viene la segunda parte de la historia. ¿Leíste los periódicos de ayer por la tarde?

Hacía mucho tiempo que Wallander había dejado de comprar los periódicos, salvo cuando estaba involucrado en algún caso al que los periodistas dedicaban especial interés.

Negó con la cabeza, y Martinson prosiguió.

–Deberías haberlo hecho. Los aduaneros de Gotemburgo recogieron un bote salvavidas, que luego resultó pertenecer a un pesquero ruso. Lo encontraron a la deriva en las proximidades de Vinga, lo que les extrañó, ya que reinaba calma chicha ese día. El patrón del buque pesquero dijo que tenían que entrar en un astillero para reparar un desperfecto de la hélice. Habían estado pescando cerca de los bancos de Dogger. Alegaron que habían perdido el bote sin darse cuenta. Un perro antidroga se acercó al bote por casualidad y mostró un interés repentino. La aduana encontró dentro del bote un par de kilos de anfetaminas de gran pureza que provenía de unos laboratorios polacos de estupefacientes. Tal vez nos dé la clave que nos faltaba, que el bote que sustrajeron de nuestro sótano contenía algo que debíamos haber encontrado nosotros.

Wallander pensó que sus últimas palabras eran un ataque al grave error que cometió. No cabía duda de que Martinson tenía razón al decir que fue una negligencia imperdonable. Sintió la repentina tentación de confiarse a Martinson, de contar a alguien la verdadera historia de lo que ocurrió en lugar de las supuestas vacaciones en los Alpes. Sin embargo, no dijo nada porque no podía.

–Supongo que tienes razón –admitió–. No obstante,

nunca sabremos por qué asesinaron a aquellos hombres, y tampoco, además, por qué les pusieron luego las chaquetas.

–No creas –siguió Martinson, y se levantó–. ¿Quién sabe lo que nos depara el mañana? Sea como fuere, estamos un paso más cerca del final de aquella historia, ¿verdad?

Wallander asintió con la cabeza, pero no dijo nada.

Martinson se detuvo en la puerta y se volvió.

–¿Sabes lo que creo? –preguntó–. Es una opinión muy personal: que Holmgren y Jakobson se dedicaban a algún tipo de contrabando, y que descubrieron el bote, pero que tenían buenas razones para no mezclarse demasiado con la policía.

–Eso no explica los malos tratos –objetó Wallander.

–Quizá habían acordado no ponerse en contacto con nosotros. Quizá Holmgren pensó que Jakobson se había chivado.

–Puede que tengas razón, pero no lo sabremos nunca.

Martinson salió del despacho. Wallander abrió la ventana y volvió al boleto de la quiniela.

Más tarde se dirigió en coche a un café recién inaugurado en el puerto.

Pidió una taza de café y empezó a escribir una carta a Baiba Liepa.

Al cabo de media hora, cuando leyó lo que había escrito, rompió la carta en pedazos.

Salió del café y se encaminó hacia el rompeolas.

Esparció los trozos de papel sobre el agua como migas de pan.

Todavía no sabía qué decirle.

Sin embargo, sentía una gran añoranza.

Colofón

Los agitados acontecimientos en los países del Báltico durante los últimos años son condición necesaria de la aparición de esta novela. Ni que decir tiene que resulta muy complicado escribir una novela cuya acción y ambientación están ubicadas en un entorno desconocido para el autor, y más aún cuando se profundiza en un contexto político y social donde nada está decidido. Hay que manejar datos concretos: ¿sigue en pie aquella estatua, la han derribado o llevado a otro lugar?; ¿continúa llamándose equis aquella calle en febrero de 1991, o han vuelto a cambiarle el nombre? Sobre todo hay que evitar utilizar el hecho de que, a pesar de todo, la situación en los Estados bálticos es provisional, y la marcha de los acontecimientos, imprevisible. Es cierto que recrear los pensamientos y los sentimientos es tarea del escritor, pero a veces se necesita ayuda. Le debo mucho a varias personas. En concreto, quiero mencionar a dos, de uno puedo decir su nombre, el otro permanecerá en el anonimato: Guntis Bergklavs, que dedicó su inapreciable tiempo a explicar, recordar y sugerir, y me enseñó los secretos de la ciudad de Riga. También quiero dar las gracias al investigador del grupo de homicidios de la policía de Riga, que, pacientemente, me indicó su modo de proceder en el trabajo.

La dificultad radicaba en que no podíamos olvidar nunca cómo estaban las cosas hacía un año, cuando la situación era muy distinta y más confusa que hoy. El destino de los países bálticos todavía no está decidido. Las tropas rusas siguen de guardia en territorio letón. El futuro tan sólo se forjará tras un intenso duelo entre lo viejo y lo nuevo, lo conocido y lo desconocido.

Unos meses después de que, en la primavera de 1991, esta novela estuviera acabada, se produjo el golpe de Estado en la Unión Soviética, un acontecimiento que serviría para acelerar el proceso de independencia de los Estados bálticos. Sin duda, la posibilidad de ese golpe estaba en el punto de arranque de la novela; pero ni yo ni nadie podía predecir qué iba a suceder ni cómo podría acabar.

Este libro es una novela, y ello significa que no todo lo que se describe ha ocurrido exactamente de la forma que se describe. No obstante, podría haber sucedido de la manera que se narra. La libertad del escritor radica en la posibilidad de proveer a unos grandes almacenes con un mostrador de consigna inexistente o crear de la nada un departamento de muebles si hace falta. Y a veces hace falta.

Henning Mankell, abril de 1992